KB183577

# 디지털
# 치료제
# 혁명

# 디지털
# 치료제
# 혁명

하성욱 · 김유영 지음

## 제3의 신약
## 디지털 치료제의 모든 것!

Digital Therapeutics

## 디지털 치료제는 기존 의료 시스템에 혁명적인 변화를 가져올 것이다

디지털 치료제는 1세대 저분자 화합물(알약 또는 캡슐)과 2세대 생물제제(항체, 단백질, 세포 등)를 지나 3세대 고품질 소프트웨어 형태의 의료기기로 기대되고 있다. 2019년 말 시작된 코로나 팬데믹으로 인해 비대면 의료가 주목받고 있고 의료 분야에 다양한 디지털 전환이 가속화되고 있다. 이러한 흐름을 타고 인공지능, 가상현실, 챗봇, 게임 등 정보통신기술을 활용해 환자의 일상생활 속에서 질병의 치료와 관리를 제공하는 디지털 치료제는 크게 주목받는 신 산업 분야이다.

지난 1년간 주말과 저녁시간을 활용하여 디지털 치료제에 대한 현황과 전망을 정리했다. 이 책을 쓰는 동안에도 많은 디지털 치료제 기업의 새로운 시도와 성장이 있었다. 이 산업은 급속한 변화를 맞이하고 있는 것 같다. 이러한 변화에서 벗어난 제삼자의 객관적 관점에서 변화의 이유, 변화의 방향, 변화를 주도하는 힘이 무엇일까를 고민하고 그 고민의 결과를 담아보았다. 각 장의 마지막 페이지에 기술한 인사이트가 해당 고민의 결과를 구체화한 것이다. 아무쪼록 이러한 인사이트가 디지털 치료제 기업, 준비하는 예비 창업자, 생태계를 조성하는 정부와 의료기관, 제약회사, 보험회사, 통신회사, 포탈 등 빅테크 내의 전문가들에게 실질적인 도움이 되었으면 한다. 그리고 개인의 삶에도 디지털 치료라는 새로운 흐름은 질병을 예방하고 관리하기 위해 새로운 시도로 의미가 있으리라 본다. 이 책은 아직 걸음마 단계인 디지털 치료제 산업의 전반적인 내용을 담고 있다.

제약 산업의 발전 과정에서도 인간을 대상으로 한 많은 연구와 실험을 통해 시행착오를 극복하였고 현재는 인허가 과정에서 임상시험을 통해 새로운 약의 안전성과 치료 효과를 검증하고 있다. 디지털 치료제는 이러한 제약 산업의 초기 단계를 진행하고 있다. 만약 디지털 치료제를 통해 치료 효과와 안전함이 검증된다면 기존의 의료 시스템에 혁명적인 변화를 만들 것으로 예상된다.

이미 대부분의 국가에서 고령화, 만성질환, 정신질환의 증가로 의료보험의 재정 건전성이 악화되고 있다. 예방의학을 통한 발병의 억제와 질병에 대한 체계적인 관리가 디지털 치료제를 통해 강화될 수 있다면 국가의 보건의료정책에 새로운 계기가 만들어질 것으로 보인다. 이러한 관점에서 디지털 치료제는 관련 기업의 단순한 비즈니스 영역이 아니라 인류의 생존과 연관된 중요한 사항이다.

미국의 블루버튼 이니셔티브Blue Button Initiative 및 한국의 마이 데이터 제도는 데이터의 소유권이 생산한 주체에 있음을 분명히 하고 의료데이터의 경우 주체인 개인이 데이터에 대한 생산, 유통, 소비에 적극적으로 개입함을 의미한다. 마이 데이터My Data, 메타버스Metaverse, 토큰 이코노미Token Economy 등 다양한 기술의 발전과 법제도의 변화는 디지털 헬스케어 산업의 도약적 변화를 만들어낼 것이다. 디지털 치료제는 이러한 생태계의 변화 속에서 많은 비즈니스 기회를 가질 것으로 보인다.

디지털 치료제를 만드는 'HAII'는 연세대학교 김진우 교수님이 HCI (Human Computer Interaction) 랩을 운영한 노하우를 가지고 창업한 기업이다. 2020년 여름 알츠하이머 치매에 대한 디지털 치료제를 개발하는 주식회사 하이와의 미팅에서 공동저자인 연세대학교 HCI 랩의 김유영 박사과정을 만나게 되어 함께 책을 쓰게 됐다. 김유영 박사과정은 HCI의 전문가이기도 하지만 현재 뇌졸중 환자를 대상으로 언어 치료를 하는 디지털 치료제를 기획, 개발, 임상을 진행하고 있다. 디지털 치료제를 만들기 위한 A-Z를 직접 경험했을 뿐만 아니라 어떻게 하면 환자들이 더 잘 그리고 지속적으로 디지털 치료의 혜택을 받을 수 있을지 연구하고 있다. 시간이 부족한 상황에서도 디지털 치료제 현황과 잘 만드는 방법을 썼다.

이 책의 1부는 실제적인 관점에서 디지털 치료제의 정의, 분류, 예시와 기업들, 그리고 만드는 방법과 전제조건 들을 다루고 있다. 2부는 거시적 관점에서 바이오 산업 내에서 디지털 치료제의 위치와 기회를 정리했다. 그리고 디지털 치료제가 실제 세상에 적용되는 과정에서 보험산업, 헬스케어, 빅테크 등과의 관계설정과 제휴방안을 기술하였다.

마지막으로 이 책이 나올 수 있도록 많은 지원을 해주신 한국의학연구소 임직원과 연세대학교 HCI랩의 학생 등 많은 분들께 감사드린다.

2022년 8월
하성욱, 김유영

# 차례

**3장 정밀의료와 맞춤의료가 시작됐다 •**
81

 **4장 어떻게 디지털 치료제의 효과를 높일 것인가 • 104**

**2부**

# 디지털 치료제
# 생태계가 커진다 177

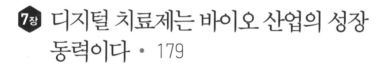

### 7장 디지털 치료제는 바이오 산업의 성장
### 동력이다 • 179

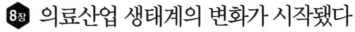

# 1부

# 디지털 치료제
# 시대가 온다

# DTx
## Digital
## Therapeutics

# 1장

# 디지털 치료제로 질병을
# 치료한다

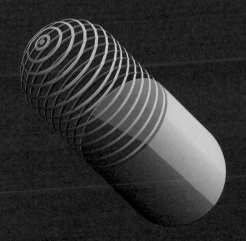

# 1

# 건강하게 오래 사는 시대가 온다

디지털 치료제는 약이나 주사제와 같은 전통적 치료제를 보완하고 대체하는 목적을 가진 스마트폰 애플리케이션, 게임 콘텐츠, 가상현실 등의 디지털 소프트웨어를 의미한다. 환자의 상태를 파악하고 그 정보를 반영하여 질병을 예방, 관리, 치료하는, 쉽게 말해 건강하지 않은 사람을 대상으로 한 디지털 약이다. 그렇다면 건강하다는 것은 무엇이고 건강하지 않다는 것은 무엇일까? 1948년 세계보건기구WHO에서 정의한 건강의 개념은 단지 아프거나 질병이 없는 상태가 아니라 신체적, 정신적, 사회적으로 완전히 안녕한 상태well-being를 의미한다.[1] 1975년 세계보건기구의 전문분과위원회에서는 건강을 유전적, 환경적 조건 아래에서 적절한 생체 기능을 나타내는 상태로 재정의했다. 해당 개념은 건강이 유지되는 조건(적절한 생체 기능)과 유지되지 않는 원인(유전적 요인, 환경적 요인)을 조금 더 반영했다고 볼 수 있다. 그리고 『옥스퍼드 사전』에서는 질병을 생물체가 받는 자극과 스트레스에 대한 적응 기전이 파탄이 나 생물체 조직의 구조나 기능에 장애가 생긴 상태로 정의했다.

의학이 발전하기 전에는 질병에 걸리면 죽음으로 갈 가능성이 컸지만 의학의 발달로 평균수명이 증가하면서 급성 전염병의 시대에서 만성질환과 퇴행성질환 시대로 구조가 변화했다. 최근에는 사회적 병리 현상에 의해 정신질환의 비중이 증가하고 있다. 인구증가와 더불어 극심해지는 환경오염, 식생활의 변화, 스트레스의 증가, 가치관의 변화, 자살·사고·정신질환의 증가 등으로 인해 건강 문제와 질환의 변화가 급격히 일어나고 있다.

이러한 사회 경제적 변화와 과학과 의학의 발전으로 질병은 단순한 치료뿐만 아니라 예방, 치료, 재활을 포함한 포괄적이고 통합적인 의료서비스로 관리해야 할 대상이 되었다. 의료서비스를 포함한 헬스케어 산업은 디지털 기술과 융합하여 건강하게 오래 사는 것을 지원하는 맞춤형personalized, 예방형preventive, 참여형participatory, 예측형predictive, 의료medicine가 융합된 정밀의료precision medicine 서비스를 제공할 것으로 보인다.

# 2

# 질병에 걸리는 것은 유전인가, 환경인가

왜 인간은 질병에 걸리는 것일까? 왜 누구는 질병에 걸리고 누구는 걸리지 않을까? 유전적으로 동일한 일란성 쌍둥이가 질병 발생에 있어 다른 양상이 나타나는 이유는 무엇일까?

담배를 피우면 모두 폐암에 걸리는 것일까? 연구결과를 보면 흡연은 폐암의 90%를 설명한다고 하며 폐암 환자의 90%는 흡연력을 가지고 있다고 한다. 그렇다면 나머지 10%의 비흡연자는 왜 폐암에 걸렸을까? 흡연자 중에서 폐암에 걸리는 사람은 약 10% 정도라고 한다. 왜 나머지 90%는 폐암에 걸리지 않을까? 만약 개인별로 폐암 발생의 차이가 있다면 폐암 발생에 관여하는 요인을 파악하여 꼭 금연을 해야 할 사람을 찾을 수 있지 않을까?

개인 간의 질병 차이는 어떤 방식으로 생길까? 연구에 의하면 개인 간 차이는 유전율에 의한 유전적 요인과 환경적 요인으로 구성된다. 환경적 요인은 공유된 환경적 요인과 공유되지 않는 개인의 환경

17만 개피의 담배를 피운 100세 여성의 생일

## 100-year-old celebrates her birthday by smoking 170,000th cigarette

Last updated at 16:42 27 August 2007

An iron-lunged pensioner has celebrated her 100th birthday by lighting up her 170,000th cigarette from a candle on her birthday cake.

Winnie Langley started smoking only days after the First World War broke out in June 1914 when she was just seven-years-old - and has got through five a day ever since.

She has no intention of quitting, even after the nationwide ban forced tobacco-lovers outside.

Speaking at her 100th birthday party Winnie said: "I have smoked ever since infant school and I have never thought about quitting.

Read more...

• Half of smokers 'have cut back since ban'

• Swedish woman banned from smoking in her yard because neighbour is allergic

Winne Langley celebrated her 100th birthday the best way she knows how - smoking

적 요인으로 구분된다.[2]

유전적 요인을 설명하는 유전율은 인구집단에서 표현형phenotype[3]의 변이variation[4]가 유전적 요인에 의해 어느 정도 설명되는지를 나타내는 값이다. 예를 들면 부모에게 받은 유전자에 따라 결정되는 유전율 중 지능지수IQ는 유전율이 50~75%를 차지하며 키는 60~90%를 차지한다. 이러한 유전율은 성, 인종, 국가 등 인구집단에 따라 다른 양상을 보여 정확한 숫자가 아니라 구간으로 나타낼 수밖에 없다. 그런데 60~90% 정도의 유전율을 보이는 키에 대한 다음의 연구는 상이한 결과를 보여준다.

"1997년 남한의 취학 전 어린이의 평균키가 북한 어린이의 평균키보다 6~7센티미터가 컸으며 2002년은 8센티미터가량 차이가 났다."[5]

왜 인종적으로 매우 유사한 남한과 북한의 어린이 평균 키는 이렇게 큰 차이가 나는 것일까? 그 이유는 질병의 원인 중 하나인 환경적 요인과 관련이 있을 것이다. 즉 운동과 영양(식습관)이 가장 큰 원인이었을 것으로 추정된다.

왜 동일한 유전자를 가진 일란성 쌍둥이인데 건강 상태가 차이가 날까? 일란성 쌍둥이의 질병 발생 일치율은 심혈관계질환은 30%[6]이고 암은 10~20%[7]라고 한다. 일란성 쌍둥이인데도 왜 질병 발생 일치율이 낮을까? 이렇게 질병이 다르게 발생하는 원인을 후성유전학, 생애적 접근법, 성인 건강과 질병의 발달 기원설, 발달 가소성 등 다양한 학문 분야에서 규명하기 위해 노력하고 있다.

이중 후성유전학Epigenetics은 유전자DNA 염기서열의 변화와는 상관없이 획득한 특정 형질이 자손세포에게 전달되는 것을 연구하는 학문이다. 후성유전적 변화의 기전은 ① DNA 메틸화, ② 히스톤 단백질 변형, ③ 염색질 리모델링, ④ 비번역 RNA 등이 있다. 일란성 쌍둥이에 대한 후성유전학의 연구결과 중 고혈압 유전자를 똑같이 물려받은 일란성 쌍둥이가 서로 다른 환경에 입양된 경우가 있다. 한쪽은 햄버거, 치킨, 튀김 등의 인스턴트 음식을 섭취하여 고혈압이 생겼고 다른 한쪽은 채식을 섭취하여 고혈압 DNA 스위치가 꺼진 상태가 되었다. 이와 같이 동일한 유전자일지라도 생활습관에 따라 질병의 발병 양상이 달라지는 것을 알 수 있다.

## 일란성 쌍둥이의 후성유전학 연구

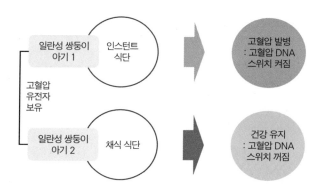

후천적인 환경적 요인에 해당하는 식습관, 수면, 운동, 명상, 흡연, 음주 등은 키, 체형, 질병, 노화 등 건강의 전반적인 과정에 영향을 미친다. 이와 같이 후성유전은 유전자의 염기서열에는 변화를 주지 않으면서 유전자의 발현에 영향을 주어 개체의 차이를 나타낸다.

디지털 치료제는 환경적 요인을 긍정적으로 개선하여 질병의 발병을 억제하고 지연함으로써 건강 상태를 유지하는 측면에서 실물약과는 차별화된 강점이 있다. 디지털 치료제의 핵심 경쟁력은 발병이전 단계에서 발병을 예방하는 예방의학의 가장 큰 도구가 될 수있다는 점이다.

# 3

# 디지털 치료제는 어떻게 질병을 치료하는가

세포가 모여 조직을 이루고 조직이 모여 기관을 이루고 기관이 모여 기관계를 이루고 기관계가 모여 인체인 개체가 된다.

세포는 인체를 구성하는 가장 기본적인 단위이며 조직은 세포가 모여 만든 근육이나 뼈와 같은 것이다. 예를 들면 신경조직, 근육조직, 결합조직, 상피조직, 골조직 등이 있다. 기관은 세포와 조직이 모여 좀 더 복잡한 집합체로 특정 기능을 발휘한다. 예를 들면 심장, 폐, 간 등이 있다. 기관이 모인 기관계는 특정 기능을 가진 기관이 연결되어 상호 관련성을 가지고 함께 작동되는 해부학적 집합체다. 인체의 기관계는 일반적으로 피부계, 골격계, 근육계, 신경계, 순환계, 호흡계, 소화계, 림프계, 내분비계, 비뇨·배설계, 생식계로 구분된다. 면역계는 림프계에 포함되는 개념이다. 림프계와 면역계를 모두 순환계에 포함하여 구분하거나 면역계를 별도로 분리하기도 한다.

인체의 기관계를 구분할 때 모든 기관이 딱 떨어지게 구분되는 것

### 세포에서 기관계를 거쳐 개체까지[8]

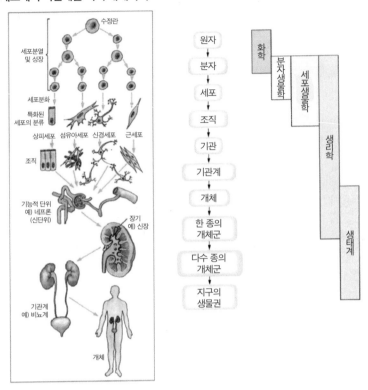

은 아니다. 예를 들어 고환과 난소는 호르몬을 생성하기 때문에 내분비계의 일부이지만 동시에 생식에 관여하기 때문에 생식계에도 포함된다. 따라서 한 기관계에 포함된 기관이 다른 기관계에 포함될 수 있어 치료제 또한 연계되어 적용될 수 있음을 인식해야 한다.[9] 그렇다면 각 기관계는 무엇이며 디지털 치료제가 어떻게 적용될 수 있을지 알아보자.

피부계는 피부, 모발, 피하지방, 손톱 등을 포함한다. 피부계는 외부 환경으로부터 내부 기관을 보호하며 외형을 다루는 기관으로서

## 인체의 기관계 유형[10]

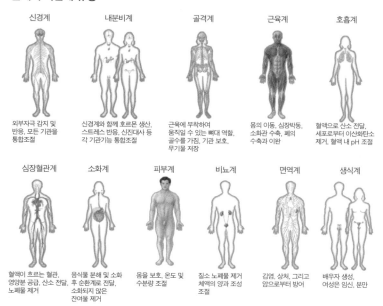

| 신경계 | 내분비계 | 골격계 | 근육계 | 호흡계 |
|---|---|---|---|---|
| 외부자극 감지 및 반응, 모든 기관을 통합조절 | 신경계와 함께 호르몬 생산, 스트레스 반응, 신진대사 등 각 기관기능 통합조절 | 근육에 부착하여 움직일 수 있는 뼈대 역할, 골수를 가짐, 기관 보호, 무기물 저장 | 몸의 이동, 심장박동, 소화관 수축, 폐의 수축과 이완 | 혈액으로부터 산소 전달, 세포로부터 이산화탄소 제거, 혈액 내 pH 조절 |

| 심장혈관계 | 소화계 | 피부계 | 비뇨계 | 면역계 | 생식계 |
|---|---|---|---|---|---|
| 혈액이 흐르는 혈관, 영양분 공급, 산소 전달, 노폐물 제거 | 음식물 분해 및 소화 후 순환계로 전달, 소화되지 않은 잔여물 제거 | 몸을 보호, 온도 및 수분량 조절 | 질소 노폐물 제거 체액의 양과 조성 조절 | 감염, 상처, 그리고 암으로부터 방어 | 배우자 생성, 여성은 임신, 분만 |

한 개체의 고유한 형태나 개별 인식이 가능한 특성이 담겨 있다. 피부는 통증, 온도, 압력 등을 감지하는 감각수용기(신경계의 일부)가 분포되어 있어 체온과 수분의 함량을 조절하는 역할을 한다. 피부계 치료제의 예시로는 영상분석을 활용한 피부병변의 피부암 진단 보조 소프트웨어 또는 탈모 모니터링 및 치료 계획 수립을 위한 인공지능 기반 프로그램을 들 수 있다. 즉 인공지능 알고리즘을 통해 개인이 모바일 사진만으로 피부암 위험도를 확인하고 내원이 필요할 때 안내함으로써 피부암 조기 발견이 쉬워질 것이다.

근육계는 크게 3가지인 뼈를 움직이는 골격근, 내장기관에 분포된 내장근, 심장근으로 구성되어 있다. 근육은 몸을 움직이거나 자세를 유지하고 전신에 혈액을 순환시키는 기능을 한다. 근감소증 또는 근위축증과 같은 근육계 질병의 맞춤형 치료를 위해 디지털 치료제가 사용될 수 있다. 부착형 센서를 통해 근육 활성화 정도를 모니터링할 수 있으며 맞춤형 재활 운동을 제공한다.

골격계는 뼈, 관절, 연골, 인대, 힘줄 등으로 구성되며 내부 장기를 물리적으로 지탱하고 보호하는 역할을 한다. 또한 근육계와 협력하여 운동과 이동을 하며 칼슘, 인, 마그네슘과 같은 미네랄 저장소의 역할도 수행한다. 골격계를 위한 디지털 치료제는 근육계와 함께 센서와 인공지능 등을 통해 통증의 정도와 개인의 운동 성과 등을 파악하여 인공지능 기반 맞춤형 운동량을 제시한다. 또한 마약성 진통제 없이 통증을 감소하는 깊은 이완, 주의 전환, 복식호흡 등의 방안을 제시한다.

신경계는 중추신경계(뇌, 척수)와 말초신경계(체성신경계, 자율신경계), 모든 감각기관(시각, 후각, 미각, 청각, 균형감각 등)이 포함된다. 신경계의 주요 역할로는 행동 통제, 외부와 내부의 자극에 대한 반응 조절, 기억을 저장하고 재생하는 저장소가 있다. 중추신경계를 위한 디지털 치료제는 크게 두 영역에서 긍정적인 영향을 제공한다. 하나는 우울증, 불안장애, 불면증, 공황장애 등의 질병에 대한 인지행동치료CBT, Cognitive Behavioral Therapy를 디지털 방식으로 제공한다. 다른 하나는 주의력결핍과잉행동장애ADHD, 파킨슨병, 뇌졸중 등 환자의 뇌에 디지털 기술을 사용하여 신경학적 자극을 주는 치료를 제공한다.[11]

순환계는 심장, 혈관, 혈액이 포함되는데 산소, 영양분, 면역세포, 전해질, 호르몬 등 신체에 중요한 물질을 모든 세포, 조직, 기관에 전달하는 역할을 한다. 동시에 림프계와 상호작용하여 면역계로서 역할도 수행한다. 보통 심혈관질환자는 예후 관리를 위해 약 3개월간의 심장재활이 필요하지만 환자의 치료 순응도가 낮다는 문제가 있다. 이를 위해 디지털 치료제를 도입하여 손쉽게 혈압, 체중, 운동 등을 기록하고 관리하며 처음부터 가정 기반 심장 재활을 할 수 있도록 돕는다.

림프계는 혈관을 따라 분포된 림프관과 면역세포가 생성되는 림프절로 구성된다. 림프계는 림프액을 흡수하여 심장으로 되돌리고 장에서 지방 성분을 흡수하여 간으로 운반하고 면역세포를 전달하는 기능을 수행한다. 유방암 환자 등 림프절 절제 치료를 받은 환자를 대상으로 절제 범위와 수술 방법별 건강관리 프로그램과 재활 프로그램을 제공하는 디지털 치료제도 개발 중이다.

호흡계는 코, 인두, 후두, 기관, 기관지, 폐, 횡격막 등의 호흡기관으로 구성된다. 호흡계는 신체에 필요한 산소는 혈류로 흡수하고 이산화탄소는 제거하는 역할을 한다. 또한 말소리를 내는 기관으로도 사용된다. 호흡계 관리를 위한 디지털 치료제는 금연 치료제를 들 수 있다. 데이터를 통해 개인의 금연 개선 정도를 모니터링하고 맞춤형 금연 계획을 제공하고 사용자가 흡연의 갈망을 억제하고 스스로 금연할 수 있도록 인지행동치료 기반 치료를 제공한다. 그리고 환자의 음성을 분석하여 만성폐쇄성폐질환COPD을 모니터링하거나 자가호흡 재활을 도울 수 있는 디지털 치료를 제공한다.

내분비계에는 뇌하수체, 송과체, 갑상샘, 부갑상샘, 췌장, 부신, 생식샘 등 체내에서 호르몬을 분비하는 기관이 포함된다. 호르몬은 신체의 항상성을 유지하는 기능을 수행하며 혈관과 림프관을 통해 타 기관으로 이동하기 때문에 신경계 혹은 순환계와 상호작용한다. 당뇨병은 디지털 치료제의 활용도가 매우 높을 것으로 기대되는 질환이다. 발병 후 병원 진료, 약제 치료뿐만 아니라 식사와 운동 등 생활 습관 관리가 장기간 지속되어야 한다. 디지털 치료제는 손쉽게 개인의 상태를 모니터링하고 맞춤형 자가 일상생활 관리를 도울 수 있다는 장점이 있다.

비뇨·배설계에서 비뇨계는 혈액을 걸러 정화하고 노폐물을 내보내는 역할을 한다. 예를 들어 콩팥에서 걸러진 혈액의 노폐물이 요관을 따라 이동하고 방광에서 오줌으로 저장되어 요도를 통해 배설된다. 과민성 대장증후군 환자에게도 디지털 치료제가 사용될 수 있다. 디지털 인지행동치료를 제공하여 대변 습관을 개선하고, 안정적이고 건강한 식생활 습관을 기를 수 있고, 스트레스를 관리하고, 부정적 생각을 버리고 증상에 초점을 맞추도록 하여 재발 예방 등에 긍정적 효과가 있다.

생식계는 종족 보존을 위해 자손을 남기는 데 필요한 기관으로 구성된다. 다른 기관계와 달리 성별에 따라 기관의 종류와 구조가 다르다. 정소와 난소 등의 내부 생식기와 음경과 질 등의 외부 생식기로 구분된다. 자궁, 유방 등도 생식계에 포함된다. 디지털 치료제는 개인의 데이터를 수집하고 모니터링하는 데 장점이 있다. 생식계를 위한 디지털 치료제는 임신 관리가 있다. 체온을 측정하고 배란일을 모니터링하여 임신 가능 여부 등을 확인할 수 있다.

## 기관계별 디지털 치료제 사례

| 기관계 | 질환 | 기업명 | 제품명 | 특징 |
|---|---|---|---|---|
| 근골격계 | 근골격계 통증 | 가이아헬스 | 모션 코치 | 맞춤형 운동 패턴을 제공하는 모바일 앱 |
| | 요통 | 키오앤쿼츠 헬스솔루션스 | 키오 | 맞춤형 요통 치료 프로그램 |
| 신경계 | 알코올 및 약물 중독 | 페어테라퓨틱스 | 리셋 | 인지행동치료 기반 약물 중독 치료 디지털 앱 |
| | 불면증 | 페어테라퓨틱스 | 솜리스트 | 만성 불면증 인지행동치료 기반 디지털 앱 |
| | 주의력결핍 과잉행동 장애 | 아킬리인터렉티브 | 엔데버Rx | 소아 주의력결핍과잉행동장애 환자 대상 게임형 치료 앱 |
| 순환계 | 심뇌혈관 | 서제스틱 | 프리시전이팅 | 심혈관질환자 개인 맞춤형 식이 조절 프로그램 |
| 호흡계 | 금연 | 클릭테라퓨틱스 | 클리코틴 | 개인맞춤형 금연 치료 앱 |
| | 만성폐쇄성 폐질환· 천식 | 프로펠러헬스 | 레스피맷 | 흡입제 복약 관리용 스마트 흡입기 |
| 내분비계 | 제2형 당뇨병 | 웰닥 | 블루스타 | 당뇨 자가관리 개선 및 인슐린 투여 관리 앱 |
| | 당뇨병 전증 | 오마다헬스 | 오마다 | 당뇨 예방 온라인 프로그램 |
| 비뇨· 배설계 | 과민성 대장증후군 | 마하나테라퓨틱스 | 개굴8 | 인지행동치료 기반 과민성대장증후군 앱. 환자 증상 기록과 관련 지침 제공 |
| 생식계 | 임신 관리 | 내추럴사이클스 | 내추럴 사이클스 | 데이터 모니터링으로 임신 예방 |
| | 전립선 비대증, 과민성 방광 | 사운더블헬스 | 유리너리헬스 | 소리 분석을 통한 비뇨 건강 분석과 관리 |

# 4

# 디지털 치료제는 아날로그와 무엇이 다른가

　디지털 치료제DTx, Digital Therapeutics는 빅데이터와 인공지능 등의 디지털 기술과 바이오 기술을 융합하여 탄생되었다. 2010년 미국의 당뇨병 관리서비스 회사 웰닥Welldoc은 제2형 당뇨병을 관리하는 모바일 앱인 블루스타Bluestar를 서비스하면서 제품 홍보를 위해 디지털 치료제라는 명칭을 처음 사용했다. 디지털 치료제는 의약품처럼 임상시험을 진행하여 치료 효과를 검증받고 디지털 치료제 기업이 원할 경우 규제기관의 인허가 과정을 거친다. 의사의 처방이 필요하거나 기존 의료보험을 적용받을 수도 있지만 실물 약처럼 형태가 있지는 않다. 즉 인공지능, 가상현실, 챗봇, 게임, 스마트폰 앱처럼 디지털 기술을 이용하여 환자를 치료하는 형태가 없는 소프트웨어 치료제다.

　그렇다면 디지털 치료제에서 디지털의 의미는 무엇이며 아날로그와는 어떻게 다를까? 디지털은 모든 형태의 정보를 컴퓨터로 처리할 수 있는 형식인 0과 1로 구성된 비트$_{bit}$ 단위로 변환하여 가공, 처리, 저장, 전송하는 방식을 의미한다. 이와 달리 아날로그는 소리, 빛, 전기, 온도 등 자연 상태의 신호나 현상을 연속적인 물리량으로 표시하여 처리한다. 온도계를 예로 들면 아날로그 온도계는 속이 빈 막대에 알코올이나 수은을 채워 열 팽창의 원리로 온도를 나타낸다. 반면 디지털 온도계는 센서로 열을 감지하여 숫자로 온도를 표시한다.

디지털 기술은 아날로그 기술과 비교해 다음과 같은 다양한 장점이 있다. 첫째, 정보 처리 과정이 간단하고, 대용량 정보를 빠르게 처리하고, 다양한 정보 형태의 통합 처리가 가능하다. 둘째, 디지털 기술은 메모리의 집적도 향상과 대용량 압축으로 대용량 정보 저장이 가능하다. 셋째, 전송 시 정보 손상이 적다. 또한 대용량 정보의 압축으로 전송 대역폭의 효율성을 높일 수 있다. 넷째, 정보의 가공과 변형이 쉬우며 정보 손상 시에도 에러 정정 기법을 통해 완전 복원이 가능해 뛰어난 화질과 음질을 실현할 수 있다.[12]

디지털 기술로 표현되는 디지털 데이터는 인간이 만든 컴퓨터 기반 데이터인 반면에 아날로그 기술로 표현되는 아날로그 데이터는 자연이 만든 데이터다. 디지털 데이터인 비트는 물리적인 원자의 결합체인 하드웨어에 저장된다. 이러한 디지털 데이터는 인간이 느낄 수 있는 가상현실VR, Virtual Reality을 창조한다. 영어로 가상virtual은 '실제가 아닌 결과로 존재하는 것'이고 한자로 가상假想은 '거짓으로 생각되는 것'을 의미한다. 대부분 가상현실은 컴퓨터로 구현하는 그래픽이나 영상을 통한 가상 공간이다.

가상 공간에서도 걸어 다닌다거나 대화를 하거나 사물을 들어서 회전해보는 등 가상 환경과 상호작용이 가능하다. 이러한 기능은 실제 그곳에 있는 것과 같은 생생한 경험을 제공한다. 그러나 가상현실은 디지털 기술에 의해 만들어진 비현실적 세계로, 우리는 컴퓨터 내부의 가상 공간이 아니라 컴퓨터 앞에 존재한다. 즉 가상현실이란 컴퓨터를 통해 인공적인 가상 세계를 구현하여 사용자가 느끼기에 실제와 같은 경험을 제공하는 것이다.

실제와 같은 경험이란 인간의 오감과 관련된 신경 자극의 충실도를 의미한다. 각종 디스플레이 장치, 컴퓨터그래픽, 3차원 음향, 피부의 접촉이나 물체를 느끼게 하는 햅틱 기술, 인공 향기를 이용한 후각의 자극 등 사용자가 가상 환경과 자연스럽게 교류할 수 있는 상호작용 기술 등을 이용하여 경험을 만든다. 가상현실의 또 다른 주요 목표는 인간이 가진 '지능의 확장IA, Intelligence Amplification'이다. 이는 가상현실의 개척자인 노스캐롤라이나 대학교의 프레더릭 브룩스Fred Brooks 교수가 인공지능과 대비되도록 만들어낸 표현이다. 기술을 이용하여 사람이 현실에서 하기 힘든 작업을 적절하게 도와주고 정신적 노동의 효율성을 극대화하는 컴퓨터 시스템으로서 인간과 공생관계를 가진다. 예를 들어 수술 시에 특정 부위를 가상으로 볼 수 있는 작은 안경 타입의 엑스레이 비전이 있다면 의료 발전에 큰 도움이 될 것이다.

이러한 디지털 기술을 통해 탄생한 인간의 새로운 공간인 가상 공간과 그 속에서의 경험인 가상현실은 메타버스라는 개념으로 재탄생하여 전 세계적으로 확산되었다.

# 5

# 메타버스 내 디지털 치료는
# 킬러 콘텐츠다

코로나19로 디지털 전환이 가속화되고 현실 세계보다 디지털 가상 세계가 발전하게 되며 메타버스가 화두가 되었다. 방탄소년단은 게임 포트나이트Fortnite 속에 존재하는 3D SNS 서비스 파티 로얄Party Royale에서 「다이너마이트」의 안무 영상을 세계 최초로 공개했으며 네이버의 아바타형 소셜 미디어인 제페토Zepeto는 가입자 2억 명을 넘겼다.[13] 메타버스는 우리에게 한층 가까워지고 있다.

메타버스metaverse라는 단어는 1992년 미국 SF 작가인 닐 스티븐슨Niel Stephenson의 소설 『스노 크래시Snow Crash』에서 처음 등장했다. 이 소설에서 메타버스란 가상현실 고글을 쓰고 몰입하여 경험할 수 있는 일종의 가상현실 플랫폼 공간으로 묘사된다. 메타버스 속에서 개인은 아바타avatar를 사용하여 다른 사람과 대화하고 교류할 수 있다. 즉 메타버스란 '몰입형 가상현실 세계'를 의미한다.

스티븐슨의 소설 발간 이후 메타버스에 대한 논의가 급격하게 확

**메타버스의 분류**

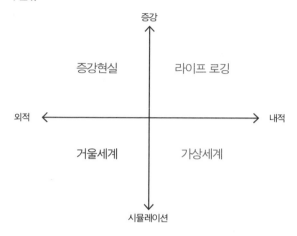

대되었는데 가장 먼저 게임시장에서 반응했다. 1993년 텍스트 기반의 게임인 '더 메타버스The Metaverse'가 출시되었고, 1995년에는 소설 『스노 크래시』에 기반한 게임인 '액티브 월드Active Worlds'가 개발되었고, 2003년에는 '세컨드 라이프Second Life'가 출시되었다. 그리고 메타버스를 표방하는 3D 기반의 다양한 서비스가 등장하고 있다. 그중 메타버스를 구현하는 가상융합기술XR, eXtended Reality은 현실세계와 가상세계를 연결하는 인터페이스로 가상현실VR, 증강현실AR 등을 포괄하는 기술이다. 메타버스 기술은 세 가지 특징이 있다. 첫째, 실감 측면에서 현실 수준으로 몰입감을 극대화한다. 둘째, 지식 측면에서 인간 지식의 확장과 효과적 의사결정을 지원하여 생산성을 증대한다. 셋째, 경험 측면에서 시공간의 한계를 해소하고 경제 주체의 경험을 확장한다.[14]

비영리 기술 연구 단체인 미국미래가속화연구재단ASF은 메타버스를 '증강과 시뮬레이션' '외적인 것과 내적인 것'이라는 두 축을 기준으로 다음과 같이 4가지 범주로 분류하였다.

① 증강현실Augmented Reality: 현실의 이미지나 배경에 2D 또는 3D
로 표현되는 가상의 이미지를 겹쳐 보이게 하여 상호작용을 하
는 것이다. 현실과 완전히 차단된 상태인 가상현실에 비해 몰입
도는 낮지만 일상생활에서 활용 가능성이 크다. 증강현실 기술
로 스마트폰으로 밤하늘의 별을 비추면 별자리 이름과 위치를
알려주는 '스카이 가이드Sky Guide', 빈방을 비추면 공간의 크기
를 측정해 원하는 대로 가구를 배치할 수 있는 '이케아 플레이
스IKEA Place' 등이 있다.

② 라이프로깅Life Logging: 일상적인 경험과 정보를 텍스트, 이미지,
영상 등으로 기록하여 저장하고 묘사하는 것이다. 자신이 원하
는 정보를 다른 이용자들과 공유하는 페이스북, 인스타그램, 트
위터와 같은 소셜미디어가 대표적이다.

③ 거울 세계Mirror Worlds: 현실 세계의 모습, 정보, 구조 등을 최대
한 사실적으로 반영하되 정보 면에서 확장된 가상 세계를 의미
한다. 기술 발전이 가속화될수록 점점 현실세계에 근접하며 미
래에는 현실과 같은 몰입 세계로 진화할 것으로 전망된다. 세계
곳곳의 위성사진을 수집하여 시시각각 변화하는 현실 세계의
모습을 반영하는 구글 어스, 개인이 사는 집을 가상의 공간으로
복사하는 에어비앤비가 대표적이다.

④ 가상 세계Virtual Worlds: 현실과 유사하거나 완전히 다른 대안적
세계를 디지털 데이터로 구축한 것을 말한다. 이러한 가상 세계
속에서 아바타를 통해 현실 세계의 경제적, 사회적 활동과 유

사한 활동을 한다는 것이 특징이다. 미국 대통령 조 바이든Joe Biden이 선거 운동에 활용해 화제가 된 닌텐도 게임 '모여봐요 동물의 숲'과 네이버의 제페토 등이 대표적이다.

네 번째 범주인 가상 세계에 의료서비스를 적용한 사례를 살펴보자. 미국 바이오 스타트업인 XR헬스XRHealth는 원격의료서비스를 가상현실 플랫폼을 통해 제공하고 있다. 2016년 설립된 XR헬스는 환자와 의사를 연결하여 허리, 목, 어깨 부상에 대한 재활치료서비스와 인지 훈련, 스트레스 완화 등의 가상현실 기반 치료서비스를 제공하고 있다. 의사를 위한 웹 포털이 있어 환자가 소프트웨어를 통해 어떻게 치료를 진행하고 있는지, 어떤 과정에서 어려움이 있는지에 대한 정보를 빠르게 의사에게 제공한다. 환자는 XR헬스에서 직접 VR 헤드셋을 대여할 수도 있으며 보험사와 연계하여 환자가 VR헤드셋 기반 치료를 무료로 사용할 수 있도록 하고 있다.

2017년 시장조사업체 가트너Gartner는 기술의 성숙도를 표현하는 시각적 도구인 「하이프 사이클 보고서」에서 가상현실 기술이 각성기로 접어들었다고 분석하였으며 가까운 미래에는 가상현실과 증강현실이 실생활에 더 가까워질 것으로 예측했다. 하지만 그로부터 약 5년이 지난 2022년 기준 가상현실 기술은 값비싸고 대중화되지 않은 장비, 콘텐츠 부족, 인체 부작용 등 몇 가지 장벽으로 인해 빠르게 대중화되지 못하였다. 그런데 2019년 말 시작된 코로나19의 확산으로 인해 가상현실은 재조명을 받고 있다. 세계 각지에서 사회적 거리 두기로 이동이 제한된 사람들이 가상현실을 통해 새로운 세상을 보고 있기 때문이다. 이제 가상현실은 메타버스란 새로운

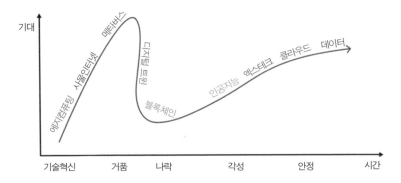

**2021년 하이프 사이클로 본 메타버스의 현 단계**

이름으로 탄생하여 하이프 사이클상 각성기 단계가 아니라 새로운
단계에 이르고 있다.

가트너는 「2021년 하이프 사이클 보고서」에서 메타버스의 위치는
기술 혁신이 궤도를 타서 상당한 대중의 관심과 사업자들의 기대를
받는 거품 단계라고 보았다. 또 다른 시장조사 업체인 스트레터지 애
널리틱스Strategy Analytics는 코로나의 영향을 받아 가상현실과 증강
현실 시장이 2021년부터 빠른 성장세를 보일 것이며 2025년 가상
현실 관련 하드웨어 매출액이 2,800억 달러 규모에 이를 것으로 전
망했다.

국내의 경우 2020년 12월 관계부처 합동 국정현안점검조정회의
에서 발표한 디지털 뉴딜 전략의 6대 산업 중 하나인 '가상융합기술
확산 프로젝트'의 의료 분야에는 2가지 과제가 있다. 하나는 확장현
실 기반으로 디지털 치료를 적용하여 치매, 우울증, 공포증 등 정신
장애 치료 및 신체장애 재활서비스를 개발하는 과제다. 다른 하나는
환자 데이터 기반 메디컬 트윈을 구현하고 확장현실의 가시화를 통

해 진단, 예측, 교육, 수술 솔루션을 개발하고 실증하는 것에 대한 지원 방안이다.

## 온-오프라인 융합 디지털 헬스케어 서비스를 한다

메타버스 속에서 디지털 치료와 원격진료가 융합된 서비스로 진화하기 전에 오프라인 중심의 기존 건강관리서비스는 '온-오프라인 융합 디지털 헬스케어 서비스'로 발전하고 있다. 구글의 최고경영자였던 에이드리언 어운Adrian Aoun이 설립한 고포워드Go Forward는 테크노 클리닉이다. 진단 알고리즘이 적용된 기기를 이용한 건강 검진 서비스 회사이자 의료기기 개발 회사다. 바디 스캐너로 겨드랑이에 적외선을 쪼이면 채혈하기 좋게 정맥이 드러나고 디지털 청진기는 옷을 벗지 않아도 심장박동을 측정한다.

고포워드는 오프라인의 건강 검진뿐만 아니라 온라인상으로도 건강을 관리한다. 월 회비는 149달러이며 고객의 모든 데이터는 통합되어 모바일 앱 기반 인공지능 의사가 24시간 내내 건강을 관리한다. 병원에서 측정한 혈압도 실시간으로 저장되어 분석되며 혈액을 분석하여 채혈 12분 만에 모든 수치를 앱으로 확인할 수 있다. 고포워드를 방문하면 수집된 모든 건강 검진 데이터가 1시간 안에 분석된다. 우주선 콘솔처럼 생긴 전신 스캐너가 몇 초 안에 신체 지수, 체중, 혈압, 체온, 맥박, 혈중 산소포화도, 정맥 등의 건강상태를 파악한 후 유전자 검사가 진행된다. 유방암 유발 유전자BRCA, 대장암 유발 유전자MSH6와 같은 암 유발 위험이 큰 30개의 유전자부터 검사한다. 고포워드에서 검사를 받은 고객은 일정 시간 동안 수면 상태와 혈압

## 고포워드사 홈페이지[15]

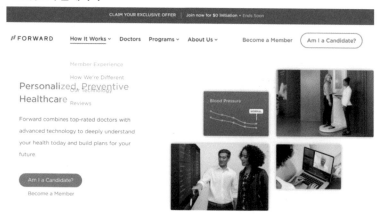

을 체크하기 위한 추적 센서를 착용하고 집으로 돌아간다.

모든 검사 결과는 인공지능이 제어하는 데이터 뱅크에서 분석되어 환자의 앱으로 전송된다. 고포워드에 대한 반응이 좋아 미국의 9개 주 16개 지점에 오프라인 클리닉이 운영 중이며 6개 지점이 추가 오픈 예정이다. 2021년 8월 기준 가입자수는 약 2만 명이며 건강 검진뿐만 아니라 1차 진료서비스도 진행한다. 그리고 처방약 배송서비스 등을 제공하며 온라인상으로는 원격진료뿐만 아니라 영양, 운동, 체중 감량 등을 코칭한다.


## XR헬스사와 알코브는 메디컬 메타버스를 구현 중이다

XR헬스는 원격진료를 위한 의료용 가상현실 플랫폼 회사로 재활 운동, 정신 치료, 그룹 상담 등 다양한 서비스의 포트폴리오를 제공한다. 이용자가 구독형 서비스에 가입하면 전문가 상담을 통해 개인

## XR헬스사의 홈페이지[16]

맞춤형 VR헤드셋을 배송받아 정기적으로 치료를 받을 수 있다. VR 헤드셋을 통해 가이드를 따라가거나 게임처럼 운동함으로써 등, 어깨, 목, 팔 등의 근육을 이완하고 근력을 강화한다. 편안한 자연환경 같은 가상 공간에서 호흡 조절과 명상을 유도하여 업무 스트레스 또는 사회적 고립으로 인한 스트레스를 낮추고 간단한 게임을 통해 기억력 감퇴를 막는다. 치료제 사용 시 모든 데이터가 축적되어 향후 자가관리를 유도하고 전문가 상담에 필요한 자료로 활용되어 맞춤형 치료를 받을 수 있게 한다.

해당 솔루션은 이스라엘 시바의료센터Sheba Medical Center에서 코로나바이러스에 노출된 환자를 원격진료하는 데 활용되었다. 앞으로 미국을 거점으로 점차 확대 사용될 예정이다. 고령으로 인한 이동의 어려움 또는 코로나19로 인한 사회적 격리는 우울증과 심리적 불안을 가져온다. XR헬스는 가상현실을 통한 원격그룹치료서비스를 제공하여 고령 환자의 우울증이나 불안증과 같은 심리적 고통을 해결

### 고령층을 위한 메타버스 플랫폼 알코브[19]

한다. 또한 환자의 익명성을 보장하기 위해 가상 공간에서 아바타를 통해 만남으로써 더욱 편안한 상태로 솔직한 경험을 공유할 수 있다.

메타버스 기반의 사회적 관계 형성이 가능한 소셜 VR은 자연스러운 의사소통과 공감과 유대를 느끼게 해주는 공존감으로 더 깊은 관계로 나아가게 된다. 세계 최대 비영리 시니어 단체인 미국은퇴자협회AARP는 혁신연구소의 벤처 육성 프로그램인 해처리Hatchery에서 신기술을 통해 고령층의 사회적 지원 방안을 찾고자 하였다.[17] VR 플랫폼 개발 전문기업 렌데버Rendever는 미국은퇴자협회와 함께 이동이 불편한 고령층이 가상 공간에서 가족을 만날 수 있는 알코브Alcove를 개발하였다. 알코브는 고령층에게 익숙하고 편안한 가정의 공간을 가상현실에 구현하여 가족 간 연결을 강화하는 데 중점을 두었다. 가족은 언제 어디서든 가상현실을 통해 가상 공간에서 가족사진을 보며 대화를 나누고, 함께 체스 게임을 하고, 지구본을 돌려 함께 가상 여행을 떠날 수 있다. 또한 가상 공간에서 반려동물을 기르고, 요가를 통해 건강을 관리하고, 클래식 음악을 듣는 등 다양한 콘텐츠를 통해 일상과 가까운 생생한 경험을 제공한다.[18]

- **디지털 치료제는 발병 과정의 환경적 요소에 집중해야 한다.**
  - : 발병을 억제하고 지연하여 건강상태를 관리하는 측면에서 실물 약과는 차별적인 모델을 개발해야 한다. 예를 들면 환경 모니터 링과 치료의 연계 모델 등이 있다.
  - : 디지털 치료제는 발병 이전 단계를 관리하는 예방의학의 중요한 도구로서 본격적으로 활용될 것이다.

- **디지털 치료 기술은 발병 이전 단계에서 IT 기술과 융합하여 제공될 것이다.**
  - : 고포워드와 같이 온라인과 오프라인이 결합되어 개인의 건강관 리서비스를 제공할 것이며 디지털 치료는 온라인의 역할을 담당 할 것이다.
  - : XR헬스와 같이 메타버스 기반 디지털 치료는 온라인 기반 원격 진료의 차세대 서비스가 될 것이다.

- **실물 공간과 가상 공간이 융합된 메디컬 메타버스 내에서 디지털 치료서비스는 킬러 콘텐츠가 될 것이다.**
  - : 메타버스 내에서 의사-약사-보호자-환자 간 커뮤니티가 연계된 공유 진찰제 방식의 정신장애의 디지털 치료가 본격화될 것이다.
  - : 기존 원격진료서비스를 넘어서는 평판 기반 메디컬 메타버스 서 비스가 만들어질 것이다.

# 2장

# 디지털 치료제는
# 제3의 신약이다

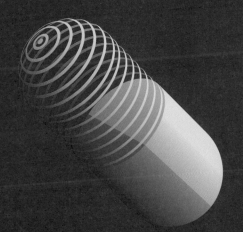

# 1

# 디지털 치료제는 무엇이 다른가

　디지털 기술이 빠르게 발전하면서 건강관리 영역에도 많은 변화가 일어나고 있다. 기존 헬스케어의 영역에 인공지능, 빅데이터, 웨어러블 디바이스, 스마트폰, 클라우드컴퓨팅, 사물인터넷, 블록체인 등의 신기술이 접목되어 개인의 건강과 질환을 관리하는 새로운 의료산업 분야인 디지털 헬스케어로 확장되었다.

　디지털 헬스케어의 등장으로 병원에서는 환자의 임상, 진단 등 의무기록을 손쉽게 저장, 분석, 관리할 수 있을 뿐만 아니라 스마트폰, 웨어러블, 환경 센서 등을 통해 일상생활 중 실시간으로 획득되는 걸음걸이, 맥박수, 목소리 등의 방대한 생체 데이터를 측정, 통합, 분석하여 다양한 의료서비스로 제공할 수 있게 되었다. 디지털 헬스케어의 발전으로 가까운 미래에는 개인의 의료 데이터, 유전체 데이터, 행동 데이터에 환경, 사회, 경제적 요인과 같은 외부 데이터를 결합하여 환자의 상태를 실시간으로 또 지속적으로 원격모니터링하고 질병의 진단, 예측, 예방, 치료가 개인맞춤형으로 제공될 것으로 기대된다.

기존 디지털 헬스케어가 개인의 건강을 관리하는 웰니스에 초점이 맞춰져 있었다면 2020년부터 질병의 예방, 관리, 치료가 가능한 디지털 치료제에 관한 관심이 높아지고 있다. 식품의약품안전처는 디지털 치료제를 '의학적 장애 또는 질병을 예방, 관리, 치료하기 위해 고품질 소프트웨어 프로그램으로 구동되는 근거 중심 기반의 치료를 환자에게 제공하는 것'으로 정의한다.[20] 또한 미국식품의약국 FDA의 국제의료기기규제당국자포럼IMDRF은 '의료기기로서 소프트웨어SAMD, Software As a Medical Device'를 '하드웨어 없이 의료기기의 목적을 수행하는, 하나 이상의 의료 목적으로 사용되는 소프트웨어'로 정의하고 있다.[21] 쉽게 말하자면 디지털 치료제란 스마트폰에 깔린 애플리케이션 또는 가상현실 등의 소프트웨어를 통해 질병을 예방, 관리, 치료하는 기술이다.

하지만 환자를 직접 치료한다는 점에서 기존 디지털 헬스케어와는 다르다. 또한 일반 대중의 범용적인 건강관리를 대상으로 하는 웰니스와 달리 디지털 치료제는 임상시험을 통해 치료효과의 유효성을 반드시 입증해야 한다. 이러한 디지털 치료제는 기존 의약품과 의료기기를 보완 또는 대체함으로써 치료제 개발이 어렵거나 미충족 의료 수요를 해결하고 데이터 기반의 환자 맞춤 의료를 제공함으로써 디지털 헬스케어를 실현하는 세부 영역으로 주목받고 있다. 디지털 치료제를 제대로 이해하기 위해서는 디지털 헬스케어, 디지털 의약, 기존 의약품 등 다양한 개념을 정확하게 이해하여야 한다.

디지털 치료제는 기존 의약품과 같이 임상시험을 통한 치료효과

**디지털 헬스케어, 디지털 의약, 디지털 치료제의 차이[22]**

| | 디지털 헬스케어 | 디지털 의약 | 디지털 치료제 |
|---|---|---|---|
| 정의 | 라이프 스타일, 웰빙, 건강 관련 목적을 위한 기술, 플랫폼, 시스템을 포함한다. | 인간의 건강을 측정하고 치료하기 위한 근거 기반 소프트웨어 또는 하드웨어 제품을 포함한다. | 질병의 예방, 관리, 치료를 위한 근거 기반 중재다. |
| 규제·감독 | • 웰니스 기기의 경우 의료기기 규제 정의를 충족하지 않으며 규제 감독이 불필요하다.<br>• 의료기기 규제를 받는 디지털 치료제는 디지털 헬스케어의 구성 요소에 포함된다. | • 규제 요구 정도는 다양하다.<br>• 의료기기로 분류될 경우 허가와 승인이 필요하다.<br>• 다른 의약품, 의료기기 등을 개발하는 도구로 활용되는 경우 해당 부서의 규제적 승인이 필요하다. | • 안전성, 유효성, 의도된 사용에 대한 규제기관의 검토, 승인, 또는 인증을 받아야 한다. |
| 임상 결과 | 일반적인 웰니스 기기는 임상적 증거가 불필요하다. | 모든 디지털 의약품에 대한 임상적 증거가 필요하다. | 모든 디지털 치료제는 임상 증거와 실사용데이터가 필요하다. |
| 예시 | • 헬스케어: 라이프스타일 앱, 피트니스 트래커, 영양 앱<br>• 건강정보 기술: 전자 진료기록 시스템, 전자 처방 시스템<br>• 고객 건강정보: 온라인 저장소, 개인 건강 기록, 환자 포털, 정보 데이터베이스 | • 디지털 진단 또는 하위 유형을 식별하기 위한 소프트웨어 기반 연결 기술<br>• 디지털 바이오마커<br>• 전자약(H/W+S/W) | • 근거 기반의 중재치료를 제공하는 소프트웨어형 의료기기<br>• 질병의 예방, 관리, 또는 치료 |

와 안전성 검증, 규제 당국의 심토와 승인, 의사의 처방, 보험 적용을 거쳐야 하지만 형태적 차이로 인해 기존 치료제와는 차별화된 특장점이 있다.

첫째, 디지털 치료제는 신약 개발과는 달리 연구개발과 인허가에 필요한 시간과 비용이 상대적으로 적게 들어 의료 비용 절감 효과를

## 기존 치료제와 디지털 치료제 비교[23]

| 구분 | | 기존 치료제 | 디지털 치료제 |
|---|---|---|---|
| 공통점 | 치료효과 | 임상적으로 검증된 근거에 기반해 질병의 예방과 치료가 가능하다. | |
| | 의사 처방 | 의사가 환자에게 처방하고 개별 환자가 사용한다. | |
| 차이점 | 형태 | 생체 기술, 화학 제제 등 다양하다. | 디지털 기기를 통해 치료를 제공한다. |
| | 전달 방식 | 경구투여, 피부 흡수, 정맥주사 등 다양하다. | 단독 또는 디지털 기기 탑재 소프트웨어를 사용한다. |
| | 부작용 | 화학, 약리적 독성과 부작용이 있다. | 거의 없다. |
| | 개발 비용 | 고비용, 고위험 원가 규모, 개발기간 등이 다양하다. | 저비용, 고효율 개발 절차와 기간, 비용이 상대적으로 저렴하다. |
| | 복약 관리 | 복약 관리가 불가하다. (평균 50% 이하) | 실시간, 연속적으로 복약 관리가 가능하다. |
| | 모니터링 | 진료시간 외 환자모니터링이 어렵다. | 24시간 실시간으로 환자의 상태를 모니터링한다. |
| | 데이터 | 환자 데이터 수집, 관리, 저장이 어렵다. | 환자 데이터를 자동 수집, 관리하고 맞춤형 분석이 가능하다. |

기대할 수 있다. 둘째, 소프트웨어를 통한 인지행동치료, 생활습관 교정, 신경 자극을 통한 활성화 등의 치료 방식으로 독성과 부작용의 우려가 적다. 셋째, 진료시간 외에도 환자의 행동부터 일상생활 패턴까지 다양한 데이터를 자동으로 수집하고 관리할 수 있으며 실시간으로 또 연속적으로 24시간 모니터링하여 환자 맞춤형 치료를 제공할 수 있다.

디지털 치료제 산업의 이해를 대변하기 위해 결성된 국제 비영리 협회인 디지털치료연맹DTA은 주요 목적에 따라 디지털 치료제를 4가지로 분류하고 있다. ① 건강상태 관리, ② 의학적 장애나 질병의 관리 또는 예방, ③ 복약 최적화, ④ 의학적 장애나 질병의 치료.

**디지털 치료제의 종류(DTA, 2018)**

| 분류 | 건강상태 관리 | 장애·질병 관리 및 예방 | 복약 최적화 | 장애·질병 치료 |
|---|---|---|---|---|
| 인허가 | 규제기관 재량 | 안전성, 유효성 검증 및 규제기관 인허가 | | |
| 제품 효과 | 질병, 장애에 대한 의학적 효능 주장 없음 | 경중도 위험 효능 (질병 진행률 억제) | 중고도 위험 효능 (병행치료효과 증대) | 중고도 위험 효능 (직접적 치료효과) |
| 임상 근거 | 임상시험, 지속적 근거 기반 치료효과 입증 필요 | | | |
| 처방 | 환자 직접 구매DTC, 의사 처방PDT 불필요 | 의사 처방PDT 필요 또는 일반의약품OTC | | 의사 처방PDT 필요 |
| 기존 치료제와의 관계 | 독립 사용 또는 간접적으로 다른 치료제 보완 | 독립 사용 또는 직접적으로 병행 치료제 보완 | 직접적으로 병행 치료제 보완(직접 사용 불가) | 독립 사용 또는 직접적으로 병행 치료제 보완 |
| 치료 분야 | | 만성질환 | | 중추신경질환, 신경정신질환 |
| 예시 | 신경질환 또는 부상으로 인한 운동, 언어, 인지기능 장애 증상을 치유하기 위한 신경 음악 치료 | 제2형 당뇨, 고혈압, 비만 환자의 자가관리와 치료효과를 개선하기 위한 치료제 (블루스타) | 제2형 당뇨 환자를 위한 인슐린 투여 용량 계산 앱 (인슐리아) | 비디오 게임을 통한 주의력결핍과 잉행동장애 치료제 (엔데버RX) |

이러한 디지털 치료제는 그 자체로 단독으로 사용되거나 기존 의약품 또는 치료법과 함께 사용될 수 있다. 단독요법 디지털 치료제는 일반 의약품과 독립적으로 작동하도록 설계된 것으로 일반적으로 건강상태를 예방하거나 치료하도록 설계된다. 예를 들어 환자가 전당뇨로 진단되면 단독요법 디지털 치료제를 처방하여 제2형 당뇨병으로 진행되는 것을 예방할 수 있는 생활습관 중재를 제공할 수 있다. 그와 반대로 치료효과를 높이기 위해 처음부터 다른 약리학적 치료 또는 의료기기와 함께 사용하도록 설계될 수도 있다. 일부 디지털

치료제는 병용요법으로 다른 치료법과 조합하여 제공하기도 한다. 예를 들어 환자가 적시에 올바른 용량을 복용하도록 돕거나 질병이나 치료의 증상과 부작용을 더 잘 관리할 수 있도록 도울 수 있다.

이와 같이 디지털 치료제는 건강관리 영역에서 새로운 방향을 제시한다. 환자의 스마트폰 또는 여러 가지 기술을 통해 미충족 의료 요구에 대한 새로운, 보다 접근성 높은 치료 옵션을 제공한다. 디지털 치료제는 단독요법 혹은 병용요법으로 다른 치료법과 함께 효과를 내거나 현재 사용되는 치료 방법을 개선할 수 있어 여러 확장점이 있다.

# 2

# 디지털 치료제가 산업으로 빠르게
# 성장하고 있다

현재 디지털 치료제는 미국을 중심으로 하나의 산업군을 형성하기 시작하였다. 2017년 그랜드뷰리서치Grand View Research의 보고서를 보면 디지털 치료제 시장은 빠르게 성장하여 2016년 기준 17.4억 달러에서 2025년 87억 달러 규모로 커질 것으로 전망된다.[24]

전 세계적으로 스마트폰의 보급이 확대되면서 디지털 치료제가 공급되고 활용될 수 있는 기반이 마련되었다. 또한 만성질환 등 기존 의료체계에서 제대로 관리되기 어려웠던 부분을 기존 치료제 대비 저렴한 비용으로 관리할 수 있다는 장점과 함께 디지털 치료제에 대한 수요가 늘어날 것으로 보았다. 특히 코로나 팬데믹으로 인해 디지털 치료제가 빠르게 활성화되어 미국, 영국, 독일, 호주 등은 정신질환 관련 디지털 치료제 규제를 대폭 완화하거나 국가 의료보험으로 관련 비용을 지불하기도 하였다.

이러한 흐름에 맞춰 국내외에서 디지털 치료제 관련 가이드라인

**디지털 치료제 시장 규모 전망**(2014~2025년)[25]

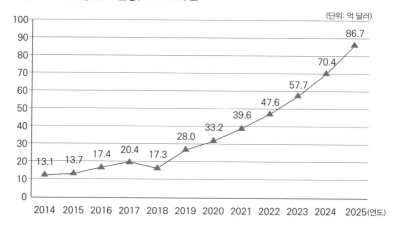

(단위: 억 달러)

을 마련하고 미국, 유럽, 아시아 국가에서 다양한 디지털 치료제가
개발을 마치고 임상시험을 거쳐 인허가를 준비하고 있다.


## 미국의 디지털 치료제

미국은 디지털 치료제에 대한 의료시장 내 진입과 활용이 가장 활
발히 이루어지는 국가다. 국제의료기기규제당국자포럼IMDRF은 '의
료기기로서 소프트웨어SaMD'의 위험도에 따른 가이드라인을 마련
하여 디지털 치료제를 제도권 안으로 활성화하고자 하는 움직임을
보였다. 또한 2016년 12월 디지털 헬스 기술의 효율적 규제를 위한
「21세기 치료 법안」을 제정하고 이어 2017년 7월 「디지털 헬스케어
혁신 계획」을 발표하였다. 이 계획의 일부로 '소프트웨어 사전 인증
Software Pre-Cert 파일럿 프로그램'과 소프트웨어 기반 의료기기의 특
성에 맞는 간소화된 규제 방식을 제시하였다. 즉 제품이 아니라 일정

**미국식품의약국의 소프트웨어 사전 인증 파일럿 프로그램[27]**

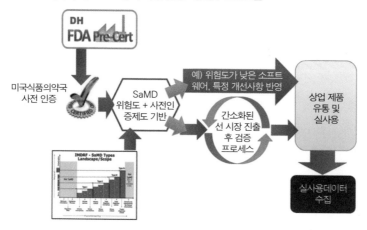

자격요건을 갖춘 개발사 자격을 인증하여 선판매를 승인한 후 실사용·데이터RWD, Real World Data를 사후 수집하여 검증하는 혁신적인 규제 방식을 도입하였다.[26] 이러한 움직임은 디지털 치료제와 같은 소프트웨어 기반 기술의 발전 속도가 매우 빠르고 임상 데이터가 축적되면 치료제 자체가 지속적으로 진화할 수 있기 때문에 규제 절차를 간소화하고 허가를 빠르게 내주기 위한 것으로 보인다.

간소화된 절차에 따라 2017년 9월 미국식품의약국은 페어테라퓨틱스Pear Therapeutics의 인지행동치료 기반 약물 중독 치료용 디지털 치료제 리셋reSET 앱을 최초로 허가하였다. 총 399명을 대상으로 무작위 대조 임상시험을 한 결과 약물 사용 환자가 리셋 앱을 병행 사용 시 금욕 비율이 16.1%로 대조군 3.2%에 비해 5배 이상 높게 나타났다.[28] 이렇게 유의미한 임상적 안전성과 유효성을 입증해 의사 처방으로 환자에게 사용 가능한 2등급 소프트웨어 의료기기로 허가를 받을 수 있었다. 이후 2018년 리셋-OreSET-o 역시 마약성 진통제인 오피오이드 중독 치료 목적의 혁신 의료기기Breaking Through Device로 지정되어 '소프트웨어 사전 인증 파일럿 프로그램'을 통해 1년여 만에 미국식품의약국의 승인을 받았다.[29] 그 외에도 미국의 여러 디지털 치료제 개발사는 주로 제약사와 협약을 하여 디지털 치료제를 개발하고 있다. 2020년까지 심혈관, 호흡기, 신경정신과 질환 등 디지털 치료제 9건에 대해 미국식품의약국의 허가를 받았다.[30] 허가받은 디지털 치료제 9건은 2017년 약물 중독 치료(리셋reSET), 2018년 마약류 중독 치료(리셋-O), 2020년 불면증 치료(솜리스트Somryst), 2018년 외상후스트레스장애PTSD 및 공황장애 치료(프리스피라Freespira)와 호흡측정장치, 2020년 소아 주의력결핍과잉행동장애ADHD 치료(엔데버RxEndeaverRx), 2017년 제2형 당뇨 치료(인슐리아Insulia), 2017년 조현병 치료(아빌리파이 마이사이트Abilify Mycite), 2019년 암 치료(올리나Oleena), 2010~2020년 당뇨 치료(블루스타BlueStar) 앱으로 현재 사용 중이다. 공보험에 급여가 적용된 디지털 치료제는 아직 확인되지 않았다.

2021년 1월 12일 미국 보험청CMS, Centers for Medicare and Medicaid Services은 「혁신 기술의 메디케어 보험급여MCIT, Medicare Coverage of Innovative Technology」를 발표했다. 그 내용은 미국식품의약국의 획기성 지정을 받은 혁신 의료기기에 대해 전국적으로 4년간 메디케어 보험급여를 자동으로 적용하겠다는 파격적인 안이었다. 그러나 이 방식은 미국식품의약국의 허가 시점과 메디케어의 전국적인 보험급여 의사결정 시점까지 9~12개월의 시간적 간격이 발생하고 지역 메디케어 관리 계약자local Medicare의 보험급여 결정이 일관성이 없을 수 있다. 미국보험청의 발표에도 불구하고 「혁신 기술의 메디케어 보험

급여」를 통한 디지털 치료제의 보험급여 적용 시기는 연기되고 있다. 그 이유는 메디케어 보험급여 대상자인 65세 이상 고령자의 디지털 문해력Digital Literacy을 고려할 경우 사용성 이슈가 발생할 가능성이 높아 보험급여에서 제외해야 한다는 의견이 컸기 때문이다.

우리나라의 경우 건강보험심사평가원에서 미국의 「혁신 기술의 메디케어 보험급여」와 같은 혁신 수가에 대한 논의를 계속하고 있다. 미국의 메디케어 대상 고령자의 디지털 친숙도와 관련된 이슈와는 달리 전 국민을 대상으로 한 국가의료보험이기에 급여 도입 기준이 다를 수 있다. 디지털 치료제는 1조 원 이상 드는 의약품 개발 비용에 비해 몇십억에서 몇백억 원 수준이다. 무형의 소프트웨어로 한계 비용도 낮기 때문에 건강보험 예산을 절감하고 환자의 실제적인 편익과 접근성을 높일 수 있다면 별도 수가체계를 적극적으로 도입해야 한다고 본다. 또한 국내 디지털 치료제 기업의 글로벌 경쟁력 확보를 위한 마중물 측면에서 혁신적인 수가체계는 꼭 필요하다.


### 영국의 디지털 치료제

영국 정부도 빠른 디지털 치료제 보급을 위해 적극적인 제도적 지원을 하고 있다. 국립임상보건연구원NICE, The National Institute for Health and Care Excellence은 2019년부터 영국국민보건서비스NHS, National Health Service의 '장기계획NHS Long Term Plan'을 통해 심각도와 등급에 따른 디지털 기술의 근거 표준 지침을 제시하며 디지털 치료제를 지원하고 있다.[31] 2021년 국립임상보건연구원과 국민보건서비스가 함께 편리함, 데이터 이용에 관한 윤리 원칙, 제품 가치, 기술 보증, 임상적 안전성, 데이터 안전성, 데이터 관리와 보호, 사이버 보안 등에 대한 실효성 높은 평가 기준과 법적 규제를 마련하였다. 국립임상보건연구원은 의료기술 평가 프로그램을 확립하기 위해 소프트웨어 앱 의료기기의 정의와 법적 요건 준수 가이드를 2021년 업데이트하였다.

영국이 특히 집중적으로 지원하는 디지털 치료 영역은 정신질환 영역이다. 영국국민보건서비스NHS는 '정신질환 치료 정책IAPT'에 디지털 치료제 도입을 발표하였고 우울증 인지행동치료(디프렉시스Deprexis, 실버클라우드SilverCloud, 마인드디스트릭트Minddistrict), 신체이형증 치료(BBD-NET), 과민성대장증후군 치료(Gegul8) 등 디지털 치료제 5건에 대해 '임상 현장 내 평가'를 진행하고 있다.[32] IAPT 최종 평가에서 급여를 적용하는 원칙은 세 가지이다. 첫째, 디지털 치료가 현재 진행하는 표준 치료에 비해 최소한의 동등한 임상효과가 있는 경우이다. 둘째, 보건의료시스템의 편익을 제공하는 경우이다. 셋째, 전반적으로 자원 소모가 적다는 확실성이 있는 경우이다.

또한 '코로나 블루(코로나19로 인한 우울증)'가 사회문제로 떠오르며 이 같은 접근은 더욱 가속화되었다. 2020년 3월 우울증, 강박장애, 신체이형증 등에 대한 디지털 치료제 14건의 가능성을 평가하였다. 2019년에는 빅헬스Big Health의 불면증 디지털 치료제인 슬리피오Sleepio를 약 1,000만 명에게 국가 차원에서 비용을 지원하며 적극적으로 디지털 치료제 활용 장려 정책을 펼치고 있다.

## 독일의 디지털 치료제

유럽연합은 2017년 의료기기 지침과 체외 진단 의료기기법을 제

## 기능과 임상적 증거에 따른 디지털 헬스의 분류

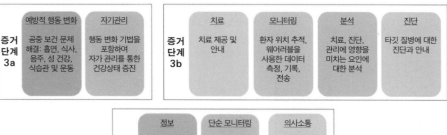

| 증거<br>단계<br>3a | 예방적 행동 변화 | 자기관리 |
|---|---|---|
| | 공중 보건 문제<br>해결: 흡연, 식사,<br>음주, 성 건강,<br>식습관 및 운동 | 행동 변화 기법을<br>포함하여<br>자가 관리를 통한<br>건강상태 증진 |

| 증거<br>단계<br>3b | 치료 | 모니터링 | 분석 | 진단 |
|---|---|---|---|---|
| | 치료 제공 및<br>안내 | 환자 위치 추적,<br>웨어러블을<br>사용한 데이터<br>측정, 기록,<br>전송 | 치료, 진단,<br>관리에 영향을<br>미치는 요인에<br>대한 분석 | 타깃 질병에 대한<br>진단과 안내 |

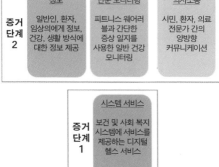

| 증거<br>단계<br>2 | 정보 | 단순 모니터링 | 의사소통 |
|---|---|---|---|
| | 일반인, 환자,<br>임상의에게 정보,<br>건강, 생활 방식에<br>대한 정보 제공 | 피트니스 웨어러<br>블과 간단한<br>증상 일지를<br>사용한 일반 건강<br>모니터링 | 시민, 환자, 의료<br>전문가 간의<br>양방향<br>커뮤니케이션 |

| 증거<br>단계<br>1 | 시스템 서비스 |
|---|---|
| | 보건 및 사회 복지<br>시스템에 서비스를<br>제공하는 디지털<br>헬스 서비스 |

정하였으며 2018년 「개인정보규정GDPR, General Data Protection Regula-tion」을 개정 시행하는 등 디지털 치료제 관련 패러다임에 적극적으로 대응하고 있다. 특히 독일은 2019년 11월 '디지털의료법DVG, Digitale-Versorgung-Gesetz'을 제정하고 치료용 앱에 대한 패스트트랙 제도를 운영하고 있다. 등록요건을 충족할 경우 신청이 가능하며 신청 후 3개월 내 처방 가능한 치료용 앱으로 국가 데이터베이스에 등록되고 보험수가 등이 결정된다. 이에 따라 이명 관리를 위한 인지행동치료(칼메다Kalmeda), 불안장애 등 정신질환 치료(벨리브라Velibra), 불면증 치료(솜니오Somnio), 관절염 치료(비비라Vivira), 비만 치료와 체중감소(자나디오Zanadio), 공황장애 등 정신질환 치료(인비르토Invirto) 등

**독일의 디지털 치료제 규정**

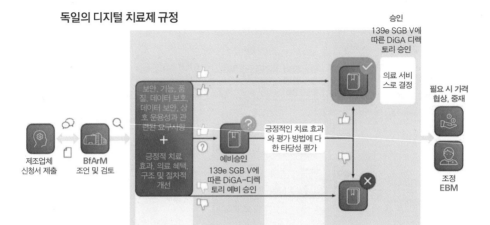

치료용 앱 10건에 대해 건강보험 급여를 실시하며[33] 적극적인 수용책을 펼치고 있다.

치료용 앱에 대한 패스트트랙의 가이드라인을 살펴보면 등록요건은 ① 안전성과 사용 적합성, ② 데이터 보호와 정보 보안, ③ 품질과 데이터의 상호운용성, ④ 임상 효과다. ①~③이 충족되면 임시 등록이, ①~④가 충족되면 본 등록이 가능하다. 임시 등록의 경우 1년간 임상 효과를 수집한 후 다시 신청하면 된다. 본 등록 이후에는 공적의료보험협회와 교섭하여 가격을 결정할 수 있다. 동 제도는 디지털 치료제 기업이 첫째에 가격을 결정할 수 있어 가격 예측성이 높고 신청 시점에 임상 효과의 증거가 불충분해도 일정 요건을 충족하면 임시 등록이 가능하다. 1년이 경과된 시점에서 보험 적용 이후 의학적 효과나 환자 치료 관련 유효성과 안전성 등이 입증되면 기업과 보험사 간 협상을 통해 정식 등재를 하고 가격을 정하게 된다. 실제 다발성 경화증 치료(743.75유로/90일), 우울증 치료(297.50유로/90일),

불면증 치료(464유로/90일), 불안장애 치료(476유로/90일) 앱 등이 본 등록이 되어 있다.


## 일본의 디지털 치료제

일본의 제약회사 시오노기를 비롯한 7개 기업은 2019년 10월 디지털치료제컨소시엄을 설립하여 디지털 치료제가 상용화될 수 있도록 하는 계획을 발표하였다. 일본 정부 또한 디지털 치료제 관련 제도를 도입하며 활발한 움직임을 보이고 있다. 2020년 11월 '프로그램 의료기기 실용화 촉진 패키지 전략DASH for SaMD'을 공표하고 최첨단 의료기기의 독창적인 착상에 기반한 심사 방법을 제시하였다. 2021년 4월 일본의약품의료기기종합기구PMDA에서 '사키가케 제도'를 운영하여 혁신 의료기기의 조기 상업화를 위한 우선심사 지정 제도의 시범 사업을 하였다. '사후 위해도 관리 계획'을 수립하여 시판 후 임상 증거 확보 등을 중점으로 한 혁신 의료기기 조건부 승인 제도를 도입했다. 이러한 제도에 맞추어 총 2개 제품이 허가되었으며 니코틴 중독 치료(CureAPP SC) 앱은 최초로 급여항목으로 승인되었다.[34]


## 중국의 디지털 치료제

중국은 2017년 '이동 의료기기 등록 심사 가이드라인' 공고를 통해 프로그램을 의료기기로 등록할 수 있는 환경을 정비했다. 또한 2018년 국가약품감독관리국NMPA의 그린채널Green Channel을 통해 혁신 의료기기의 특별 심사와 승인 절차를 제정하였다. 이를 통해 빠른 개발과 시장 출시를 장려하고 있으며[35] 디지털 치료제 관련 정책 검토 작업을 가속화할 것으로 예상된다.

이러한 제도적 흐름 속에서 민간 기업을 중심으로 디지털 치료제를 도입하고 있으며 아직 허가된 디지털 치료제는 없다. 그러나 중국의 스타트업 QTC케어QTC Care는 현재 비만과 암 치료제를 개발하고 있다. 미국의 디지털 치료제 회사 바이오포미스Biopourmis는 중국 헬스케어 플랫폼 지안케Jianke와 협약을 체결하여 중국 시장 진출을 시도하고 있다.


## 한국의 디지털 치료제

전 세계의 디지털 치료제 시장이 확대되면서 한국 역시 디지털 치료제 관련 여러 가이드라인을 제시하고 빠르게 관련 정책을 마련하고 있다.

한국 정부는 데이터 기반 디지털 치료제 등 혁신 의료기기 개발 동력을 확보하는 데 주력하고 있다. 2017년 세계 최초로 「빅데이터 및 인공지능 기술이 적용된 의료기기 허가·심사 가이드라인」을 발간하며 규제 변화에 대응하였으며 2018년 '데이터 산업 활성화 전략', 2019년 디지털 헬스를 포함한 '바이오헬스 산업 혁신전략' 'AI 국가전략', 2020년 8월에는 디지털 치료기기 정의와 판단 기준 등을 담은 '디지털 치료기기 허가·심사 가이드라인'을 제시하였다.

식품의약품안전처는 디지털 기술을 접목하며 발전하는 의료기기 산업에 대응하기 위해 2021년 인공지능 의료기기와 디지털 치료제의 허가, 심사, 규제 지원을 총괄하는 전담 조직을 신설하여 소프트

## 디지털 치료기기 관련 한국의 가이드라인

- 디지털 치료기기 허가·심사 가이드라인
- 디지털 치료기기 안전성·성능 평가 및 임상시험계획서 작성 가이드라인
- 빅데이터 및 인공지능 기술이 적용된 의료기기 허가심사 가이드라인
- 인공지능 기반 의료기기의 임상 유효성 평가 가이드라인
- 의료기기의 실사용증거(RWE) 적용에 대한 가이드라인
- 의료기기 소프트웨어 허가·심사 가이드라인
- 가상현실과 증강현실 기술이 적용된 의료기기의 허가·심사 가이드라인
- 의료기기의 사이버 보안 허가·심사 가이드라인

웨어 의료기기의 허가, 심사, 규제 지원 업무뿐만 아니라 디지털 치료기기를 개발하는 기업에게 행정적, 기술적 지원을 제공함으로써 신속한 제품화를 촉진하기 위한 정책을 펼치고 있다.

아직 국내에서 디지털 치료제로 허가받은 사례는 없으나 식품의약품안전처는 불면증, 알코올 중독장애, 니코틴 중독장애 개선을 위한 3개 디지털 치료기기의 개발 단계에서부터 안전성과 성능 평가 기준을 적용할 수 있도록 안내서를 발간하고 빠른 시장 진출을 위한 맞춤형 밀착 지원을 하고 있다. 그 결과 2021년 하반기 기준 불면증, 뇌졸중 상지 재활, 시야장애 개선, 소아 근시 억제, 호흡 재활, 불안장애 등의 소프트웨어 의료기기가 식약처의 허가를 받아 임상시험에 신속하게 진입하였다.

# 3

## 디지털 치료제의 주요 접목 분야는
## 어디인가

디지털 치료제는 신약 개발이 어려운 분야나 의료서비스의 사각 지대를 보완하기 위한 새로운 대안으로 떠오르지만 모든 질병을 치료할 수 있는 만능 수단은 아니다. 그렇다면 디지털 치료제가 가장 잘 접목될 수 있는 의료 분야는 어디일까?

디지털 치료제의 시장 전망과 임상시험 레지스트리인 클리니컬 트라이얼즈ClinicalTrials.gov에서 지난 10년간 '디지털'이 포함된 중재 연구를 주요 질환별로 세분화하여 살펴보면 디지털 치료제는 신경계질환, 심혈관질환, 만성질환 등에 집중된 것을 볼 수 있다. 다시 말해 디지털 치료제는 크게 세 가지 영역으로 나누어볼 수 있다. 첫째, 인지행동치료를 통한 신경계질환 치료다. 둘째, 생활습관 교정 및 복약 관리를 통한 만성질환 관리이다. 셋째, 신경 자극을 통한 재활이다.

## 지난 10년간 디지털 치료제 임상시험 현황[36]과 질환별 시장 규모 전망[37]

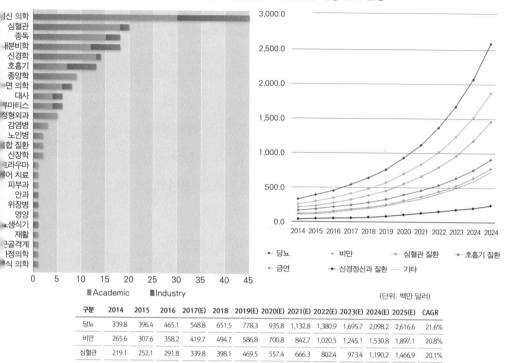

(단위: 백만 달러)

| 구분 | 2014 | 2015 | 2016 | 2017(E) | 2018 | 2019(E) | 2020(E) | 2021(E) | 2022(E) | 2023(E) | 2024(E) | 2025(E) | CAGR |
|---|---|---|---|---|---|---|---|---|---|---|---|---|---|
| 당뇨 | 339.8 | 396.4 | 465.1 | 548.8 | 651.5 | 778.3 | 935.8 | 1,132.8 | 1,380.9 | 1,695.7 | 2,098.2 | 2,616.6 | 21.6% |
| 비만 | 265.6 | 307.6 | 358.2 | 419.7 | 494.7 | 586.8 | 700.8 | 842.7 | 1,020.5 | 1,245.1 | 1,530.8 | 1,897.1 | 20.8% |
| 심혈관 | 219.1 | 252.1 | 291.8 | 339.8 | 398.1 | 469.5 | 557.4 | 666.3 | 802.4 | 973.4 | 1,190.2 | 1,466.9 | 20.1% |
| 호흡기 | 179.4 | 202.0 | 228.6 | 260.1 | 297.7 | 342.8 | 397.2 | 463.2 | 543.7 | 642.6 | 765.0 | 917.4 | 17.1% |
| 금연 | 134.1 | 154.2 | 174.3 | 200.4 | 232.0 | 270.1 | 316.7 | 373.8 | 444.4 | 532.2 | 642.2 | 781.1 | 18.5% |
| 신경정신과 | 56.2 | 62.8 | 70.5 | 79.5 | 90.2 | 102.9 | 118.0 | 136.0 | 157.8 | 184.2 | 216.3 | 255.7 | 15.7% |
| 기타 | 118.1 | 135.0 | 155.3 | 179.7 | 209.2 | 245.1 | 289.2 | 343.5 | 410.9 | 495.3 | 601.6 | 736.6 | 19.3% |
| 합계 | 1,312.3 | 1,373.3 | 1,743.8 | 2,028.0 | 2,373.4 | 2,795.5 | 3,315.1 | 3,958.3 | 4,768.3 | 5,768.5 | 7,044.3 | 8,671.4 | 19.9% |

## 인지행동치료를 통한 신경계질환 치료

심리적 요인을 고려한 인지적 접근 방식의 상남과 교정을 결합한 인지행동치료는 수면장애, 우울장애, 불안장애, 외상후스트레스장애, 공황장애, 알코올 및 약물 중독, 통증 등 신경계질환에 효과적인 것으로 알려져 있다. 기존 대면 인지행동치료를 디지털화하여 근거 기반의 중재를 제공하는 것을 일반적인 디지털 치료의 한 방법으로 볼 수 있다.

인지행동치료는 지금-여기를 강조하는 목표지향적이고 해결중심적인 치료로 정신건강을 향상하는 데 널리 사용되는 심리치료법이다. 디지털 치료제는 환자가 인지를 재구성하고 상황을 정면으로 직시하며 감정의 변화를 통해 행동을 변화시키는 인지행동치료 기법을 스마트폰 앱 등을 통해 이해하기 쉽게 제공한다. 그뿐만 아니라 데이터를 통해 행동과 인지 상태를 모니터링하고 문제가 되는 행동에 대한 맞춤형 수정 방안을 제시할 수 있다. 또한 시공간적 제약이 없고 치료에 참여하도록 지속적으로 동기를 부여함으로써 꾸준한 인지와 행동의 변화를 이끌 수 있다.

이러한 디지털 인지행동치료기법은 치매, ADHD, 자폐증, 외상후 스트레스장애 등 약물치료제 개발이 어렵거나 임산부 아동 등 특히 약물치료에 취약한 계층을 대상으로 미충족 의료 수요를 개선하는 데 도움이 될 것으로 기대된다.

---

## 불면증 디지털 치료제 솜리스트

페어테라퓨틱스Pear Therapeutics의 솜리스트Somryst는 2020년 3월 미국식품의약국에 처방용 디지털 치료제로 인허가를 받았다.

솜리스트는 22세 이상에게 사용 가능하며 불면증 인지행동치료 CBTi, Cognitive Behavioral Therapy for Insomnia를 사용하여 더 나은 수면을 할 수 있도록 돕고 뇌와 신체가 잠을 잘 수 있도록 훈련을 제공한다. 불면증 인지행동치료CBTi는 불면증을 유발하는 잘못된 수면습관을 개선하고 불면증을 유발하는 수면에 대한 잘못된 믿음과 태도를 바꾸고자 하는 치료 요법이다. 인지행동치료는 약물치료 대비 치료 효과를 보는 데 시간이 걸릴 수 있지만 부작용이 적고 치료가 완료

된 후에도 효과가 지속되는 안정적인 치료법이다. 불면증 인지행동치료의 항목으로는 자극 조절, 수면 제한, 이완요법, 인지 치료, 수면 위생 교육 등이 있다. 솜리스트는 불면증 인지행동치료 가이드라인에 따라 수면 제한을 돕고 수면의 질을 개선하기 위해 디자인된 알고리즘에 의해 짜인 6~9주간의 맞춤 교육과 과제를 앱으로 제시한다. 또한 의료진용 대시보드를 통해 임상의에게 실시간 환자 데이터를 제공하여 환자의 관리를 돕는다.

솜리스트는 2016년 『란셋 정신의학지Lancet Psychiatry』에 발표한 1,149명 규모의 임상시험,[38] 2017년 『자마 정신의학지JAMA Psychiatry』[39]에 발표한 303명 규모의 임상시험을 통해 모바일 기반 불면증 인지행동치료의 효과를 입증하였다. 임상시험 결과 잠에 빠져드는 시간은 45%, 야간 각성시간은 52% 단축되었다. 아울러 불면증 증상의 중증도도 45% 줄었으며 치료 후 6~12개월 뒤에도 지속적인 수면 개선 효과가 나타났다.

## 생활습관 교정 및 복약 관리를 통한 만성질환 관리

디지털 치료제는 실시간으로 환자 데이터를 수집, 관리, 저장할 수 있어서 환자 맞춤형 분석과 치료가 가능하다는 장점이 있다. 또한 실사용 데이터의 지속적인 수집을 통해 개별 환자의 예후에 대한 장기 추적 관찰이 쉽기 때문에 당뇨, 암, 고혈압, 이상지질혈증 등 만성질환자와 중증질환자 관리에 유리하다. 환자에게 데이터에 기반한 맞춤형 생활습관 교정 치료를 제공할 수 있다.

또한 천식, 만성폐쇄성폐질환, 조현병 등과 같이 지속적인 복약이 중요한 질환은 복약 관리용 디지털 치료제가 이용된다. 특정한 상황(질병 상태 이상 감지, 복약하지 않은 경우 등)이 발생한 경우 이용자의 선택을 유도하는 쌍방향 개입Interactive Nudge을 통해 생활습관 관리와 치료 순응도를 향상할 수 있으며 특정 사용자의 지속적인 데이터 학습을 통해 생활 패턴을 익히고 가상 코치가 맞춤형 알람을 제공할 수 있다.

생활습관 교정 당뇨 관리 디지털 치료제 오마다헬스

당뇨는 완치의 개념보다 꾸준하고 철저한 관리로 건강을 유지하고 합병증을 막거나 최대한 늦추는 것이 중요하다. 오마다헬스Omada Health는 모바일을 통해 당뇨 관리를 위한 올바른 생활습관을 만들고 체중 감량을 통해 당뇨병을 예방하고 관리하도록 돕는다.

담당 코치와 채팅으로 연락하고 더 손쉽게 원격코칭을 받을 수 있고, 걸음걸이와 신체활동을 추적하여 운동을 관리하도록 돕고, 맞춤형 식단 정보 제공과 식사 데이터 관리를 통해 생활습관을 관리하도록 돕는다. 축적된 개인의 데이터는 언제든지 앱에서 확인할 수 있다.

오마다헬스는 임상시험[40]을 통해 220명의 전당뇨 환자에게 16주 동안 모바일 기반 체중 감량 프로그램을 제공하고 체중 감량 효과를 확인하였다. 오마다헬스 프로그램을 잘 마친 환자들은 1년 후 평균 4.7%, 2년 후 평균 4.2% 감소된 체중을 유지하였다. 또한 당뇨병 진단과 혈당 관리에 중요한 수치인 당화혈색소HbA1c도 1년 후 평균 0.38%p, 2년 후 0.43%p 감소하는 효과를 보였다. 오마다헬스는 스마트폰 앱으로 제공되기 때문에 전통적인 대면 치료 대비 적은 비용으로 높은 효과성과 환자의 지속적 참여율을 보일 것으로 기대된다.[41]

## 신경 자극을 통한 신경 활성화

디지털 치료제는 더 직접적으로 환자의 뇌와 신경에 자극을 주기도 한다. 뇌졸중이나 외상성 손상으로 인한 신경 손상, 약시, 주의력결핍과잉행동장애ADHD 등은 꾸준하고 반복적인 자극을 필요로 하는 데 디지털 방식이 큰 이점을 줄 수 있다.[42]

디지털 치료제는 뇌 신경가소성을 주요 치료 기전으로 보는 신경

재활 영역에서 유리하게 사용될 수 있다. 예를 들어 게임화 설계를 통해 반복적이고 집중적인 동작을 유도하거나 신경을 자극하여 신경을 활성화할 수 있다. 또한 태블릿, 스마트폰, 가상현실 소프트웨어의 사용은 향상된 감각 자극을 통해 상지운동장애, 균형장애, 보행장애 환자의 재활훈련에 도움을 줄 수도 있다.

---

## ADHD 디지털 치료제 엔데버Rx

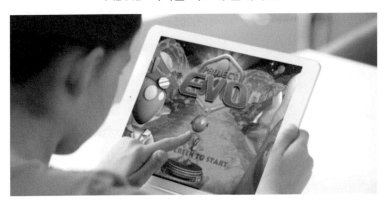

미국 식품의약처는 2020년 6월 아킬리Akili Interactive Labs가 개발한 게임형 디지털 치료제 엔데버RxEndeavorRx를 승인하였다. 엔데버Rx는 소아기의 주의력결핍과잉행동장애ADHD 환아의 주의력 결핍을 개선하기 위한 태블릿용 비디오 게임이다. 게임 속 주인공을 좌우로 조종하며 장애물을 피하고, 다양한 작업의 운동 과제를 수행하고, 목표물을 수집하는 비교적 단순한 구조로 구성되어 있다.

주 5일씩 한 달간 진행되는 프로그램에 맞춰 환아가 어려운 코스를 하나씩 극복하며 치료효과를 볼 수 있다. 이와 동시에 엔데버Rx에 내장된 선택적 자극 관리 엔진SSME, Selective Stimulus Management Engine

을 통해 저하된 인지 기능을 분석하고 뇌의 특정 신경체계를 치료할 수 있도록 한다. 선택적 자극 관리 엔진ssme은 개별 환자에게 맞춤치료를 제공하기 위해 게임 난이도와 보상체계를 조절하는 알고리즘을 사용하며 특정 감각의 주의력 향상을 위한 대뇌영역인 전두엽 피질만을 활성화하도록 한다.

아킬리는 600명 이상의 주의력결핍과잉행동장애ADHD 환아를 대상으로 여러 임상시험을 통해 치료효과를 입증해왔다. 임상시험 결과 1개월 치료 후 3분의 1이 적어도 한 분야 이상에서 주의력 결핍 문제를 보이지 않았다고 보고되었다. 디지털 치료제를 사용한 환아의 부모를 대상으로 검사하였을 때도 1개월 치료 후 50% 이상, 2개월 치료 후 68% 이상의 아동이 일상에서 유의미한 변화를 보였다고 답하였다.[43]

# 4

# 왜 지금 디지털 치료제에
# 주목해야 하는가

지금까지 디지털 치료제의 정의, 예시, 빠른 제도화와 제품화를 위한 국내외의 움직임에 대해 살펴보았다. 그렇다면 디지털 치료제는 어떠한 장점이 있어서 신사업으로 주목받는 것일까? 디지털 치료제의 장점과 고민점에 대한 여러 이해관계자의 입장을 살펴보자.

### 환자: 효과적인 치료를 위한 새로운 옵션

디지털 치료제는 환자의 스마트폰 또는 태블릿을 통해서 임상적으로 입증된 치료, 관리, 예방 방법을 제공한다. 치료받기 위해 번거롭게 매번 병원이나 약국에 갈 필요가 없어지는 것이다. 환자는 디지털 치료제를 통해 본인이 원하는 시간에 원하는 장소에서 언제든지 손쉽게 치료받을 수 있다.

또한 디지털 치료제는 인공지능과 실시간 데이터 분석을 기반으로 환자의 요구에 맞게 개인화된 치료를 제공한다. 불면증에 시달리는 환자가 어느 날 얼마만큼 잠을 잤는지, 얼마나 잘 잤는지, 기분은 어땠는지 하나하나 일기를 쓰거나 기억했다가 병원 방문 시 불명확한 기억에 의존하여 증상을 이야기할 필요가 없어질 것이다. 스마트폰으로 처방받은 불면증 디지털 치료제를 통해 손쉽게 수면 관리를 할 수 있고 환자 개개인의 수면 패턴을 분석한 맞춤형 치료를 제공받을 수 있다.

디지털 치료제는 사용자 친화적인 사용자 경험을 제공하여 만성질환 관리를 좀 더 편리하게 도울 수 있다. 사용자의 생활패턴에 맞춘 개입으로 바른 생활습관을 형성하도록 돕고 치료를 위해 매일매일 반복해야 하는 지루한 활동도 게임을 통해 재미있게 수행할 수 있게 한다. 또한 데이터 분석을 통해 본인이 얼마나 나아지고 있는지 확인할 수 있다.


## 의료진: 의료서비스의 확대

디지털 치료제는 의료진에게도 하나의 새로운 옵션이 될 수 있다. 먼저 디지털 치료제는 알츠하이머, 파킨슨, 다발성경화증, 주의력결핍과잉행동장애ADHD, 자폐증, 외상후스트레스장애 등 이전에 치료를 제대로 할 수 없었거나 치료제 개발이 어려운 분야의 미충족 의료 수요를 개선하는 데 도움이 될 것으로 기대된다.

또한 병원 내 진료를 넘어서 재택 치료, 지역사회 돌봄, 원격진료 등이 중요해지며 환자 관리의 유연성, 새로운 의료 작업 모델, 의료서비스 접근 개선, 의료서비스 품질 유지 등이 주요한 이슈로 떠오르고 있다. 미국은 코로나 팬데믹으로 인해 이미 가상돌봄, 가정 내 돌봄, 디지털 치료제에 대한 긍정적 평가가 확산되고 있으며 실제 원격진료 사용이 팬데믹 이전 수준보다 38배 높아졌다. 디지털 헬스 기술의 발전은 의료진의 업무를 효율화하고 최적화하고 좀 더 다양한 치료 옵션을 제공할 것이다. 디지털 기술은 치료 결과를 손쉽게 실시간으로 기록하고 공유, 분석, 관리하여 의료진의 워크플로를 간소화함으로써 치료에 더 집중할 수 있도록 도울 수 있다.

## 제약사: 새로운 비즈니스의 기회

디지털 치료제는 전통적인 치료약과는 다른 새로운 분야의 치료제이지만 기존 제약사들이 상대해야 할 새로운 적은 아니다. 오히려 새로운 비즈니스로 확장될 기회다. 일반적으로 제약사는 새로운 의약품을 만들기 위해 많은 돈과 시간이 필요하다. 그렇다고 모두 성공하는 것도 아니다. 막대한 자금을 투자하고 장기간 임상시험을 실시하고도 성공해서 신약으로 허가받는 경우는 굉장히 드물다. 글로벌 제약사들은 핵심 비즈니스인 신약 개발의 생산성이 떨어지다 보니 새로운 먹거리가 필요해졌다. 이를 해결할 수 있는 돌파구로서 디지털 치료제에 주목하고 있다.

앞서 이야기하였듯이 디지털 치료제는 일반 의약품과 달리 여러 가지 장점이 있다.

① 비교적 저렴한 비용으로 짧은 개발기간을 거쳐 인허가를 받을 수 있다.

디지털 치료제 기업과 제약사의 협력 관계

| 디지털 치료제 기업 | 제약사 | 적응증 | 디지털 치료제 기업 | 제약사 | 적응증 |
|---|---|---|---|---|---|
| welldoc | astellas | 당뇨 | AKILI | SHIONOGI | ADHD, 자폐 |
| PEAR THERAPEUTICS | Ironwood | 위장장애 | Click Therapeutics | Otsuka | 주요 우울장애 |
| omada | Abbott | 혈당 모니터링 | Click Therapeutics | Boehringer Ingelheim | 조현병 |
| noom | novo nordisk | 비만 | smart patient | NOVARTIS | 습성 황반변성 |
| ONE DROP | Bayer | 여성 심혈관 | sidekick | Pfizer | 여러 질환 |
| happify | SANOFI | 다발성 경화증 | NUVOair | Roche | 낭포성 섬유증 |
| GAIA | orexo | 약물 중독 | holmusk | MERCK | 당뇨 |

② 약과 달리 부작용이 적다.

③ 제조, 운반, 보관 등이 필요 없으므로 상대적으로 저렴한 비용으로 효과를 낼 수 있다.

④ 물리적, 시간적 한계 없이 많은 환자를 관리할 수 있다.

이러한 장점으로 인해 자사의 약물치료를 보완하거나 새로운 영역으로 확장하기 위해 국내외 일부 대형 제약사를 중심으로 투자 또는 연구 협력을 통한 연구개발을 지원하고 있다.

예를 들어 독일의 제약사 베링거잉겔하임Boehringer Ingelheim은 처방 기반 조현병 디지털 치료제 CT-155 앱 개발을 위해 미국의 디지털 치료제 기업인 클릭테라퓨틱스Click Therapeutics와 협력 관계를 맺었다. 클릭테라퓨틱스는 연구개발을 맡고 베링거잉겔하임은 약 5억 달러 규모의 연구개발 지원금, 임상, 승인, 사업화 관련 마일스톤을 지급하기로 하였다. 본 디지털 치료제는 베링거잉겔하임의 조현병 파이프라인인 약과 함께 처방될 가능성이 있어 약물치료효과를 높일 수 있다. 개발사와 제약사 간에 시너지 효과를 볼 수 있는 좋은 예시가 될 것이다.

## 지불자: 새로운 임상적, 재정적 가치 제공

디지털 치료제는 새로운 치료의 옵션이 될 수 있다. 표준 치료 대비 임상적 유효성과 안전성을 입증하고 실제 환경에서의 임상적 근거를 제시한다면 충분히 수가 적용 대상이 될 수 있을 것이다.

디지털 치료제는 낮은 개발비, 사용비, 유지비 등으로 기존 치료 대비 의료비 절감 효과가 있고 데이터에 기반한 새로운 인사이트 제공이 가능하다는 장점이 있다. 예를 들어 환자의 자가 사용 여부에 따라 치료효과가 결정되기 때문에 사용률 데이터를 기반으로 수가를 차등 조정할 수 있다. 이미 미국, 영국, 독일, 일본 등은 디지털 치료제가 가진 여러 가능성을 보고 급여 결정 절차 및 가격 설정 가이드라인을 제정하고 처방용 디지털 치료제PDT, Prescription Digital Therapeutics를 허가하여 실제 임상 환경에서 효과를 확인하고 있으며 유의미한 논문들이 나오고 있다.

기존 보험체계가 추구하는 보편성, 포괄성, 치료효과성, 비용효과성 등의 가치와 디지털 치료제가 가진 특수성, 개인맞춤형, 시의성, 수익성 등의 기술 혁신적 가치 사이의 접점을 찾는 고민을 계속해야할 것이다.

## 국가와 정책: 신사업의 성장을 위한 법률과 규정 개발

디지털 치료제는 새로운 헬스케어의 영역에서 빠르게 성장하고 있다. 지난 수십 년간 환자 대부분은 진료받기 위해 병원을 방문해야만 했다. 하지만 코로나 팬데믹 상황에서 바이러스 노출을 우려해 대면접촉이 줄어들면서 의료 환경에 큰 변화가 찾아왔다. 정부와 의료기관은 감염을 줄이기 위해 일시적으로 원격진료 도입을 허용하였다. 코로나 팬데믹을 업고 디지털 치료제 시장이 급부상할 수 있는 기회가 만들어지고 있는 것이다.

국내외에서 여러 개발사가 시장에 뛰어들어 여러 치료제를 개발하고 임상시험 결과를 내고 있지만 여전히 풀어야 할 숙제가 많이 있다. 디지털 치료제가 앞으로 실제 임상 환경에 안정적으로 도입되기 위해서는 국가 차원의 꾸준한 관심과 정책의 변화가 필요할 것이다.

디지털 치료제는 기존 웰니스 기기와 달리 반드시 임상적 유효성을 입증해야 한다. 소프트웨어를 통해 개인의 의료 데이터를 다루는 만큼 임상설계와 임상기준뿐만 아니라 데이터의 유용성과 정보 보안 등과 같은 기술 측면의 기준도 필요하다. 디지털 치료제가 널리 채택되기 위해서는 IT업계, 지불자, 의료 서비스 제공자, 제약사, 의료진 등 여러 이해관계자의 의견을 조율하고 신속한 규제 개혁을 위한 입법 조치에 대해 고민해야 할 때다.

- 디지털 치료제는 환자의 일상생활에서 좀 더 접근성 높은 새로운 치료 옵션을 제공해야 한다.

  : 환자의 입장에서 살펴보자. 일상생활에서 환자 본인의 스마트폰을 이용해 언제 어디서나 편리하게 맞춤형 치료를 받을 수 있게 될 것이다.

  : 의료진의 입장에서 살펴보자. 환자의 치료 참여율을 높일 수 있고 데이터를 통해 보다 편리하게 환자 관리가 가능한 새로운 형태의 치료 옵션이 될 것이다.

  : 제약사의 입장에서 살펴보자. 기존 의약품과 함께 사용되어 치료의 시너지 효과를 낼 수 있으며 좀 더 단기간에 적은 비용으로 개발할 수 있어 새로운 돌파구가 될 것이다.

  : 지불자의 입장에서 살펴보자. 디지털 치료제는 새로운 치료의 옵션이 될 수 있으며 사용률 데이터를 기반으로 수가를 차등 조절할 수 있다.

  : 정부의 입장에서 살펴보자. 디지털 치료제의 여러 기회 요인을 고려하고 여러 이해관계자와의 조율을 통해 빠른 시장 진출을 위한 정책을 마련해야 한다.

# 3장

# 정밀의료와 맞춤의료가
# 시작됐다

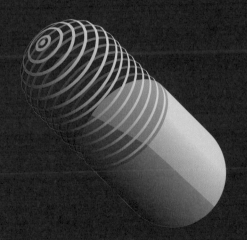

# 1

# 바이오마커는 정밀의료 시대를
# 여는 열쇠다

우리는 간단한 혈액검사만으로도 여러 가지 질병을 진단할 수 있다. 예를 들어 혈중 혈당 수치를 통해 당뇨를 진단할 수 있으며 혈중 콜레스테롤 수치를 통해 이상지질혈증 진단할 수도 있다. 어떻게 이것이 가능할까? 바로 '바이오마커Biomarker' 덕분이다. 바이오마커란 어떤 특정 질병에 걸렸는지, 질병이 발생할 가능성이 있는지, 그 심각도는 얼마나 되는지, 특정 약물 복용 시에 얼마만큼의 약효가 있는지, 또는 이상 반응이 나타나는지를 객관적으로 측정하는 표지자다. 미국국립보건원NIH은 바이오마커를 '정상적인 생물학적 과정, 질병 진행 상황, 치료 방법에 대한 약물의 반응성을 객관적으로 측정하고 평가할 수 있는 지표'로 정의했다.

이러한 바이오마커는 정밀의료Precision Medicine와 맞춤의료Personalized Medicine 시대에 맞추어 그 중요성이 날로 커지며 다음과 같은 영역에서 폭넓게 활용될 전망이다.[44]

## 글로벌 바이오마커 시장 규모 전망[46]

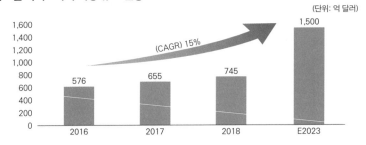

(단위: 억 달러)

- 2016: 576
- 2017: 655
- 2018: 745
- E2023: 1,500

(CAGR) 15%

(출처: BCC Research Biomarker Deals: Terms, Value and Trends, 한국바이오경제연구센터 재구성)

① 개별 환자의 병리 상태와 약물에 대한 반응 측정
② 질병의 발생 또는 치료와 관련한 신약 개발
③ 주요 질병을 조기에 진단하고 예후를 관찰하기 위한 체외 분자 진단기술
④ 특정 약물에 대한 개인별 반응을 규정하는 맞춤의료
⑤ 환자 편의적 진료 환경 구축을 위한 유비쿼터스 헬스케어 시스템 개발 등

바이오마커 시장은 세계적으로 매년 크게 성장하고 있다. 보고서에 따르면 오는 2023년 세계 바이오마커 시장은 1,500억 달러에 연평균 성장률은 약 15%에 이를 것으로 전망했다. 미국식품의약국은 2013년 기준 유전체-약물 정보 관련 137종의 신약과 이를 위한 155종의 바이오마커를 승인하기도 하였다.[45]

혈압, 체온, 혈당 수치와 같은 생리학적 지표부터 유전물질인 DNA와 RNA 그리고 단백질 등 인체의 변화를 나타내는 지표라면 무엇이든 바이오마커라고 할 수 있다. 바이오마커의 주요 개발, 치료 영역

은 종양, 심혈관계질환, 면역질환, 안과질환이다. 특히 표적물질로는 돌연변이 유전체, 대상질환으로는 암에 연구가 집중되어 있다. 현재의 표준 암 진단법은 인체에 침습적으로 시행하는 조직생검으로 환자와 의사의 위험 부담이 클 뿐만 아니라 환자의 상태 또는 종양의 발생 위치나 크기에 따라 조직생검을 할 수 없는 때도 있다. 또한 종양 조직의 생물학적 특성이 다르게 나타날 수 있기 때문에 조직생검으로 얻은 정보만으로는 치료가 불충분할 수 있다. 이러한 진단의 한계를 극복하고 맞춤형 치료를 제공하기 위한 바이오마커 연구가 활발히 이루어지고 있다. 체액검사를 통해 신체 부위별 암세포 유래 DNA를 분석하여 암 발생과 전이 등에 대해 상세하게 관찰할 수 있으며[47] 암 종이 아니라 바이오마커에 기반하여 치료효과가 높을 환자를 선별하여 맞춤형 치료제를 처방하기도 한다. 예를 들어 미국식품의약국은 2017년 현미부수체불안정성MSI-H, Microsatellite Instability-High 바이오마커를 가진 환자의 치료에 사용할 수 있는 항암제 키트루다Keytruda를 승인한 바 있다.[48]

실제 임상에 적용되기 위한 이상적인 바이오마커는 다음의 조건을 갖추는 것이 중요하다.[49]

① 질병의 진단에 있어 민감도와 특이도가 보장되어야 하며 질병의 아형subtype을 분류할 수 있어야 한다.
② 환자의 부담을 최소화할 방법으로 복잡하지 않고 간단히 측정 가능하며 위험성이 적은 방법으로 측정할 수 있어야 한다.
③ 질병의 치료효과 예측이 가능해야 하고 치료의 방법과 양 등을 조절할 수 있어야 한다.

④ 질병의 병태생리학적 기전을 설명할 수 있어야 한다.

⑤ 실제 임상에 적용하기 위해서는 정확한 정보를 신속하게 검사할 수 있어야 한다.

바이오마커는 용도와 특성에 따라 다양한 종류로 구분되지만 크게 6가지로 구분해볼 수 있다.

① 감수성·위험성Susceptibility·Risk: 현재 임상적으로 명백한 질병 또는 의학적 상태가 없는 개인에게 질병 또는 의학적 상태가 발생할 가능성을 나타내는 바이오마커

② 진단용 바이오마커Diagnostic Biomarker: 관심 있는 질병 또는 상태의 존재를 감지 또는 확인하거나 질병의 하위 유형을 가진 개인을 식별하는 데 사용되는 바이오마커

③ 모니터링 바이오마커Monitoring Biomarker: 질병 또는 의학적 상태를 평가하기 위해 또는 의료 제품이나 환경 인자에 대한 노출(또는 영향)의 증거를 찾기 위해 연속적으로 측정된 바이오마커

④ 예후 바이오마커Prognostic Biomarker: 관심 있는 질병이나 의학적 상태가 있는 환자의 임상 사건을 식별하거나 질병 재발 또는 질병 진행 가능성을 식별하는 데 사용되는 바이오마커

⑤ 예측 바이오마커Predictive Biomarker: 의료 제품이나 환경 인자에 대한 노출로 인해 유리한 또는 불리한 영향을 경험할 가능성이 더 큰 개인을 식별하는 데 사용되는 바이오마커

⑥ 약력학·반응Pharmaco-dynamic·Response: 의료 제품이나 환경 인자에 노출된 개인에게서 생물학적 반응이 발생했음을 나타내

는 데 사용되는 바이오마커

이처럼 진단, 분류, 모니터링, 예후, 예측, 약력학 반응을 효율적으로 평가할 수 있는 바이오마커는 세계적으로 주목받고 있지만 아직은 성장 중인 연구 분야다. 대상 질병이 한정적이며 실제 임상 환경에 활용되기까지는 오랜 시간이 걸릴 될 수도 있다는 한계가 있다. 좀 더 다양한 질환의 바이오마커 발굴과 재현성 있는 대규모 임상시험을 통한 바이오마커의 검증이 이루어진다면 가까운 미래에 조기 진단, 맞춤형 치료, 신약 개발 성공률 향상, 비용 절감을 기대할 수 있을 것이다.

# 2

# 디지털 바이오마커로 건강을
# 모니터링한다

　전통적인 치료제의 개념에 디지털을 더해 디지털 치료제라는 새
로운 가치를 창출해낸 것과 같이 진단과 모니터링 영역의 디지털
기술이 발전함에 따라 새로운 유형인 '디지털 바이오마커Digital Bio-
marker'가 생겨났다.

　디지털 바이오마커란 휴대용이나 웨어러블 또는 주변 센서와 같
은 디지털 장치를 통해 수집, 측정, 분석되는 객관적이고 정량화할
수 있는 생리적 데이터Physiological Data 또는 행동 데이터Behavior Data
를 말한다. 디지털 바이오마커는 임상적으로 의미 있고 객관적인 데
이터를 유의하게 측정하고 분석하여 질병 관련 결과를 설명하거나
예측하거나 모니터링하는 데 사용된다.[51] 이러한 데이터는 심혈관질
환, 당뇨병, 정신질환, 신경장애, 호흡기질환 등 다양한 질환 영역에
서 이용될 수 있다. 기존 바이오마커와는 달리 디지털 바이오마커는
다양한 생리학적 매개 변수에 대한 지속적인 평가, 미묘한 증상 변화

## 다양한 센서를 통한 디지털 바이오마커 개요[50]

| 센서 | 알고리즘 | 임상 결과 |
|---|---|---|
| 🎤 마이크 | | 🔍 실행 가능한 인사이트 |
| 👆 터치스크린 | **디지털 바이오마커** | ⚠️ 알림 제공 |
| 📷 카메라 | 다양한 센서를 통해 환자의 생리학적, 행동적 데이터를 24시간 수집하고 평가한다. | 📈 예후 예측 |
| 🌡️ 온도 센서 | | |
| 💓 심전도 센서 | 인공지능과 머신러닝 알고리즘을 통해 환자의 건강 상태를 정의하고 예측한다. | 👥 개인화 결과 제공 |
| ⚖️ 체중계 | | |
| ⌚ 활동 감지 센서 | | ☁️ 지속적인 데이터 플로우 |
| 💧 땀 센서 | | |

## 디지털 바이오마커의 사례[8]

| 분류 | 전통 바이오마커 사례 | 디지털 바이오마커 사례 |
|---|---|---|
| 감수성·위험성 | 유방암 발병 소인이 있는 개인을 식별하기 위한 유전자 BRCA1·BRCA2 | • 게임 플랫폼을 통해 알츠하이머 발병 변화 감지<br>• 컴퓨터화 인지 검사를 통해 알츠하이머의 위험이 높은 성인 분류 |
| 진단 | 고혈압 환자 진단을 위한 반복적인 혈압 측정 | • 어린이 ADHD 진단을 위한 눈동자 측정<br>• 부정맥 진단을 위한 단일 리드 심장 모니터<br>• 우울증 및 파킨슨병 진단을 위한 목소리 데이터<br>• 천식 및 호흡기 감염 진단을 위한 기침소리 분석 |
| 모니터링 | 전립선 암 환자의 질병 상태 및 예후 모니터링을 위한 전립선 특이 항원PSA | • 스마트폰 센서 기반 파킨슨병 징후 모니터링<br>• 스마트폰 센서 및 머신러닝을 통한 파킨슨병 심각도 정량화<br>• 가속도계 센서 및 딥러닝 기반 수면·각성 패턴 예측 |
| 예후 | 전립선 암 환자의 암 진행 가능성 평가를 위한 전립선 특이 항원PSA | • 정신질환 상태 계층화 및 완화 예측을 위한 스마트폰 데이터<br>• 급성기 환자의 증상 악화 감지를 위한 머신러닝 기반 다중 센서 디지털 보행 모니터링 |
| 예측 | 면역결핍바이러스HIV 환자 중 심각한 피부 반응 위험 가능성 식별을 위한 백혈구 항원 대립 유전자 HLA - B*5701 | • 자폐아동에게 발생 가능한 자폐증 위험 예측을 위한 뇌파검사EEG<br>• 뇌졸중 위험인자 탐지를 위한 원격 무증상 심방세동 측정 |
| 약력학·반응 | 고혈압 환자의 약리학적 반응(항고혈압제 또는 나트륨 반응) 평가를 위한 혈압 측정 | • 인지검사 칸타브CANTAB를 통한 에리트로포이에틴erythropoietin 약효 측정<br>• 항고혈압 요법 반응 평가를 위한 디지털 혈압계 사용 |

에 대한 측정과 추적이 가능하여 질병의 진행을 예방하는 미래 의약품과 환자 맞춤형 치료에 도움을 줄 것으로 전망한다.

기술이 발전함에 따라 스마트폰과 웨어러블 기기 등 다양한 디지털 도구가 확산되면서 환자의 여러 데이터를 손쉽게 수집할 수 있게 되었다. 스마트폰이나 웨어러블 기기의 바이오센서(카메라, 마이크, 가속도·자이로계, 기압계, 터치스크린, 지리 위치, 심전도계, 전극계, IR온도계, 심장탄도계, 광센서, UV센서, 근전도 등), 가상현실 및 증강현실 플랫폼, 이식형 또는 섭취형센서 등을 통해 환자와 의료 장치 간의 상호작용 없이도 데이터를 지속적으로 수집할 수 있어 풍부한 데이터 수집이 가능해졌다.

다음의 예시와 같이 다양한 기기와 센서를 통해 수면시간, 걸음걸이, 소셜 미디어 사용 등의 행동 데이터뿐만 아니라 심박수, 혈압, 피부 전도도, 피부 온도, 코티솔 수치, 손바닥 땀 또는 시선과 같은 개인의 신체 기능에 대한 정확한 정보를 담은 생리적 데이터를 수집할 수 있다.

생리적 바이오마커는 디지털 기술이 결합함에 따라 크게 확장될 수 있는 분야다. 기존 바이오마커가 질병이 진행되는 동안 한두 번 측정하고 진단하는 것에 그쳤다면 디지털 바이오마커는 웨어러블 기기와 모바일 센서 등을 통해 다양한 생리적 매개변수를 지속적으로 측정하고 데이터를 제공한다는 장점이 있다. 혈압, 맥박, 혈당 등의 신체 기능 계측뿐만 아니라 향후 기술개발에 따라 유전체 변화, 세포 노화 등을 측정하여 정밀의료와 인간의 노화 과정 이해로 확장될 전망이다.

사람들의 일상생활과 관련된 행동 바이오마커 또한 여러 가지 새

## 디지털 도구를 통한 디지털 바이오마커 수집[52]

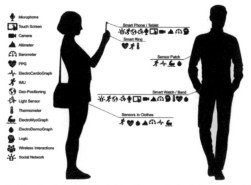

(출처: Kourtis, L. C., Regele, O. B., Wright, J. M., & Jones, G. B. (2019). Digital biomarkers for Alzheimer's disease: the mobile/wearable devices opportunity. NPJ digital medicine, 2(1., 1–9.)

## 디지털 바이오마커의 종류

| 센서 | 역할 |
| --- | --- |
| 마이크 | 주변 소음, 음성 감지 |
| 터치스크린 | 스와이핑, 타이핑 등 미세한 운동 능력 감지 |
| 카메라 | 시선 추적, 동공 크기, 표정, 피부색 변화 등을 감지. 이러한 데이터를 통한 신경병리학적 변화 및 감정 등을 분석 |
| 고도계 | 활동과 관련된 유용한 정보 제공 |
| 기압계 | 대기압 판독값, 날씨 데이터 등 제공 |
| 광전용적맥파 측정기PPG | 혈류 변화, 박동당 심박수 측정HRM, 심박수 변동성HRV, 산소포화도SpO2 등 감지 |
| 관성 측정기IMU | 가속도계, 자이로스코프, 자력계(9개의 공간값) 등을 통한 활동 추적 |
| 지리 위치 센서(GPS 및 와이파이 인식) | 정확한 위치 정보 제공 |
| 광 센서 | 가시광선, UV방사선 수준 측정 |
| 반지, 패치, 웨어러블 시계의 온도계 | 체온 측정 |
| 패치 및 슈트의 근전도 센서EMG | 근육 활동 신호 측정 |
| EDG 및 GSR 센서 | 패치와 시계를 장착하여 피부 전도도, 전위, 저항·임피던스 측정 |
| 블루투스·와이파이 | 소셜 상호작용과 소셜 근접성 측정 |
| 이식형 센서 | 치과용 임플란트는 타액이나 혈액과 같은 생물학적 유체에 근접한 소재로서 바이오마커 식별 및 감지 가능성이 높을 것으로 전망 |
| 섭취형 센서 | 알약에 내장된 센서를 통해 약물의 움직임과 심박수 등의 데이터 실시간 제공 |

로운 가능성을 지니고 있다. 먼저 스트레스 수준, 불안 수준, 수면시간, 체력 등을 상시 측정할 수 있다. 그동안 수치적으로 나타내기 어려웠던 정신건강이나 체력을 수치적으로 분석할 수 있다. 또한 생활 습관에 따라 건강의 악화를 보이는 만성질환의 경우 일상생활 데이터에 기반한 생활 맞춤형 개입을 제공할 수 있다. 마지막으로 행동 바이오마커는 대상자가 의식하지 않는 중에 매개변수가 일관되게 모니터링되기 때문에 중요한 정보의 변함 없이(환자가 자신이 테스트를 받는다는 심리적 두려움 없이) 기존 자가 보고 설문조사나 대면 인터뷰를 통한 행동 평가와 비교해 정확한 데이터를 얻을 수 있다는 장점이 있다. 어떤 센서를 통해 어떤 디지털 바이오마커를 수집하고, 다른 접근 방식의 디지털 바이오마커를 어떻게 조화롭게 활용하여 최적의 시너지를 낼 것인지를 고민해야 할 것이다.

다음으로 디지털 바이오마커가 디지털 치료제와 함께 쓰였을 때 어떠한 강점을 가질 수 있을지에 대해 알아보자.

# 3

# 왜 디지털 바이오마커 시장이
# 주목받는가

　임상연구 분야는 '데이터 혁명'을 겪고 있다. 디지털 바이오마커를 통해 좀 더 다양한 데이터를 손쉽게 수집하고 처리할 수 있게 되었다. 그리고 디지털 바이오마커는 환자의 상태를 진단하고, 맞춤형 치료 전략을 수립하고, 디지털 치료제와 함께 처방받는 임상 프로세스에 적용되기 시작하였다.

　이러한 글로벌 디지털 바이오마커 시장은 데이터 수집(센서, 웨어러블 기기 등)과 통합(데이터 통합 플랫폼) 관련 업계 간 협업 시너지 증가로 인해 2018년 5.2억 달러(약 6,000억 원)에서 연평균 40.39%로 성장하여 2025년에는 56.4억 달러(약 6조 8,000억 원) 규모로 확대될 전망이다.

　그렇다면 어떠한 이유로 디지털 바이오마커 시장이 주목받는 것일까? 다음과 같이 3가지 주요 이유를 들 수 있다.

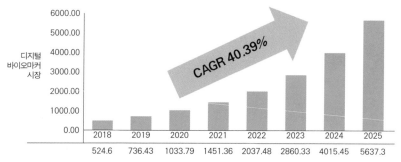

글로벌 디지털 바이오마커 시장 현황 및 전망(2018~2025년, 단위 100만 달러)[53]

| | 2018 | 2019 | 2020 | 2021 | 2022 | 2023 | 2024 | 2025 |
|---|---|---|---|---|---|---|---|---|
| 디지털 바이오마커 시장 | 524.6 | 736.43 | 1033.79 | 1451.36 | 2037.48 | 2860.33 | 4015.45 | 5637.3 |

(출처: BIS Research, Global Digital Biomarkers Market, 2019. 12, 생명공학정책연구센터 재가공)

## 디지털 바이오마커와 디지털 치료제의 결합

디지털 치료제는 처방 후에 동일한 콘텐츠의 치료를 제공하는 것이 아니라 실시간 환자의 변화를 감지하여 맞춤형 진단과 맞춤형 치료를 제공하는 것에 강점이 있다. 예를 들어 하나의 모바일 환경 내에서 환자와의 지속적인 상호작용을 통해 디지털 바이오마커로 실사용 데이터를 수집하고 환자의 변화하는 데이터를 모니터링하여 맞춤형 치료를 제공하는 순환구조가 작동된다. 따라서 디지털 치료제는 디지털 바이오마커와 함께 사용할 때 더 큰 시너지 효과를 낼 수 있을 것이다.

### 수면장애 디지털 치료제 나이트웨어[54]

나이트웨어NightWare는 외상후스트레스장애PTSD 등으로 인한 악몽과 관련된 수면장애를 줄여주는 디지털 치료제다. 외상후스트레스장애를 가진 4명 중 거의 3명은 악몽을 경험하게 된다. 나이트웨어는 악몽에 대한 다른 치료법과 함께 사용할 수 있으며 외상후스트레

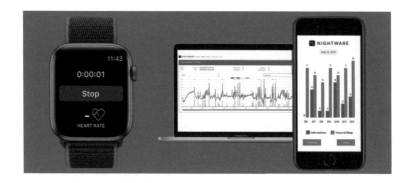

스장애에 대한 기존 치료법과 함께 사용할 수 있도록 스마트 디지털 치료를 제공한다.

나이트웨어는 애플워치에 탑재된 심장 모니터 센서 및 기타 생체 인식 센서(수면 중 신체 움직임 및 사용자의 스트레스 지수를 사용하여 개별 환자의 수면 상태를 실시간으로 모니터링하고 누군가 악몽을 꾸는지 확인한다.[55] 만약 악몽이 감지되면 착용하고 있는 애플워치가 짧은 진동을 빠르게 전달하여 환자를 깨우지 않고 악몽을 중단시킨다)를 사용한다.

나이트웨어를 오래 사용할수록 개별 환자의 지속적인 데이터를 축적하고 수면패턴을 학습하여 맞춤형 개입을 생성할 수 있다. 즉 상황별로 개별 환자의 특정 요구사항에 따라 진동의 강도와 빈도를 맞춤화하여 제공한다.

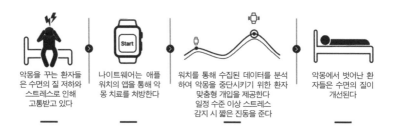

악몽을 꾸는 환자들은 수면의 질 저하와 스트레스로 인해 고통받고 있다

나이트웨어는 애플워치의 앱을 통해 악몽 치료를 처방한다

워치를 통해 수집된 데이터를 분석하여 악몽을 중단시키기 위한 환자 맞춤형 개입을 제공한다 일정 수준 이상 스트레스 감지 시 짧은 진동을 준다

악몽에서 벗어난 환자들은 수면의 질이 개선된다

나이트웨어는 악몽장애 또는 외상후스트레스장애와 관련된 악몽장애를 겪는 22세 이상 성인을 대상으로 하는 처방용 디지털 치료제로 2020년 미국식품의약국의 혁신 의료기기로 지정되었으며 240명의 환자를 대상으로 한 임상시험을 통해 임상효과와 안정성의 근거를 쌓아가고 있다.

## 조기진단을 통한 치료비 절감

치매와 같은 노인성질환은 조기에 진단하고 시기적절하게 관리하는 것이 중요하다. 하지만 현재의 침습적인 진단 방법은 환자의 신체적 부담이 많이 높을 뿐만 아니라 조기에 질환을 감지하는 것조차 쉽지 않다. 정신건강의 진단 또한 비슷한 문제가 있다. 우울증을 포함한 대다수 정신질환은 통상적으로 의료진이 면담하여 증상을 판단한다. 정량적인 평가가 어려울 뿐만 아니라 환자의 세밀한 변화를 감지해내기란 쉽지 않다. 이러한 문제를 해결하기 위해 디지털 도구를 통한 조기진단과 지속적인 모니터링을 통한 예측 기술의 수요가 늘고 있다.

디지털 바이오마커를 사용하면 환자의 신체 상태와 감정 변화 등을 실시간으로 감지할 수 있으며 정밀 분석을 통해 환자의 상태를 조기에 진단하거나 병이 생길 가능성을 조기에 예측할 수 있다. 이렇게 환자의 상태를 조기에 감별하여 치료를 제공하면 의료 개입의 비용을 획기적으로 줄일 수 있다. 예를 들어 손목 밴드와 모바일 앱을 통해 사용자의 생리적 데이터를 모니터링하고 정신 상태를 감지하는 미국의 필Feel은 조기진단과 맞춤형 인지행동치료를 통해 치료의

순응도를 높이고 기존 심리치료비를 50%까지 절감할 수 있다고 주
장한다.[56]

---

### 퇴행성 뇌질환 예측 디지털 바이오마커 알토이다[57]

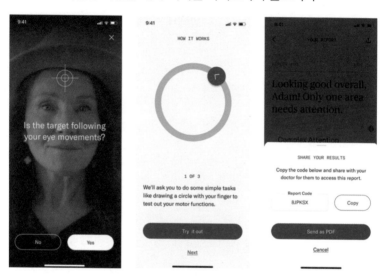

기존 알츠하이머병은 환자의 병력 평가, 신체 검사, 인지 및 정신
상태 검사, 혈액 검사, 뇌척수액, 자기공명영상MRI, 양전자방출단층
촬영PET, Positron Emission Tomography 등 복잡하고 환자에게 부담이 많
이 가는 방법을 사용하여 의사가 진단했다. 이러한 현행 표준 진단법
만으로는 정확한 감별이 제한될 수 있다는 문제를 해결하기 위해 알
토이다Altoida는 다양한 디지털 바이오마커를 활용해 좀 더 간편하고
비침습적인 조기진단을 제시한다.

알토이다는 스마트폰과 태블릿 앱 기반 신경인지 검사를 통해 뇌
인지 및 기능적 측면에 관한 세밀하고 주기적인 분석을 제공한다. 약

10분간 증강현실 기반 테스트를 하고 나면 13개의 신경인지 영역에 매핑되는 800여 개의 디지털 바이오마커를 분석한다. 인공지능을 활용해 일상생활에서의 운동 활동 등을 시뮬레이션하고 신경인지 기능을 모니터링하여 경도인지장애를 포함한 알츠하이머와 구별되는 여타 다른 신경질환들을 감별해내는 데 도움을 줄 것으로 기대된다.

| | | |
|---|---|---|
| ✋ 지각 운동 협응 | 🔒 미래 기억 | 👤 유연성 |
| ⚙️ 복합 주의 | 🏠 공간 기억 | 👁 안구 운동 |
| | | 💬 말소리, 조음 |
| 🖼 시지각 능력 | 🔄 인지 처리 속도 | 🍴 소근육 협응 |
| ✏️ 계획 | 🚧 억제 | 🚪 보행 |

알토이다는 여러 임상 연구를 통해 이미 조기 치매 선별의 가능성을 입증하였다.[58] 자체 인공지능 모델을 통해 3년 이내 치매로 진행될 위험이 있는 개인을 정확하게(AUC 90% 이상) 구분할 수 있었다. 이러한 가능성을 바탕으로 2021년 초 55세 이상의 경도인지장애 환자를 대상으로 알츠하이머로 진행할 예측 가능성을 진단하는 의료기기로 미국식품의약국의 혁신 의료기기로 지정되었다. 또한 진단기기로서의 유효성을 검증하기 위해 일본계 제약회사 에자이Eisai와 그리스 이오니아대학교의 생물정보학 및 인체전기생리학 연구실BiHELab과 함께 5년 중장기 프로젝트를 진행하고 있다.

## 다양한 기술을 질병과 연계

디지털 기술이 발전함에 따라 좀 더 다양한 차원의 수많은 데이터를 손쉽게 수집하고 분석할 수 있게 되었다. 특히 별도의 장치 없이도 기존 스마트폰 또는 스마트 워치의 기능을 활용해 임상적으로 유의미한 디지털 바이오마커 개발에 활용하고 있다. 예를 들어 스마트폰의 마이크에서 수집된 음성 바이오마커와 행동 바이오마커, 그리고 카메라를 통한 안구운동 바이오마커는 신경퇴행성 장애와 주요 우울장애의 조기진단에 활용되고 있다. 또한 스마트폰의 카메라와 스마트워치를 통해 실시간으로 심장 박동수와 같은 신체 활력 징후를 측정하고 심층적 분석이 가능하기 때문에 심혈관질환에도 주로 활용되고 있다.

또한 디지털 도구를 통해 수집되는 다양한 데이터는 하나의 질병에만 초점을 맞추어 사용되는 것이 아니라 다른 질병의 진단과 치료로 확장될 수 있다는 장점이 있다. 음성 디지털 바이오마커 전문 기업인 손드헬스Sonde Health는 환자의 짧은 음성을 분석하여 호흡기질환을 진단하고 관리하는 플랫폼으로 시작하였지만, 동일 플랫폼으로 정신건강을 위한 진단 및 예측 서비스로 적용 영역을 확장하였다.[59] 이처럼 바이오센싱 기술을 활용하는 디지털 바이오마커와 헬스케어 서비스는 기술 확보 후 빠르게 확장할 수 있고 다양한 서비스를 제공할 수 있기 때문에 관련 산업의 관심도가 높아지고 있다.

---

### 정신건강 측정 디지털 바이오마커 마인드스트롱헬스

마인드스트롱헬스Mindstrong Health는 스마트폰을 쓰는 다양한 행동 패턴을 분석해서 사용자의 인지 능력, 우울증, 조현병, 양극성장애,

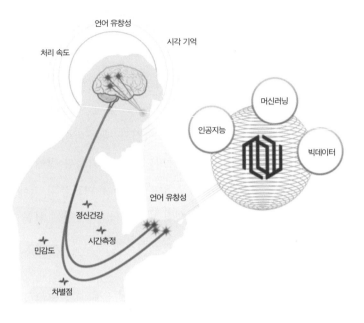

외상후스트레스장애, 약물 중독 등의 정신건강과 관련된 문제를 측
정하고 예측한다.

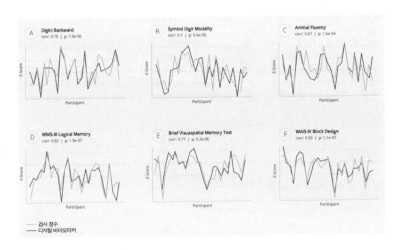

예를 들어 스마트폰 터치스크린에서 탭, 스크롤, 클릭, 타이핑과 같은 사용 패턴 약 45가지를 측정하고 머신러닝을 통해 인지와 감정 상태를 분석한다. 다음과 같이 스마트폰 사용 데이터는 표준 인지 테스트 점수와 비교 시 유사한 수준의 측정치를 기록한 것으로 나타났다.

마인드스트롱헬스의 디지털 바이오마커는 환자가 병원을 방문할 필요 없이 일상생활에서 정신건강을 검사받을 수 있도록 하며 실시간으로 사용자의 상태를 모니터링할 수 있다. 이러한 분석값을 기반으로 개별 환자의 위험을 관리하고 회복할 수 있는 전략을 세워 보다 개인맞춤형 치료를 한다.

# 4

# 어떻게 디지털 치료제와 시너지 효과를
# 낼 것인가

디지털 바이오마커를 통해 인체에서 생성되는 수많은 생리적 데이터와 행동 데이터를 일상생활에서 지속적이고 정량적으로 획득할 수 있게 되었다. 이러한 데이터를 통해 여러 질병을 조기에 진단하고, 위험도를 판별하고 지속적으로 모니터링하여 맞춤형 치료가 가능해지고 있다. 하지만 디지털 바이오마커는 모든 질병에 적용되는 만능 요인은 아니다. 다양한 데이터를 수집하는 것만으로는 어떠한 질환에 언제 어떻게 걸리게 될지, 어떠한 질환이 언제 재발하게 될지, 질환의 치료효과와 예후가 어떻게 될지에 대해 종합적으로 분석하여 선제적으로, 맞춤형으로 대응하기에는 아직은 무리가 있다. 더욱 효과적인 디지털 바이오마커, 더 나아가 디지털 치료제와의 시너지 효과를 내기 위해서는 여러 가지를 고려해야 한다.

가장 중요한 것은 디지털 바이오마커가 왜 필요한지, 정말 필요한지, 데이터를 어디에 어떻게 사용하고 분석할 것이며 그것을 위해 갖추어야 할 요소가 무엇인지에 대한 고민이 필요할 것이다. 사용자의 건강 및 질병 상태를 파악하고 대응하기 위해서는 여러 가지 데이터를 코호트 연구를 통해 장기간에 걸쳐 지속적으로 수집하고 분석하는 것이 필수적이다. 하지만 이렇게 모은 방대한 데이터가 효율성이 높은지에 대해서는 우려가 된다. 디지털 바이오마커는 임상적 근거가 증명되었을 때 그 가치를 발현할 수 있기 때문에 디지털 치료제와 마찬가지로 특이도와 민감도, 양성 예측도, 음성 예측도 등에 대한 근거 마련이 필수적이다.

더불어 다양한 기기와 센서를 통해 수집되는 데이터의 표준화 문제, 측정기기 및 센서의 상이함에 따른 정확도 문제, 데이터의 호환성 문제가 있다. 기술 및 규제와 보안들로 인해 디지털 바이오마커 시장에 구글, 애플, 마이크로소프트, IBM 등 유수의 기업이 진출하고 있음에도 불구하고 실질적 가치를 창출하기까지 시간이 필요할 것이다.

진단, 평가, 분석, 치료 단계에서 디지털 바이오마커를 어떻게 활용할 것이며 임상 데이터 또는 생리적 데이터와 어떻게 연결고리를 만들고 증명할 것인가에 대한 지속적으로 고민해야 할 때다. 미국식품의약국에서는 전통적인 바이오마커를 승인하는 추세이며 디지털 바이오마커와 디지털 치료제 관련 규제를 유연하게 수정하는 점은 고무적이라고 볼 수 있다. 데이터 관련 이슈를 현명하게 해결할 수 있다면 디지털 바이오마커의 사용은 여러 질환을 예측, 관리, 치료하는 데 시너지 효과를 극대화할 수 있을 것이다.

- 디지털 바이오마커와 결합된 디지털 치료제로 더 큰 시너지 효과를 낼 것이다.

  : 다양한 센서를 통해 얻는 생리적 데이터, 행동 데이터, 환경 데이터를 통해 환자의 상태를 더 잘 이해하고 맞춤형 디지털 치료로 연계할 수 있을 것이다.

  : 디지털 바이오마커를 통해 환자를 실시간으로 분석하고, 지속적이고 장기적인 모니터링을 통해 예후를 예측하고, 표적치료가 가능해질 것이다.

- 디지털 바이오마커를 통해 의료비 절감 효과를 기대할 수 있을 것이다.

  : 디지털 바이오마커는 다양한 센서를 통해 보다 정밀한 진단과 지속적 모니터링을 통한 위험 감지가 가능해 질병의 조기진단과 예방에도 사용될 전망이다.

  : 특히 기술이 확보된다면 동일 플랫폼을 통해 다른 질병의 진단과 치료로 확장될 수 있다.

# 4장

# 어떻게 디지털 치료제의
# 효과를 높일 것인가

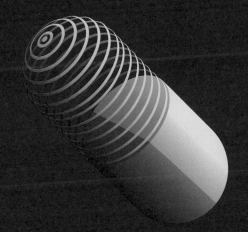

# 1

# 좋은 디지털 치료제는 무엇이고
# 어떻게 만들 것인가

지금까지 디지털 치료제와 디지털 바이오마커가 무엇인지에 대해 알아보았다. 그렇다면 좋은 디지털 치료제는 무엇이고 어떻게 만들 수 있을까?

미국식품의약국은 빠르게 발전하는 디지털 치료제에 대응하기 위해 '의료기기로서 소프트웨어SaMD의 사전승인Pre-Cert 프로그램'을 도입하였다. 지금까지 의료기기가 제품을 중심으로 안전성과 유효성을 검증하는 방식이었다면 사전승인 프로그램은 믿을 수 있는 회사 또는 제조사를 규제하여 의료기기로서 소프트웨어SaMD 제품을 보다 빠르게 시장에 진출하도록 돕는 방식이다. 이 사전승인 프로그램은 디지털 치료제가 출시된 이후 실사용 데이터를 지속적으로 모니터링하여 의료기기로서 소프트웨어SaMD 제품의 지속 승인 여부를 결정하고 제품의 빠른 개선 및 업데이트에 집중할 수 있도록 권장한다. 미국식품의약국은 사전승인 프로그램에서 디지털 치료제 출시 후

**디지털 치료제 출시 후 모니터링해야 할 실제 성과 분석 항목**

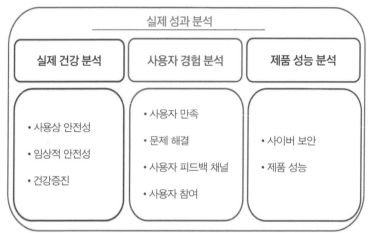

(출처: US Food and Drug Administration. (2018). Developing a software precertification program: A working model. US Department of Health and Human Services. US Food and Drug Administration.)

모니터링해야 할 9가지 주요 실제 성과 분석의 항목을 다음 표와 같이 제시하였다.[60]

실제 성과 분석RWPA, Real-World Performance Analytics은 의료기기로서 소프트웨어SaMD 제품의 의도된 사용과 관련된 임상 결과를 나타내는 실제 건강 분석RWHA, Real World Health Analytics 관련 항목 3가지, 의료기기로서 소프트웨어SaMD 제품의 실제 사용 및 사용자 경험과 관련된 사용자 경험 분석UXA, User Experience Analytics 관련 항목 4가지, 의료기기로서 소프트웨어SaMD 제품의 실제 정확도, 신뢰성, 보안과 관련된 제품 성능 분석PPA, Product Performance Analytics 관련 항목 2가지의 총 9가지 요인으로 구성되어 있다. 즉 좋은 디지털 치료제를 만들고 지속적으로 모니터링함으로써 그 효과를 입증하기 위해서는 세 가지가 필요하다. 첫째, 임상적 안전성과 유효성을 입증해야 한다. 둘

## 디지털 치료제 실제 건강 분석의 하위 요인

**실제 건강 분석**

디지털 치료제 사용과 관련한 실제 임상 결과의 분석

| 분류 | 하위 항목 | 내용 |
|------|-----------|------|
| 임상적 유효성 | 건강증진 | 디지털 치료제 사용 시 임상적 이익이 위험을 상쇄할 뿐 아니라 긍정적 효과를 보임을 입증해야 한다. |
| 임상적 안전성 | 임상적 안전성 | 사용자가 사용 지침에 따라 디지털 치료제를 사용 시 제품이 환자의 안전을 해치지 않고 수용 불가능한 임상 위험이 없도록 해야 한다. |
| | 사용상 안전성 | 인간 공학적 관점에서 디지털 치료제 사용 관련 위험과 에러를 최소화하여 사용상 안전성을 지원해야 한다. |

째, 지속적 사용을 위한 좋은 사용자 경험을 제공해야 한다. 셋째, 제품 성능의 신뢰성, 가용성, 개인정보의 보안과 관련된 사항을 만족해야 한다.

이번 장에서는 그중에서도 가장 기본이자 주요 항목인 디지털 치료제의 안전성과 유효성에 대해 우선으로 다루고자 한다.

디지털 치료제는 '의학적 장애 또는 질병을 예방, 관리, 치료하기 위해 근거 중심 기반의 치료를 환자에게 제공하는 고품질 소프트웨어 프로그램'으로 정의된다.[61] 근거 중심 기반의 치료제가 되기 위해서는 표적집단에 대한 치료효과와 사용 과정이 안전한 방법인지를 필수적으로 입증해야 한다. 디지털 치료제 관련 국내외 식품의약안전처들은 이를 크게 유효성과 안전성이라는 2가지 요소로 설명하고 있다. 앞서 이야기한 미국식품의약국은 실제 건강 분석을 건강증진 효과, 임상적 안전성, 사용상 안전성의 3가지 하위 항목으로 분류하여 실사용 데이터를 모니터링할 것을 권고하고 있다. 국내 식품의약품안전처는 디지털 치료기기 가이드라인에서 소프트웨어 검증 및

유효성 확인 자료와 임상시험 결과를 제출해야 함을 강조하고 있다.[2]

## 건강증진 효과

건강증진 효과는 디지털 치료제 사용 시 건강 관련 데이터가 얼마나 긍정적인가로 증명된다. 즉 임상시험을 통해 디지털 치료제 사용 시 발생하는 건강상의 이익과 위험 요인을 각각 평가한 후 건강상 이익이 위험을 상쇄하고도 남을 정도로 우수하다는 것을 증명해야 한다.[62] 특히 디지털 치료제는 지속적인 사용을 기반으로 하기 때문에 검증이 한 번으로 끝나는 것이 아니라 지속적이고 반복적인 평가를 통해 임상적 유효성을 검증해야 한다. 의료기기로서 소프트웨어 SaMD는 디지털화된 임상 데이터를 기반으로 작동하기 때문에 부정확한 데이터나 잘못된 입출력에 따라 임상적 유익성이 달라질 수 있으므로 전 주기에 걸친 모니터링과 검증을 요구한다.

이에 미국식품의약국은 2016년 10월 국제의료기기당국자포럼 IMDRF에서 다음과 같이 의료기기로서 소프트웨어SaMD의 임상평가지침을 발표하였다.[63]

의료기기로서 소프트웨어SaMD 제품 출시 후 일반적인 제품수명주기PLC, Product Life Cycle 관리 과정의 하나로 제조사는 실제성능데이터(디지털 치료제 사용 로그, 사용자 피드백, 안전 데이터 등)를 지속적으로 수집하여 제품의 안전 효과 및 성능을 모니터링해야 한다. 이러한 실제성능데이터를 사용하여 제조사는 향후 문제를 파악하고 수정하거나, 향후 기능을 확대하거나, 표적사용자의 요구를 충족하거나, 기기의 효과를 개선할 수 있다. 임상적 효과를 입증하는 단계는 다음과

## 의료기기로서 소프트웨어의 기본 작동 모델

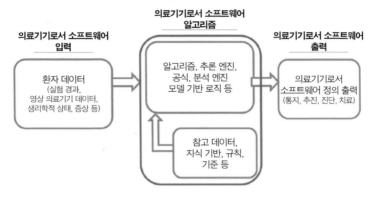

**의료기기로서 소프트웨어 알고리즘**

**의료기기로서 소프트웨어 입력**

환자 데이터
(실험 경과,
영상 의료기기 데이터,
생리학적 상태, 증상 등)

알고리즘, 추론 엔진,
공식, 분석 엔진
모델 기반 로직 등

**의료기기로서 소프트웨어 출력**

의료기기로서
소프트웨어 정의 출력
(통지, 추진, 진단, 치료)

참고 데이터,
지식 기반, 규칙,
기준 등

## 의료기기로서 소프트웨어의 임상평가지침

| 임상 평가 | | |
|---|---|---|
| 제조자의 의도에 맞게 사용하는 경우 의료기기의 임상적 안전, 성능, 효과를 검증하기 위한 의료기기 관련 임상 데이터의 평가 및 분석 | | |

| 분류 | 과학적 유효성 | 분석적 유효성 | 임상적 성과 |
|---|---|---|---|
| 정의 | SaMD의 목표 임상조건과 임상 결과의 연관성이 유효한지 검증 | SaMD가 입력 데이터를 올바르게 처리하고, 출력 데이터를 정확하게 생성하는지 분석한다. | SaMD의 출력 데이터를 사용하여 표적집단에서 의도된 치료 목적을 달성하는지 임상적으로 검증한다. |
| 산출 방법 | • 문헌 조사<br>• 제조사의 경험 데이터<br>• 과학적 임상시험 | • 품질관리시스템을 통해 검증 활동 전반에 걸친 분석 | • 표적인구와 의도된 사용에 맞게 설계된 임상시험 |

같다.

  1단계: 제품에서 사용하고자 하는 입력과 알고리즘이 개선하고자
하는 표적 임상 상태가 어떤 연관성이 있는지를 입증해야
한다. 예를 들어 기존 문헌 혹은 임상시험을 통해 제품이
어떤 치료 기전을 가지고 어떤 작동 원리에 의해 목표질환

이 치료되는지에 대한 과학적 증거를 제시하는 것이다.

2단계: 소프트웨어가 충분히 사양을 충족하고, 소프트웨어의 사양이 임상적 필요와 용도에 부합함을 입증해야 한다. 즉 디지털 치료제의 알고리즘이 입력 데이터를 정확하고 신뢰할 수 있게 처리함으로써 적절한 수준의 정확도, 반복성, 재현성을 갖춘 출력 데이터를 생성한다는 객관적 증거를 제시해야 한다.

3단계: 제품을 표적집단에게 적용했을 시 임상적으로 의미 있는 결과가 있음을 증명해야 한다. 여기서 임상적으로 의미 있는 결과란 디지털 치료제가 중요하고 측정 가능한 환자 관련 임상 결과(진단, 치료, 위험 예측, 치료 반응 예측 등)나 개인 또는 표적집단의 건강에 대한 긍정적인 효과를 의미하며 보통 임상시험을 통해 입증된다.

디지털 치료제의 임상시험에 대해 좀 더 자세하게 살펴보자.


## 임상적 안전성

임상적 안전성은 사용자가 사용 지침에 따라 디지털 치료제를 사용할 때 수용 불가능한 임상 위험이 없음을 의미한다. 즉 제품이 환자의 안전을 해치지 않는다는 것을 입증해야 한다. 디지털 치료제의 안전성을 입증하기 위해서는 디지털 치료제가 일으킬 수 있는 부작용이나 이상을 미리 예상하여 발생빈도와 심각도를 확인하고 해당 부작용을 해결할 방법을 제시해야 한다.

## 디지털 치료제 안전성 평가 흐름[64]

| 의료기기 소프트웨어 안전성 평가 기준 |
|---|

**위험 분석**
• 의료기기 사용목적과 안전성 특성, 예측가능 위해요인, 위험산정

**위험 평가**
• 식별된 위해에 대해 위험관리 계획서 정의 판단기준 이하로 조정

**위험 통제**
• 위험통제 수행 계획 수립과 시행

**잔여위험 허용 평가**
• 위험요인 통제 후 잔여위험에 대한 허용 평가

**위험관리 보고서**
• 위험관리 프로세스 절차 정리와 보고서 작성

**생산 후 정보**
• 위험관리를 체계적으로 수행하고 검토

**의료기기 소프트웨어 안전성 등급**

| 통합 구분 | 정의 |
|---|---|
| A | 부상이나 신체의 피해가 발생할 가능성이 거의 없음 |
| B | 심각하지 않은 부상(경상)이 발생할 가능성이 있음 |
| C | 심각한 부상 또는 사망이 발생할 가능성이 있음 |

**안전 등급 최소 기준 제시**

• 디지털 치료기기는 최소 침습으로 B등급 이하 분류가 예상됨
• 해외 유사 기술 분석을 통해, 안전 등급 최소 기준을 마련하여 디지털 치료기기 최소 안전 등급 기준을 제시함

식품의약품안전처는 '의료기기 소프트웨어 허가·심사 가이드라인'[65]을 기준으로 디지털 치료제의 안전성 평가기준을 위험 분석, 위험 평가, 위험 통제, 잔여 위험 허용 평가, 위험 관리 보고서, 생산 후 정보의 6단계로 보고할 것을 권고한다. 또한 디지털 치료제의 고장 또는 잠재적 결함으로 인해 사용자에게 미치는 영향을 고려하여 안전성 등급을 분류한다. 규제 당국이 요구하는 기준에 따라 임상시험, 기존 제품과의 기술 분석 등을 통해 최소 안전 등급 기준을 맞추어야 한다.

## 사용상 안전성

임상적 안전성이 디지털 치료제 자체가 가진 위험성과 관련되어 있다면 사용상 안전성은 사용 관련 오류와 위험을 최소화하는 데 목적이 있다.[66] 부적절하게 설계된 사용법(사용자 인터페이스, 사용자 인터렉션)은 잘 훈련된 사용자가 사용하더라도 비효율적이거나 오류가

**디지털 치료제의 사용상 위험성의 세부 요인 및 예시**

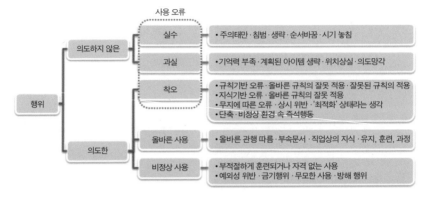

생겨 위해 상황을 가져올 수 있으므로 유의하여 설계되어야 한다.

디지털 치료제가 사용에 적합하도록 잘 설계되면 사용자가 작동을 이해하는 학습시간이 줄어 사용 오류가 감소될 수 있으며 사용자와 환자를 보호하고 제품 안정성이 강화되는 효과를 얻을 수 있을 것이다.


## 디지털 치료제의 안전성과 유효성 확보하기

앞서 디지털 치료제의 임상적 안전성과 유효성의 중요성에 대해 알아보았다. 그렇다면 디지털 치료제의 임상적 효과는 어떤 단계를 거쳐 어떻게 입증할 수 있을까? 국내 식품의약품안전처의 '디지털 치료기기 허가·심사 가이드라인'[67]에 따라 설명하고자 한다.

우선 디지털 치료제의 대상 여부 판단을 위해 표 [디지털 치료제 대상 여부 판단기준 및 절차]와 같이 판단기준을 종합적으로 고려해야 한다.

## 디지털 치료제 대상 여부 판단기준 및 절차

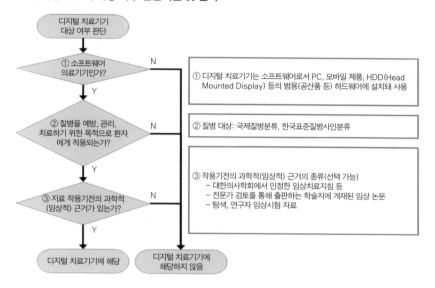

## 불면증 개선 디지털 치료제 관련 의료기기 품목(식약처 고시 제2021-83호)

| 품목명 | 영문명 | 등급 | 분류번호 | 품목 정의 |
| --- | --- | --- | --- | --- |
| 인지치료 소프트웨어 | Cognitive therapy software | 2 | E06060.02 | 인지기능을 개선하는 데 사용하는 소프트웨어 |
| 심리평가 소프트웨어 | Psychological assessment software | 2 | E06050.01 | 의료인이 환자의 심리학적 상태를 평가하고 결정하는 데 사용하기 위한 소프트웨어 |
| 정서장애치료 소프트웨어 | Affective disorder therapy software | 2 | E06070.01 | 정서장애(우울증 등)를 개선하는 데 사용하는 소프트웨어 |

디지털 치료제는 하드웨어에 종속되지 않는 독립적 형태의 소프트웨어 의료기기를 의미한다. 소프트웨어 의료기기 해당 여부를 확인하기 위해 식품의약품안전처는 「의료기기 허가·신고·심사 등에 대한 규정」 제60조 제1항에 따라 제품의 사용목적에 관한 자료, 모양 및 구조, 성능, 사용방법 등에 관한 자료, 작용 원리 및 규격 등에

**진료지침별 불면증 인지행동치료CBT-I의 권고 등급 및 근거 수준[9]**

| 진료지침 | 권고 등급 | 근거 수준 |
|---|---|---|
| 미국내과학회 진료지침(2016) | 강함 | 중증도 |
| 미국수면학회 진료지침(2017) | 강함 | 중증도 |
| 유럽수면학회 진료지침(2017) | 강함 | 높음 |
| 대한신경정신의학회 불면증 임상진료지침(2019) | 강함 | 중증도 |

관한 자료를 '의료기기 전자민원창구' 사이트의 '의료기기 질의'를 통해 확인받도록 권고한다. 이때 의료기기의 적용 등급을 확인하기 위하여 해당 제품의 위험 등급 및 품목 분류를 우선적으로 확인해보는 것이 좋다. 예를 들어, 불면증 개선 디지털 치료제는 「의료기기 품목 및 품목별 등급에 관한 규정」에 따라 2등급 의료기기인 인지치료소프트웨어, 심리평가소프트웨어, 정서장애치료소프트웨어로 분류될 수 있다.[68]

만들고자 하는 디지털 치료제가 소프트웨어 의료기기의 범주 안에 든다면 다음 단계로 사용목적을 고려해야 한다. 우선 디지털 치료제가 다루고자 하는 질병을 명확히 정의해야 한다. 여기서 질병이란 국제질병분류코드ICD, International Classification of Disease에 기반한 '한국표준질병사인분류'에 독립적으로 분류 가능한 질환을 일컫는다. 목표 질환이 명확히 정의되었다면 치료 방법에 대한 과학적 근거를 제시해야 한다. 치료 작용 기전의 근거를 제시하는 데는 크게 3가지 방법이 있다.

첫째, 전문 의학회에서 인정받은 표준 임상진료지침CPG, Clinical Practice Guideline을 그대로 가져와 디지털 치료제에 적용하는 방법이다. 둘째, 전문 임상 학술지Peer-reviewed Journal에 치료 방법이 게재되어 탄

탄한 과학적 근거를 입증하는 방법이다. 셋째, 임상시험을 통해 작용 기전의 효용성을 입증하는 방법이다.

예를 들어 대한신경정신의학회의 한국판 불면증 임상진료지침과 미국과 유럽의 진료지침에 따르면 강한 권고 등급과 중증도 이상의 근거 수준으로 성인의 불면증에 불면증 인지행동치료CBT-I를 우선으로 시행하기를 권고한다.

따라서 불면증의 디지털 치료제는 주로 진료지침에서 권고하는 불면증 인지행동치료를 디지털화하여 웹 또는 모바일 앱 등을 이용해 병원에 내원하지 않고도 불면증 인지행동치료를 제공하는 방식으로 개발된다. 또한 디지털 불면증 인지행동치료Digital CBT-I는 다수의 동료가 검토하는 선행 연구에서 임상시험을 통해 치료효과성이 입증되기도 하였다. 하지만 국내에서 진행된 선행 임상연구가 드물기 때문에 국내에서 개발 예정인 디지털 불면증 인지행동치료제의 효용성을 입증하기 위해 무작위 대조 임상시험을 할 것을 강력하게 권장하고 있다.

디지털 치료제의 임상적 안전성과 유효성을 입증하기 위해서는 전향적 임상시험에 기반한 자료를 제출해야 한다. 그렇다면 디지털 치료제의 임상시험은 어떻게 해야 할까? 기존 의약품과 의료기기의 임상시험은 그 규모와 목적에 따라 표 [의약품과 의료기기 임상시험 단계와 단계별 목적 비교]와 같은 단계로 구분된다.

디지털 치료제의 임상적 안전성과 유효성을 입증하고 치료제로서 규제 당국의 허가를 받기 위해서는 대규모 임상인 3상 시험에 준하는 확증임상시험Confirmatory Trial을 해야 한다. 확증임상시험을 수행하기 위해서는 앞서 불면증의 예시로 설명한 것과 같이 치료 기전에

**의약품과 의료기기 임상시험 단계와 단계별 목적 비교[69]**

| | 의약품 임상시험 | | 의료기기 임상시험 |
|---|---|---|---|
| 1상 | 실험적인 약물 또는 치료법의 부작용을 규명하고, 안전한 용량 범위를 결정하고, 안전성을 평가하기 위해 소수(약 20~80명)의 사람들을 대상으로 시행한다. | 연구<br>임상 | 제품의 개발 단계에서 알고리즘을 개발하거나 제품의 초기 안전성 및 유효성을 확인하기 위해 시행한다. |
| 2상 | 실험적인 연구, 약물, 치료법의 효과와 더 많은 안전성 관련 자료를 탐색하기 위해 다수(약 100~300명)의 사람들을 대상으로 시행한다. | 탐색<br>임상 | 의료기기 초기 안전성 및 유효성 정보수집, 후속 임상시험의 설계, 평가항목, 평가방법의 근거 제공 등의 목적으로 실시되는 초기 임상시험으로 소수의 시험대상자를 대상으로 비교적 단기간에 시행한다. |
| 3상 | 실험적인 연구 약물 또는 치료법의 유효성을 확증하고 부작용을 관찰하고, 일반적으로 사용되는 치료법과 비교하고, 이런 약물과 치료법이 안전하게 사용되는 것이 허가될 수 있도록 하는 정보를 수집하기 위해 시행한다. | 확증<br>임상 | 임상시험용 의료기기의 구체적 사용목적에 대한 안전성 및 유효성의 확증적 근거를 수집하기 위해 설계하고 실시되는 임상시험으로 통계적으로 유의한 수의 시험대상자를 대상으로 시행한다. |
| 4상 | 약물의 최적의 사용법, 이익, 위험성을 포함한 부가적인 정보를 얻기 위해 시판 후 시행한다. | 시판<br>후<br>임상 | 의료기기 허가 후 일상 진료 과정에서 얻을 수 없는 정보 수집이 필요한 경우 구체적인 사용목적 또는 적응증에 대한 안전성과 유효성의 확증적 근거를 수집하기 위해 시행한다. |

대한 과학적(임상적) 근거인 임상 논문이나 임상진료지침이 필요하다. 만약 디지털 치료제가 아직 개발 단계에 있고 치료 기전에 대한 과학적 근거를 제시하기 어렵거나 확증임상시험을 설계하기에 충분하지 않은 근거 수준이라면 확증임상시험 전에 탐색임상시험Pilot Trial, Feasibility Trial이 필요할 수 있다. 확증임상시험과는 달리 탐색임상시험은 치료효과를 초기에 빠르게 검정하여 근거를 쌓거나 향후 확증임상시험 설계의 근거를 제시하기 위해 수행된다. 또한 디지털 치료제는 허가 및 시판 후 제품의 잠재적 유익성과 위해성을 지속적

## 임상시험계획서에 포함되어야 할 사항[70]

1. 임상시험의 제목
2. 임상시험기관의 명칭과 소재지
3. 임상시험의 책임자·담당자와 공동연구자의 성명과 직명
4. 임상시험용 의료기기를 관리하는 관리자의 성명과 직명
5. 임상시험을 하려는 자의 성명과 주소
6. 임상시험의 목적과 배경
7. 임상시험용 의료기기의 개요(사용목적, 대상질환, 또는 적응증을 포함한다)
8. 임상시험용 의료기기의 적용 대상이 되거나 대조군에 포함되어 임상시험에 참여하는 사람(이하 '피험자'라 한다)의 선정기준·제외기준·인원 및 그 근거
9. 임상시험기간
10. 임상시험방법(사용량·사용방법·사용기간·병용요법 등을 포함한다)
11. 관찰항목·임상검사항목 및 관찰검사방법
12. 예측되는 부작용 및 사용 시 주의사항
13. 중지·탈락기준
14. 유효성의 평가기준, 평가방법, 해석방법(통계분석방법에 따른다)
15. 부작용을 포함한 안전성의 평가기준·평가방법 및 보고방법
16. 피험자 동의서 서식
17. 피해자 보상에 대한 규약
18. 임상시험 후 피험자의 진료에 관한 사항
19. 피험자의 안전보호에 관한 대책
20. 그밖에 임상시험을 안전하고 과학적으로 하기 위하여 필요한 사항

으로 입증하기 위해 실제 환경에서의 실사용데이터RWD, Real World Data에 기반한 실사용증거RWE, Real World Evidence 자료를 제출할 것을 권고한다.

개발하고자 하는 디지털 치료제의 근거 수준이 어떤 단계에 있으며 임상시험의 목적이 무엇인지 정하고 나면 임상시험 관련 가이드라인에 따라 임상시험을 탄탄하게 설계하고 수행하여야 한다. 임상시험은 다음의 사항들을 모두 포함하여 가장 적합한 형태로 설계되어야 한다.

임상시험 설계 시 임상적 효과를 어떻게 비교하여 입증할 것인지

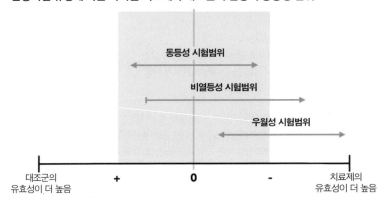

임상시험 유형에 따른 디지털 치료제와 대조군의 임상적 동등성 범위

를 정하는 것도 중요하다. 디지털 치료제는 전에 없었던 새로운 치료 방법이기 때문에 무엇과 어떻게 비교하여 치료의 효과를 입증할 것인지 비교 유형에 따른 계획을 세워야 한다. 비교 유형은 다음과 같이 4가지가 있다.[71]

① 우월성 평가시험

디지털 치료제가 대조군(표준 치료 방법 또는 위약 등)보다 더 우월함을 입증하는 비교 방법이다. 다만, 위중한 질환에서 표준 치료 방법이 있을 때는 위약을 대조군으로 우월성 평가시험을 하는 것은 비윤리적일 수 있다. 이 경우에는 대조군으로 위약이 아니라 표준 치료법을 사용한다. 위약 대조 혹은 표준 치료법 대조의 적합성은 임상시험에 따라 개별적으로 고려해야 한다.

② 동등성 평가시험

디지털 치료제의 유효성이 유사 치료제와 동등하다는 것을 입증

하는 평가시험이다. 동등성 평가시험 시 동등성 경계의 상한치와 하한치를 모두 제시해야 한다.

### ③ 비열등성 평가시험

표준 치료가 이미 잘 확립된 경우 새로운 치료법이 표준 치료보다 우월함을 입증하는 것은 상당히 어렵다. 비열등성 평가시험이란 디지털 치료제가 대조군보다 임상적으로 나쁘지 않음을 입증하는 임상시험이다. 임상적 효과는 비열등하더라도 표준 치료법보다 안전성이나 편의성을 개선하는 것도 유의미한 치료제가 될 수 있다.

### ④ 차이성 평가시험

디지털 치료제가 임상적으로 의미 있는 차이나 효과를 나타내는지 확신할 수 없는 경우 우선적으로 수행하는 임상시험이다.

디지털 치료제의 임상시험에 정답지가 있는 것은 아니다. 개발하고자 하는 디지털 치료제의 여러 가지 특성을 고민해보고 임상적 안전성과 유효성을 가장 잘 입증할 수 있는 형태로 설계해야 한다.

# 2

# 디지털 치료제는 어떻게 임상실험을 하는가

디지털 치료제의 안전성과 유효성을 입증하기 위해서는 임상시험이 필수적이다. 그러나 기존 무작위 대조 임상시험RCT, Randomized Controlled Trial은 기술 발전 속도가 빠른 디지털 치료제 분야에서는 효과적이지 않을 수 있어 새로운 형태의 임상시험이 나타나고 있다. 몇 가지 특징적인 디지털 치료제의 임상 요소에 대해 살펴보자.

## 실사용데이터에 기반한 실사용증거 확보

의료기기의 임상시험은 긴 임상시험 기간, 방대한 비용과 자원의 소모, 다양한 임상 환경의 특성이 반영되지 않을 수 있다는 문제점이 있다. 이러한 문제를 해결하고 빠른 시장 출시를 보장하고자 디지털 치료제는 선판매 승인 후에 실사용으로 얻은 실사용데이터를 통해 사후 검토하는 규제 방식을 사용한다.[72]

**실사용데이터의 종류와 예시[74]**

| 분류 | 민간 영역 | 공공 영역 |
|---|---|---|
| 전자의무기록 | 의료기관 내 의무 기록, 의료영상 기록 등 | – |
| 전자건강기록 | 의료기관 간 전자의무기록을 통합한 형태의 기록 | – |
| 건강보험 청구 | – | 국민건강보험공단, 국민보험심사 평가원에서 제공하는 데이터 |
| 레지스트리 | 특정 질병 또는 관심 인자에 노출 된 모집단 기록 | 국립암센터의 암 등록 자료, 임상시 험 레지스트리 등록 자료 등 |
| 라이프로그 | 개인의 건강 데이터, 설문조사 자 료 등 | – |
| 행정 | 치료수가 등 | 행정안전부, 통계청에서 제공하는 사망 기록 |
| 기타 | 디지털 바이오마커 데이터 | 환경 데이터 등 |

실사용데이터는 기존 임상시험으로부터 수집되지 않은 다양한 유형의 의료 데이터를 포함하며[73] 환자의 건강상태, 보건의료 전달체계 관련 자료 등 다양한 자료원을 통해 수집된 실제 진료 기반 빅데이터를 의미한다. 즉 디지털 치료제 사용 시 다각도로 얻은 디지털 바이오마커 데이터, 사용 로그 데이터, 디지털 기반 환자 보고 결과 ePRO, electronic Patient Reported Outcome 등을 지속적이고 장기적으로 수집하여 의미 있는 임상 근거로 활용할 수 있다.

실사용데이터는 디지털 치료제 사용과 관련된 다양한 측면을 볼 수 있고, 환자의 치료와 관리 과정에서 일상적으로 수집할 수 있고, 전통적인 임상시험만으로는 얻을 수 없는 광범위한 환자 집단에 대한 정보를 제공할 수 있다는 잠재력을 가지고 있다. 또한 제품수명주기의 다양한 시점에서 제품의 유효성과 안전성에 대한 근거를 제시할 수 있다는 장점이 있다. 이러한 장점들과 함께 디지털 치료제는 실사용데이터에 기반한 실사용증거를 통해 제품의 사용 결과나 잠재적 이익 또는 위험성의 입증 근거로 사용할 수 있다.[9]

다만, 실사용데이터를 증거화하기 위해서는 임상적 근거로 사용하기에 충분하다고 판단될 수 있을 수준의 타당성과 신뢰성을 확보하고 적용 목적, 수집 및 분석 정보, 분석 결과에 대한 사항을 반드시 제시해야 한다. 디지털 치료제의 안전성 및 유효성을 입증하기 위해 실사용데이터를 사용하는 것은 전통적인 임상시험과는 다르기 때문에 국내 식품의약품안전처, 미국식품의약국, 임상시험용 의료기기 사용 승인IDE, Investigational Device Exemption 등 관련 기관에 사전에 문의할 것을 권장한다.[75]

## 디지털 기술을 활용한 분산형 임상시험

디지털 치료제는 디지털 기술의 혁신을 통해 기존 의료체계가 가진 여러 장벽을 허물고 더 많은 환자에게 더 쉽고 빠르게 의료 혜택을 받을 수 있게 하였다. 많은 규제기관이 디지털 치료제의 빠른 시장 출시를 권장하고자 규제를 완화하고 있다. 하지만 높은 수준의 의학적 안전성과 유효성을 제시하기 위해서는 여전히 무작위 대조 임상시험이 필수적이다.

신약을 개발하기 위해서는 막대한 비용과 시간이 필요하다. 이 중에 상당 부분이 임상시험 과정에서 소요된다. 대규모 임상시험의 경우 여러 병원이 동시에 참여하며 임상시험을 관리하려면 수십여 명의 연구자가 필요하다. 또한 임상 연구 시스템은 모든 데이터가 기관에 쌓이기 때문에 대상자를 모집하고 평가할 때 반드시 기관에 방문

**이해관계자별 분산형 임상시험의 이점[76]**

| 분류 | 분산형 임상시험의 이점 |
|---|---|
| 대상자 | • 병원을 통하지 않고도 임상시험에 대한 정보를 더 쉽게 찾고 이해할 수 있다.<br>• 언제 어디서나 중재를 받을 수 있어 더욱 적극적이고 지속적인 연구 참여가 가능하다.<br>• 시험 기관까지 이동하는 비용과 시간을 줄이고 팬데믹 노출의 위험을 감소한다. |
| 연구기관 | • 대상자 모집기간과 관리비용을 단축할 수 있다.<br>• 실시간으로 데이터에 접근할 수 있어 모니터링이 원활하다. |
| 의뢰사 및 CRO | • 대상자의 시험 기관 방문, 중도 이탈 등과 관련된 비용과 리스크를 절감할 수 있다.<br>• 임상시험 과정을 효과적으로 모니터링할 수 있고 다양한 데이터를 얻을 수 있다. |

해야만 임상 모니터링이 가능하다. 이러한 문제를 해결하고, 환자의 번거로움을 줄이고, 비용을 절감하기 위해 원격임상시험Virtual Clinical Trials 또는 분산형 임상시험DCT, Decentralized Clinical Trials에 대한 관심이 늘고 있다.

임상연구기관협회ACRO, Association of Clinical Research Organizations에 따르면 분산형 임상시험은 디지털 기술의 적극적인 활용으로 전통적인 임상시험기관 외에서도 연구를 진행할 수 있으며 연구 참여 대상자의 의견을 반영하여 빠르게 치료를 제공하면서 임상연구 프로세스 전반에 효율성을 강화하는 개념이다.[77] 대상자 모집 시 환자가 번거롭게 병원 방문 검사 없이 웹 포털을 통해 쉽게 참가자를 모집하고 제외조건을 평가할 수 있다. 예를 들어 애플은 2015년 3월 아이폰 기반의 의료 연구 플랫폼 리서치키트ResearchKit를 선보였다. 리서치키트는 아이폰에 내장된 다양한 센서를 기반으로 환자의 데이터를 수집하고 수많은 연구 참여자의 참여를 유도하는 데 도움을 주었다.[78] 리서치키트를 활용한 스탠퍼드대학교 연구팀의 심혈관질환 앱 마이하트_myHeart_는 하루 만에 1만 1,000명의 참가자가 등록했다. 이는 기존 방식으로는 미국 전역 50개 병원에서 1년간 모집해야 모을 수 있는 수와 같다.[79] 또한 분산형 임상시험을 사용하면 데이터 수집과 모니터링도 편리하게 이루어질 수 있다. 디지털 치료제는 디지털 기기를 통해 중재가 이루어지고 파생된 데이터를 분석하여 치료 효과 분석과 모니터링이 가능한데 분산형 임상시험 시 모니터링 요원이 임상 자료를 원격으로 검토하거나 원격회의 등으로 대상자 방문을 대체할 수 있다.

분산형 임상시험은 코로나 팬데믹 이후 불필요한 비용을 절감하고 효율을 극대화하는 방안으로 떠오르고 있다. 디지털 치료제의 임상시험에서도 더욱 품질 좋은 다양한 데이터를 확보하고 손쉽게 모니터링할 수 있다는 장점이 있어 탄력적인 임상연구를 위한 새로운 패러다임으로 주목받고 있다. 하지만 아직 국내 규정이 불분명하기 때문에 디지털 치료제에서 분산형 임상시험을 완벽하게 도입하기 위해서는 업계와 규제기관의 많은 논의가 필요하다.


## 디지털 위약

무작위 대조 임상시험에서 대상자가 어느 그룹에 배정되었는지를 알면 임상시험을 수행하는 과정이나 결과 데이터에 비뚤림_Bias_을 유발할 수 있다. 오류를 최소화하고 임상시험 결과의 신뢰도를 높이기 위해 여러 가지 맹검 기법을 사용한다. 기존 의약품 임상시험에서는 대상자가 어느 그룹에 배정되었는지 모르게 하기 위한 방법 중 하나로 위약 대조 임상시험을 사용한다. 위약 대조 임상시험이란 시험 약과 색, 무게, 맛, 향과 같은 물리적 특성은 동일하지만 시험하고자 하는 성분이 포함되지 않은 가짜 약을 사용하는 것이다. 위약 대조는 맹검 효과뿐만 아니라 플라시보 효과도 가져올 수 있다. 사람들은 플라시보 효과로 인해 위약에 실제로 아무런 효과가 없음에도 불구하고 치료를 받는 행위 자체로 나아졌다고 느끼기도 한다. 이러한 인간의 인지적 왜곡이나 편향을 줄이고 치료법의 효과를 검증하기 위해 무처치군 또는 통상적 치료군과 대조하지 않고, 치료를 제공하는 사람과 받는 사람 모두 진짜 치료인지 위약인지 알지 못하도록 하는 맹검 기법을 사용한다.

그렇다면 디지털 치료제의 임상시험에서는 어떻게 위약 대조를 사용할 수 있을까? 디지털 위약Digital Placebo, Sham은 핵심 작용 기전은 제거하면서 대조군과 치료군을 알 수 없도록 설계하는 방식을 사용한다. 예를 들어 영국 빅헬스Big Health는 불면증을 치료하기 위한 웹 기반 인지행동치료의 임상시험에서 표 [슬리피오Sleepio 임상시험의 치료조건 요약]과 같이 디지털 위약을 대조군으로 사용하였다.[80]

치료군과 위약 대조군 모두 가상의 치료사가 온라인 플랫폼을 통해 치료를 제공하는 방식을 사용하였다. 동일한 작동 방식으로 제작된 플랫폼에서 치료군은 불면증 인지행동치료에 기반한 콘텐츠를 사용하였다. 디지털 위약군은 불면증 인지행동치료 콘텐츠를 제외하고 여러 임상시험에서 위약 대조로 자주 활용되며 신뢰할 수 있는 방법인 이미지 완화 요법Imagery Relief Therapy을 사용하였다.

다만, 약물의 경우 활성 성분을 추가하지 않고도 똑같은 모양의 약물을 만들기가 어렵지 않은 반면에 디지털 치료제는 접근 방식은 동

**슬리피오 임상시험의 치료조건 요약**

| 분류 | 치료군CBT | 디지털 위약군 |
|---|---|---|
| 대상자 | • 수면 정보 및 교육<br>• 수면 위생<br>• 인지요법 및 이완요법<br>• 자극조절법 | • 수면 정보 및 교육<br>• 순차적으로 생각하기<br>(예: 저녁 일과 생각하기)<br>• 이미지 트레이닝<br>(예: 노란 사각형 떠올리기)<br>• 체계적 둔감화<br>• 호흡 조절 |
| 기간 | (최소) 6주 동안 6개 세션 제공 | |
| 전달 방식 | • 대면 치료 없이 온라인 제공<br>• 가상 치료사가 세션 제공 | |
| 기타 기능 | • 예약 시스템<br>• 대화형 세션 제공<br>• 개인 목표에 따른 피드백, 진행률, 시간에 따른 수면 데이터 자동 계산<br>• 24/7 시스템 접근 가능 | |

일하나 주요 치료 작용 기법을 제거한 형태로 만들기가 까다로울 수 있다. 디지털 치료제는 어떤 기능이 디지털 활성 성분이 될 수 있고, 어떤 기능이 비활성화되어야지만 디지털 위약이 될 수 있을지 미리 알기가 어렵기 때문에 신중하게 설계되어야 한다. 또한 임상시험을 위한 디지털 위약을 치료제 외에 별도로 개발해야 하기 때문이다. 이때 드는 비용과 시간을 고려하여 비용 대비 효과가 있을지에 대한 고민도 필요하다.

## 인사이트

- 디지털 치료제는 기존 의약품이나 의료기기와 같이 임상시험을 통한 높은 수준의 안전성과 유효성 검증이 필요하다.

  : 디지털 치료제를 실제 임상 환경에 적용하기 위해서는 규제 당국이 요구하는 임상시험을 거쳐 충분한 수준의 안전성과 유효성을 입증해야 할 것이다.

  : 다만 소프트웨어 기반의 치료 기기이므로 단발성 임상 검증이 아니라 제품수명주기에 걸친 실사용데이터RWD에 근거한 임상적 근거 또한 제시해야 할 것이다.

- 디지털 치료제에 적합한 임상시험이 필요하다.

  : 시간과 비용이 많이 소요되는 기존 무작위 대조 임상시험RCT은 기술 발전 속도가 빠른 디지털 치료제 분야에서는 효과적이지 않을 수 있다.

  : 실험실 환경이 아니라 실사용데이터에 기반한 실사용증거RWE, 디지털 기술을 활용한 보다 유연한 분산형 임상시험, 디지털 위약을 사용한 대조군 설정 등 새로운 형태의 임상시험이 고려되어야 할 것이다.

# 5장

# 어떻게 디지털 치료제를
# 만들 것인가

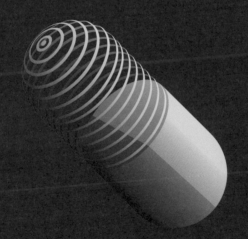

# 1

# 어떻게 디지털 치료제의 사용성을
# 높일 것인가

소프트웨어 기반의 디지털 치료제는 기존 의약품 또는 하드웨어 기반의 의료기기와는 달리 데이터를 통해 사용자의 행동에 대한 지속적인 모니터링이 가능하다. 단순히 임상적 결과만을 분석하는 것이 아니라 실제 사용자의 경험까지도 관찰하면 사용자의 문제를 적시에 식별할 수 있으며 제품의 활용도와 효율성을 향상할 수 있다. 이와 관련하여 미국식품의약국은 사용자 경험 분석UXA, User Experience Analytics을 사용자 피드백 채널, 문제 해결, 사용자 만족, 사용자 참여의 4가지 하위 항목으로 정의하였다.

사용자 경험 분석의 4가지 하위 항목의 흐름을 이해하는 것이 중요하다. 사용자 피드백 채널을 통해 사용상의 문제를 분석하고 빠르게 해결할 수 있는 시스템을 구성해야 한다. 이러한 과정에서 사용자 만족도를 높여 지속적인 참여를 유도할 수 있다. 각각의 항목에 대해 더 자세하게 살펴보자.

**디지털 치료제 사용자 경험 분석의 하위 항목**

| | 사용자 경험 분석 | |
|---|---|---|
| | 디지털 치료제의 실제 사용과 연관된 사용자 경험 분석 | |
| **분류** | **하위 항목** | **내용** |
| 이슈 수집 | 사용자 피드백 채널 | 다양한 피드백 채널을 통해 사용자의 문제 사항을 수집하고 분석한다. |
| 이슈 해결 | 문제 해결 | 문제의 우선순위를 정하고 주기적인 해결을 통해 디지털 치료제의 품질을 관리하고 개선한다. |
| 이슈 해결 결과 | 사용자 만족 | 문제 해결에 다른 사용자 만족도 변화를 모니터링한다. |
| | 사용자 참여 | 실사용자의 지속적 참여도를 분석하고 개선의 인사이트를 얻는다. |

## 사용자 피드백 채널

의료기기 산업의 품질경영시스템의 국제 표준인 ISO 13485[81]의 표준요건에 따라 디지털 치료제는 관련 구성원을 이해하고 사용자 만족도를 관리해야 한다. 디지털 치료제는 서비스 내외부의 여러 채널을 통해 사용자의 의견을 지속적으로 모니터링하고 대응하여 시스템을 업데이트할 것을 권장한다. 피드백 채널은 인 앱 설문 및 로그 데이터, 소셜미디어 플랫폼, 온라인 커뮤니티 등 다양한 채널을 통해 데이터를 수집하거나 환자 인터뷰와 설문 등을 통해 여러 이해 관계자의 의견을 수집할 수 있다.

## 문제 해결

피드백 채널을 통해 수집된 여러 의견, 디지털 치료제 사용 시 일어날 수 있는 사용성, 안전성, 서비스 품질, 위험 등 다양한 문제를 분석하고 평가하여 해결해야 한다. 품질관리시스템에 따라 제품수명 주기에 걸쳐 채널을 통해 수집된 이슈 사항의 우선순위를 정하고 지속적인 해결을 통해 디지털 치료제의 품질을 개선하고 관리하는 과정을 반복한다.

## 사용자 만족

디지털 치료제를 사용하면서 느끼는 전반적인 만족감, 치료의 효과성, 제품의 안전성에 대한 만족도가 포함될 수 있다. 앞서 이야기한 문제 해결과 고객 요구사항에 대한 만족도를 지속적으로 모니터링하여 디지털 치료제의 품질을 관리해야 한다. 사용자 만족도는 제품 사용에 대한 데이터, 설문, 인터뷰 등 다양한 방법을 통해 수집하고 평가될 수 있다.

## 사용자 참여

앱에서 지속적인 사용과 관련된 지표는 굉장히 중요하다. 제품을 얼마나 잘 사용하고 있으며, 재사용률이 얼마인지, 어디에서 가장 이탈이 많이 생기며 얼마의 시간 동안 사용하는지 등을 정량적으로 확인할 수 있기 때문이다. 디지털 치료제의 치료효과를 보기 위해서는 처방대로 꾸준히 사용하는 것이 매우 중요하다. 사용자 참여 지표를 통해 제품의 사용성을 분석하고 문제를 발견하여 해결해야 한다.

# 2

# 디지털 치료제는 사용자 경험이
# 중요하다

디지털 치료제의 사용자 경험은 굉장히 중요한 요인이다. 대다
수 디지털 치료제는 인지행동치료와 생활습관 교정을 기반으로 한
다. 이러한 디지털 치료제는 지속적인 자극을 통해 환자의 생각, 행
동, 습관의 변화를 이끌어야 하기 때문에 지속적인 사용이 필수적이
다. 인지행동치료를 기반으로 하는 디지털 치료제는 평균 한 세션에
10~30분씩 매일 8~12주 정도 사용할 것을 권고한다. 아무리 환자
가 편한 시간과 장소에서 본인의 스마트폰을 가지고 치료를 받을 수
있다고 해도 환자 스스로 지속적으로 사용을 유지하기란 매우 어려
운 일이다.

2021년 발표된 페어테라퓨틱스사의 중독 디지털 치료제 리셋-O
의 실사용증거 연구결과를 보면 12주간 총 67개의 치료 모듈을 끝
까지 마친 환자의 비율은 49%에 그쳤으며 66%는 절반만 완수하고
80%는 8개만 완수하는 낮은 순응도를 보였다. 또한 시간이 갈수록

참여도는 더 감소하여 12주차에는 절반 수준으로 떨어지는 패턴을 보였다.[82]

디지털 치료제는 사용자가 꾸준히 사용하였을 때 치료효과를 볼 수 있기 때문에 사용자를 이해하고 사용 경험을 높일 수 있는 설계가 필요하다. 그렇다면 어떻게 지속 사용을 올리고, 환자들이 지속적으로 편리하게 사용할 수 있는 디지털 치료제를 만들 수 있을까? 답은 사용자 경험에 있다. 목표 사용자의 특성을 정의하고 치료 방법에 따른 가장 알맞은 사용 방법을 설계해야 한다.

## 디지털 문해력을 고려하기

스마트폰은 이미 일상의 일부가 되었다. 2019년 기준 스마트폰 보급률은 미국이 80%, 우리나라는 95% 이상으로 대다수 사람들이 스마트폰을 사용하고 있다.[83] 그렇다면 스마트폰 앱으로 디지털 치료제를 만들면 모두가 다 잘 사용할 수 있을까?

기존 의약품 치료에 익숙한 환자들에게 디지털 치료제는 생소한 영역이다. 디지털 치료제를 포함하여 다양한 디지털 헬스케어 서비스가 시장에 출시되었다. 하지만 아직까지 모바일 앱, 웨어러블 기기 기반의 디지털 헬스케어 이용 경험 비율은 50% 수준으로 낮은 편이다.[84] 또한 디지털 치료제의 수용도는 디지털에 대한 이해도, 연령, 질환 보유 여부 제품에 대한 신뢰도 등 다양한 요소에 따라 다르게 적용된다.

특히 노인층에게 디지털 치료제는 더욱 어려울 수 있다. 스마트폰을 사용하는 노인 중 다수는 스마트폰을 제대로 사용하지 못한다. 사용할 수 있는 기능이 한정적일 뿐만 아니라 앱을 스스로 설치하기 쉽지 않다.[85] 의료가 디지털화되면서 환자들은 엄청난 양의 다양한 정보를 실시간으로 접하게 되었으며 수많은 정보 속에서 개인의 건강에 필요한 정보를 선별하고 이해하는 능력인 건강정보 활용 능력은 50세가 넘어가면서 낮아지게 된다.[86] 이로 인하여 전반적인 건강 상태와 질병 관련 지식을 수용하고 건강 행위를 이행하는 수준이 낮아져 디지털 치료제에 대한 순응도도 낮아진다. 그 외에도 교육 수준, 수입, 가족 형태, 문화적 요인에 따라 디지털과 건강정보 활용 능력에 차이가 생긴다.

질병에 따른 고려 또한 필요하다. 중환자나 만성질환자와 같이 건강에 대한 우려가 크며 치료에 대한 열의가 높은 경우, 치료제의 효과만 확인된다면 순응도가 높게 나타날 것이다. 반면 동반 질환의 수가 많거나, 인지와 신체에 결함이 생기거나, 자기 효능감이 떨어질 경우 순응도가 낮아질 우려가 있다.

따라서 디지털 치료제의 수용도와 지속적인 사용률을 높이기 위해서는 환자를 다각도로 이해하고 환자 친화적 설계가 되어야 할 것이다.


## 사용성과 지속 사용을 위한 다양한 기법들

디지털 치료제는 다양한 디지털 기술을 활용해 개인의 건강을 관리하고 시공간의 제약 없이 환자가 주도적으로 질환을 관리할 수 있다. 하지만 앞서 이야기하였듯이 모두가 이를 잘 활용하고 지속적으로 사용할 수 있는 것은 아니다. 많은 기업과 연구자가 디지털 치료제를 더 잘 사용하고 목표 달성을 위해 꾸준히 사용할 수 있도록 하기 위해 다양한 방법을 고민하고 있다. 이에 대한 몇 가지 방법과 예시를 소개한다.

## 다양한 건강 행동과 심리요법의 활용

사람의 건강 행동은 다양한 심리사회적 요인에 의해 영향을 받을 수 있다. 개인, 사회, 환경 요인 등 환자를 둘러싼 여러 요인이 행동과 인지에 영향을 미칠 수 있으며 건강 행동으로 이어질 수 있다. 디지털 치료제의 중재 프로그램 개발 시, 건강행동 관련 이론을 바탕으로 개인의 건강정보 활용 능력Health Literacy과 디지털 문해력Digital Literacy을 고려하는 것이 필요하다. 건강정보 활용 능력이란 건강 증진과 유지를 위한 정보를 스스로 이해하고 활용할 수 있다. 디지털 치료제를 스스로 사용하고 판단할 수 있는 능력을 말한다. 몇 가지 주요 이론과 그 예시에 대해 살펴보자.

표 [디지털 치료제의 건강행동관련 이론과 예시]와 같이 목표로 하는 질병과 중재치료에 맞는 이론을 탐구하고 적용해보는 것을 권장한다. 이때 중요한 것은 이론 기반의 접근 방식뿐만 아니라 사람 중심의 접근 방식도 함께 사용해야 한다. 이론 기반의 접근 방식은 잠재적으로 관련된 모든 디지털 치료법의 이론적 구성 및 행동 변화 기술에 대한 입증된 근거와 포괄적이고 일반적인 분석을 제공한다는 장점이 있다. 그러나 사람 기반의 접근 방식은 특정 인구 및 개인의 맥락에서 어떤 개입 설계 기능이 가장 중요할 것인지 식별하는데 중요하다. 사용자가 수용 가능한 설득력 있는 방식으로 치료를 구현하는 방법에 대한 민감한 지침을 제공할 수 있다. 따라서 심층 연구를 통해 대상 사용자를 다각도로 이해하여 사용자 관점을 수용하

## 디지털 치료제의 건강행동 관련 이론과 예시

| 분류 | 이론 | 정의 및 예시 |
|------|------|-------------|
| 개인화 | THC, SCogT, ELM | 개인 데이터(디지털 바이오마커, 로그 데이터 등)를 수집하고 평가하여 개별화된 중재 또는 메시지 등을 생성하고 전달한다.<br>예시: "점심으로 샌드위치와 과일 주스를 드셨군요! 당뇨에는 당도 높은 음식은 좋지 않아요. 오늘은 날씨가 좋으니 저와 함께 밖에 나가 30분 동안 자전거를 타 보아요." |
| 행동-건강 관계 | IMB | 개인의 행동과 건강의 연결고리에 따른 일반적인 정보를 제공한다.<br>예시: "건강을 위해 좋은 식습관과 신체 활동을 하는 것이 중요합니다." |
| 행동-결과 | TRA, TPB, SCogT, IMB | 중재에 따르거나 따르지 않을 경우 잠재적인 이익이나 비용에 대한 정보를 제공한다.<br>예시: "운동이 부족하면 심장질환 재발의 위험이 있습니다." |
| 건강 교육 | TRA, TPB, SCogT, IMB, SCogT | 치료의 결과 또는 건강을 개선하기 위한 목표를 설정하거나 행동을 취하도록 환자를 격려한다. 환자에게 중재를 수행하는 방법을 보여주거나 알려준다.<br>예시: 우울증 개선을 위한 맞춤형 인지행동치료 콘텐츠를 비디오로 제공한다. |
| 목표 설정 | CT | 건강 목표 달성을 위해 구체적이고 단계적인 목표를 세운다.<br>예시: "집 밖으로 나가는 것부터 시작하세요. 오늘은 5마일만 걸어 보아요." |
| 자기 효능감 | SCogT, OC | 사용자가 디지털 치료제를 잘 사용하고, 개발된 기술을 잘 인식하도록 돕는다.<br>자기 효능감을 강화하기 위해 강화와 처벌 자극을 제공한다.<br>예시: 오늘의 목표 달성 시 보상을 제공한다. |
| 피드백 | CT | 중재 수행에 따른 피드백을 제공한다.<br>예시: 수행에 따른 점수의 변화나 결과를 안내한다. |
| 사회적 영향 | SCogT, SS, SC | 다른 사람들은 어떻게 문제를 해결했는지에 대한 정보를 제공한다. 공유 또는 비교를 통해 사용자의 적극적인 참여를 촉진한다.<br>예시: "가까운 친구에게 함께 금연할 것을 권해 보아요." |

\* THC: 맞춤형 건강 커뮤니케이션 모델(Tailored Health Communication Model), SCogT: 사회-인지 이론(Social-cognitive Theory), ELM: 정교화 가능성 모델(Elaboration Likelihood Model), IMB: 정보-동기-행동 기술 모델(Information-motivation-behavioral Skills Model), TRA: 합리적 행위 이론(Theory of Reasoned Action), TPB: 계획된 행동 이론(Theory of Planned Behavior), OC: 조작적 조건 형성(Operant conditioning), CT: 제어 이론(Control Theory), SS: 사회적 지지(Social Support) , SC: 사회적 비교(Social Comparison)

는 것이 중요하다. 디지털 치료제 개발 단계에서부터 반복적으로 사용자를 참여시켜 사용자의 지식, 기술, 행동, 동기, 문화적 배경, 조직적 맥락을 이해하고 행동의 변화와 높은 순응도를 끌어낼 수 있도록 해야 한다.

---

감정 케어 챗봇 우봇

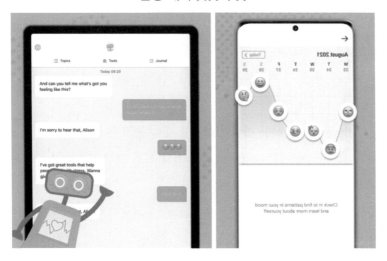

우봇Woebot은 정신건강을 돕기 위해 개발된 인지행동치료 기반 챗봇형 치료제다. 챗봇을 통해 언제 어디서나 이야기를 나누고, 감정 상태를 추적하고, 인지행동치료 기법이 담긴 교육 비디오를 안내받을 수 있다. 정신장애의 특성상 환자들은 다른 사람에게 증상을 이야기할 때 판단을 받거나 낙인이 찍힌다는 두려움이 있다. 챗봇은 이러한 심리적 한계를 허물고 좀 더 가까이 다가가 치료를 제공한다는 장점이 있다.

우봇은 사용자에게 치료 콘텐츠를 더 잘 전달하고 신뢰 관계를 형

성하고자 기존 이론을 바탕으로 다음과 같은 다양한 대화 전략을 포함하여 설계되었다.[87]

① 공감적 반응: 사용자가 입력한 기분에 맞춰 공감 대화를 한다. 예를 들어 외로움을 느끼는 사용자에게 "당신이 외롭다고 생각하다니 슬퍼요. 우리 모두가 가끔은 조금 외로울 때가 있는 것 같아요."와 같은 반응을 한다.

② 맞춤형 치료: 개인에게 맞춤형 콘텐츠를 제시한다. 예를 들어 불안을 느끼는 사용자에게 불안 맞춤형 치료를 제공한다.

③ 목표 설정: 대화형 에이전트 우봇은 사용자에게 치료기간 동안 달성하고자 하는 개인적 목표에 대해 묻고 목표를 설정한다. 목표 상태에 따른 활동이나 사용자의 기분 그래프를 추적하고 정기적으로 체크하여 알려준다.

④ 동기부여와 참여: 사용자를 대화에 참여시키기 위해 매일 또는 격일 개인맞춤형 메시지를 보내 대화를 시작한다. 또한 이모지와 애니메이션이 포함된 긍정적인 메시지를 보내 목표 달성을 장려한다.

---

## 가상 코치를 통한 맞춤형 치료 제공

만성질환의 관리와 치료를 위해 음식 섭취, 신체 활동, 음주, 흡연 등 수년간 축적된 생활습관을 하루아침에 바꾸기란 쉽지 않다. 디지털 치료제는 데이터를 통해 일상생활에서 개인을 관찰하고 분석하여 행동과 인지의 변화를 끌어내도록 개인맞춤형 코칭을 제공할 수 있다는 장점이 있다. 이와 더불어 건강정보 활용 능력을 고려한 행동 변화의 단계별 고려와 건강 위험 요인에 따른 행동 수정을 위한 동기부여, 사회적 또는 정서적 지지, 자기효능감 증진을 위한 환자 중심적 맞춤형 코칭 개발이 이루어지고 있다. 즉 환자의 올바른 건강 행동 촉진과 건강 목표 달성을 위해 언제, 어떻게, 어떤 코칭을 제공하는 것이 가장 효율적인지 고려하는 것이 중요하다. 예를 들어 니코틴 중독 디지털 치료제 개발 시 짧은 메시지를 통해 매일 금연 목표를 상기시키고 주로 담배를 피워왔던 시간, 담배 구입, 흡연 등을 분석하여 금연할 것을 격려하는 메시지를 제공하도록 알고리즘을 개발할 수 있다.

개인맞춤형 치료를 제공하는 방식 또한 중요하다. 치료 순응도 측면에서 일반적인 치료에서도 의사와 환자 간 신뢰관계를 형성하고 환자의 치료 참여 의지를 높이는 것은 매우 중요하다. 디지털 치료제를 통한 가상 코칭은 사람의 직접적인 개입이 전혀 없거나 거의 없이 모바일 앱 등을 통해 제공된다. 그러나 어떠한 상호작용 없이 단순히 맞춤형 치료 콘텐츠를 환자에게 제공하는 것은 심리적, 사회적 관계를 형성하기에 부족할 수 있다. 따라서 환자와 디지털 치료제 사이의 상호작용을 높이기 위해 짧은 텍스트 메시지, 음성, 챗봇, 가상 대화형 에이전트 등 다양한 방법이 사용되고 있다. 특히 가상 대화형 에이전트는 사용자와의 신뢰관계 형성, 장기간의 치료 개입에 대한 순응도 향상 지원, 유머 등을 통해 감성적인 관계를 형성할 수 있다는 이점이 있다.

## 통증 감소 디지털 치료제 가이아헬스

가이아헬스Kaia Health는 근골격계 통증, 만성폐쇄성폐질환, 골관절염 등에 대한 가상 물리 치료를 제공한다.[88]

컴퓨터 비전 기술을 사용하여 동작을 추적하고, 디지털 바이오마커로 움직임의 범위와 균형, 안전성 등을 측정함으로써 개인의 체력 수준과 기타 건강 척도를 결정한다. 측정 결과에 따라 실시간으로 운동을 자동 분석하여 운동 피드백과 목표 기능 평가를 제공한다. 예를 들어 운동 재활동작에 오류가 있을 경우, 어느 부분이 잘못되었고, 어떻게 수정해야 할지 분석하여 메시지를 제공한다. 또한 가이아헬스의 알고리즘은 통증에 대한 신체적, 교육적 정보를 개별 사용자의 수준에 맞춰 조정하여 제공한다. 인공지능을 통한 맞춤형 코칭 서비스와 함께 의료진을 통한 돌봄 서비스를 함께 제공하여 사용자의 참여를 유도하고 올바른 치료를 받을 수 있도록 돕는다.

만성요통 관리를 위한 가이아헬스의 디지털 치료제 임상시험에는 총 1,245명이 참여했다. 기존 치료법 대비 높은 통증 감소와 불안,

우울, 스트레스 개선 효과를 보였다.[89]

## 치료에 게임을 더해 치료를 보다 재미있게

디지털 치료제는 꾸준히 사용해야 치료효과를 볼 수 있다. 하지만 반복적이고 지루한 콘텐츠는 치료 순응도를 낮춘다. 이러한 고민에서 출발한 것이 디지털 치료에 게임화 요소를 더해 치료 동기를 높이는 것이다. 게임화Gamification란 게임이 아닌 분야에 게임이 가진 재미 요소를 접목하는 것을 말한다. 디지털 치료제의 게임화[90]는 주로 전통적인 약물치료로는 한계를 보였던 아동과 청소년의 주의력결핍과잉행동장애ADHD나 노인의 알츠하이머 등 중추신경계질환 분야, 당뇨병이나 심혈관질환 등 만성질환 분야를 중심으로 집중적으로 개발되고 활용되고 있다.

디지털 치료제에 피드백, 동기부여, 보상 시스템 등 다양한 게임화 요소를 접목하여 환자의 지속적인 사용을 유도할 수 있다. 치료 과정 자체를 즐길 수 있고 게임을 완료한 사용자에게 포인트, 경험치, 가상화폐 등을 보상으로 지급하여 성취감을 높일 수 있기 때문이다. 또한 이 보상을 다른 사용자에게 보임으로써 경쟁 심리를 일으키거나 다른 사용자의 참가를 격려할 수도 있다.

2020년 6월 미국의 아킬리가 개발한 레이싱 게임 기반 아동 주의력결핍과잉행동장애ADHD 디지털 치료제 엔데버Rx는 미국식품의약국에서 게임형 치료제로서 첫 승인을 받았다.[91] 국내 기업들도 치매 예방과 인지력 지연 저하를 위한 다양한 게임형 디지털 치료제를 개발하고 있다.

## 게임형 디지털 치료제 루미노바

영국 BfB랩BfB Lab은 영국국가보건서비스NHS의 지원을 받아 불안 장애 아동을 위한 게임형 디지털 치료제 루미노바Lumi Nova를 개발하였으며, 2020년 9월 영국 의약품 및 의료기기규제청MHPRA의 승인을 받았다.[92]

루미노바는 불안 치료를 위한 인지행동치료(노출요법)를 몰입형 게임에 접목하였다. 환아가 보물 사냥꾼이 되어 은하계를 구하고 우주를 탐험하며 다양한 행성의 캐릭터들을 도우면서 현실 세계의 두려움을 극복하는 롤 플레잉 어드벤처 게임이다. 불안 목표와 인지행동치료 단계에 따른 퀘스트가 진행되는 동안 보상을 받을 수 있으며 한 레벨이 끝나면 새로운 레벨로 갈 수 있다.[93]

8주간의 임상시험 결과 게임화 치료에 대한 높은 참여도와 치료 순응도를 보였으며, 게임을 더 자주 할수록 불안 증상이 크게 감소되는 것을 입증하였다.[94]

## 가상 환경에서의 몰입도 높은 치료 제공

정신 치료에 가상현실 기술을 활용하려는 시도는 이전부터 있어

왔다. 노출요법Exposure Therapy은 정신장애 치료에 사용되는 인지행동치료의 한 종류로서 위험을 유발하지 않으면서 공포를 느끼는 상황에 환자를 노출하여 공포를 느끼는 자극에 익숙해지도록 하는 것이다. 가상현실 기기를 활용한 노출요법VRET은 보다 생생한 시각화를 통해 몰입감과 현장감을 높여 환자의 감각 신경을 자극하고 노출요법의 효과를 강화할 수 있다. 또한 안전한 환경에서 진행되고, 강도 조절이 가능하고, 필요한 경우 즉시 중단하거나 동일 조건을 반복하여 훈련할 수 있다는 장점이 있다. 가상현실을 통한 디지털 치료제는 공포증 외에도 우울증, 섭식장애, 약물 중독 등의 정신 치료와 시야장애 교정 등 다양한 분야에서 활용되고 있다.

### 최초의 가상현실 솔루션 버추얼베트남

버추얼베트남Virtual Vietnam은 미국 서던캘리포니아대학교의 정신과 전문의 엘버트 리조Albert Rizzo의 주도하에 개발된 외상후스트레스장애 대상 가상현실 치료제다. 퇴역 군인은 전투 중 발생한 혼란스러운 기억으로 고통받으며 높은 자살률을 기록한다. 버추얼베트남

은 베트남전에 참여했던 군인의 공포감과 트라우마를 완화하기 위해 가상현실로 실제 베트남에 있는 것처럼 시나리오를 구성하여 제공한다. 초기 버전은 시나리오의 종류가 제한적이고 그래픽 수준 또한 높지 않았음에도 불구하고 임상시험 참가자 모두에게 유의미한 효과를 볼 수 있었다.

이후에도 이라크, 아프가니스탄 등 다양한 버전으로 개발되어 여러 병원과 군대에 보급되고 있다.[95]

---

# 3

# 기술의 안정성과 정보 보안이 필요하다

디지털 치료제는 개인정보와 함께 민감한 임상적 데이터를 다양한 환경과 기기에서 관리하기 때문에 높은 수준의 정보 보안과 소프트웨어의 성능이 보장되어야 한다.

디지털 치료제의 성능과 사이버 보안에 대한 우려는 사용성과 신뢰도에 큰 영향을 미친다. 한 여론조사기관의 연구에 따르면, 사용자들은 디지털 헬스케어 이용 시 가장 우려되는 점으로 절반 이상이 '오류 및 오작동 가능성'이라 답했으며 그다음으로 '개인정보 유출 우려'를 꼽았다. 또한 디지털 헬스케어의 활성화를 위해서는 '신뢰성 있는 보건의료 데이터 기반 구축'(39.5%)과 함께 '개인정보 보안 강화'(24.4%), '기술적 불완전성 보완'(22.2%) 등이 필요하다고 답했다.[83]

이와 관련하여 미국식품의약국은 제품 성능 분석PPA, Product Performance Analysis을 지속적으로 모니터링하고 적절한 패치와 제품 업데이트로 소프트웨어 버그와 보안 취약성을 해결할 것을 권고한다.

## 디지털 치료제의 제품 성능 분석의 하위 항목

### 제품 성능 분석

디지털 치료제의 실제 정확도, 신뢰성, 안정성에 대한 결과 분석

| 분류 | 하위 항목 | 내용 |
| --- | --- | --- |
| 안정성<br>보안성 | 사이버 보안 | 사용자의 개인정보를 높은 수준으로 보호한다.<br>디지털 치료제의 기밀성, 무결성, 가용성을 유지한다. |
| 적합성 | 제품 성능 | 실제 사용 환경에서 디지털 치료제가 오류 없이,<br>의도한 대로 작동되는지 성능 평가를 진행한다. |

### 디지털 치료제 제품 성능 우려 요인

◆ 디지털 헬스케어 이용 시 가장 우려되는 점   ◆ 디지털 헬스케어 서비스 활성화를 위해 가장 필요한 부분

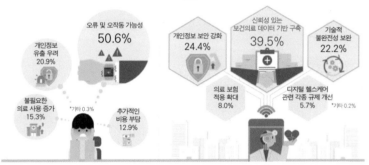

(출처: KDI 경제정보센터, 2021. 02, 디지털 헬스케어에 대한 국민인식조사)

제품 성능과 관련된 2가지 하위 항목으로 사이버 보안Cybersecurity과 제품 성능Product Performance이 있다.

## 사이버 보안

의료가 디지털화되면서 사이버 공격에 대한 위협도 더 커졌다. 디지털 치료제의 사이버 공격은 사람의 생명까지 위험하게 할 수 있어서 특히 주의해야 한다. 환자의 의료 데이터를 다루는 디지털 치료제

**사이버 보안 주요 요소와 예시**

| 분류 | 사이버 보안 예시 |
|---|---|
| 기밀성 | • 인가된 사용자만 접근이 가능하도록 한다.<br>• 목적과 권한에 따라 정보 접근 범위를 제한한다.<br>• 오류 등으로 인해 개인정보가 노출되더라도 해독이 어렵도록 암호화한다.<br>• 수시로 비밀번호 변경 안내를 한다. |
| 무결성 | • 데이터가 위조 또는 변조를 통해 왜곡되지 않도록 한다.<br>• 인가된 사용자만 정보 변경을 할 수 있도록 한다.<br>• 로그 변경 또는 이력을 관리한다. |
| 가용성 | • 의료기기 사용 중 발생하는 사이버 보안 사고에 대한 대응책을 안내한다.<br>• 디도스 공격에 대해 방어한다. |

는 각 규제기관의 사이버 보안에 대한 요구사항을 준수해야 한다. 디지털 치료제의 사이버 보안은 시장 출시 전뿐만 아니라 출시 후에도 환자의 개인정보, 시스템 보안 등을 지속적으로 관리해야 한다. 시장 출시 전 규제기관의 요구사항에 따라 사이버 보안 관점에서 위해 요인을 식별하고, 위험 분석, 평가, 통제 조치를 통해 사이버 보안 침해로 발생할 수 있는 환자의 위해를 경감하고 출시 후에도 안전한 보안을 위해 지속적으로 관리하고 개선해야 한다.

디지털 치료제의 보안은 사이버 공간에서 정보의 기밀성Confidentiality, 무결성Integrity, 가용성Availability을 보존하도록 고려하여 설계되고 평가되어야 한다.[96] 기밀성은 개인 의료 데이터가 허가되지 않은 사람에게 공개되거나 허가되지 않은 용도로 사용되지 않게 하는 기능이다. 무결성은 개인 의료 데이터가 허가되지 않은 방법으로 변환되거나 파괴되지 않게 하는 기능이다. 가용성은 개인 의료 데이터가 승인된 사용자에게 즉시 제공되어야 하며 필요한 때 필요한 곳에서 필요한 형태로 존재하도록 하는 기능이다.

## 제품 성능

디지털 치료제가 의도된 환경에서 환자가 사용하기에 적합한지 확인하고 제품의 정확성, 신뢰성, 안정성을 지속적으로 모니터링해야 한다. 디지털 치료제는 소프트웨어를 기반으로 작동되기 때문에 제품의 오류나 성능의 저하는 환자의 건강에 악영향을 미칠 수 있어 특히 유의해야 한다. 제품수명주기에 걸쳐 디지털 치료제 사용에 따른 허용 불가능한 위험이 발생하지 않고, 의도된 사용 성능을 달성할 수 있도록 '의료기기 제조 및 품질관리 기준'과 '의료기기 위험관리 가이드라인'의 범위에서 개발, 유지, 사용될 것을 권고한다.

디지털 치료제의 허가와 심사를 위해서는 제품의 외형, 구조적 또는 기능적 특성, 운영환경 등의 원재료, 사용 방법 등을 설명하는 기술문서를 먼저 제시해야 한다. 디지털 치료제를 정의하고 개발 계획을 세울 때 위험관리 계획도 동시에 세워야 한다. 즉 소프트웨어가 어떤 기능을 가질 것이고, 어떻게 개발하고 수행할 것인지에 대한 상세 계획을 수립하고, 정상 또는 고장 상태에서의 잠재적 결함을 고려하여 안전한 구조를 설계해야 한다.

디지털 치료제가 설계한 대로 개발되고 나면 주요 기능에 대한 성능 평가를 진행한다. 성능 평가에는 치료 기전과 연관된 주요 기능, 알고리즘, 데이터 모니터링, 데이터베이스의 요구사항과 운영 방법과 유지보수 방법 등이 포함될 수 있다. 성능평가 방법은 제품의 특성을 고려하여 가능한 정량적이고 주체적으로 제시하는 것이 좋다. 또한 시판 후 지속적인 성능분석을 통해 새로운 위험이 발생하거나 기존 제품에 변경 또는 패치가 필요한 경우 빠르게 대응할 수 있어야 한다.

- 디지털 치료제의 사용자 경험을 고려하여 지속적인 사용을
  유도해야 한다.

  : 디지털 치료제의 효과를 보기 위해서는 환자 스스로 꾸준하고 지
  속적으로 사용할 수 있도록 설계되어야 한다.

  : 표적환자의 디지털 문해력, 건강 행동 요인, 심리 요인 등을 잘
  이해해야 하며 게임화 설계, 맞춤형 코치, 몰입도 높은 치료 경험
  제공 등 다양한 기법을 사용하여 최적화된 치료 전달 방안을 설
  계해야 할 것이다.

- 정확하고, 안정적이고, 신뢰도 높은 디지털 치료제를 개발해야
  한다.

  : 디지털 치료제는 개인정보와 함께 민감한 임상적 데이터를 다양
  한 환경과 기기에서 관리하기 때문에 높은 수준의 정보 보안과
  소프트웨어 성능이 보장되어야 한다.

  : 디지털 치료제는 소프트웨어를 기반으로 작동되기 때문에 제품
  의 오류나 성능의 저하는 환자의 건강에 악영향을 미칠 수 있어
  특히 유의해야 한다. 제품 전 사용 주기에 걸친 위험 관리 계획이
  필요할 것이다.

# 6장

# 디지털 치료제는
# 데이터 중심 의학이다

# 1

# 바이오 빅데이터로 맞춤형 치료를 한다

현대의학은 의사의 경험을 체계화하고 과학적 방법론에 따라 분석한 결과를 근거Evidence라는 이름으로 받아들이면서 빠르게 발전하기 시작했다. 이것이 근거 기반 의학Evidence Based Medicine의 태동이다. 엄격한 환경에서 수행되는 임상시험의 결과는 높은 수준의 근거로 인정받고 이를 바탕으로 신약 판매 허가가 이루어진다. 하지만 임상시험은 큰 비용이 들 뿐 아니라 극히 통제된 환경에서 이루어지는 무작위 대조 임상시험이라 실제 진료 환경과는 차이가 있다. 또한 개인의 특성이 무시되고 집단으로 평가하고 검증할 수밖에 없는 한계가 있다.

바이오 빅데이터가 축적되면서 근거 기반 의학은 다음 단계로 발전하고 있다. 유전체 분석 기술이 발전하면서 등장한 정밀의료가 그 예다. 개개인의 유전체가 다르니 이를 기반으로 맞춤형 치료를 시도하게 된 것이다. 유전체 데이터 기반 맞춤형 치료는 유전체와 연관성

**전통 의약품과 디지털 치료제의 가치사슬 차이점**

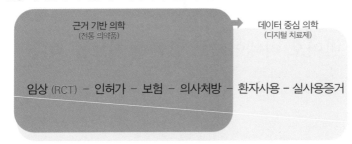

근거 기반 의학
(전통 의약품)

데이터 중심 의학
(디지털 치료제)

임상 (RCT) – 인허가 – 보험 – 의사처방 – 환자사용 – 실사용증거

이 높은 특정 암부터 집중적인 연구와 서비스가 이루어지고 있다. 이를 위한 유전체 데이터 분석용 고성능 컴퓨팅과 유전체 데이터와 임상 데이터를 결합하여 분석하기 위한 플랫폼이 상용화되고 있다.

또 다른 움직임은 실사용데이터를 활용해 실사용증거를 확보하는 것이다. 미국식품의약국은 신약 허가의 조건인 유효성과 안전성에 있어 실물 약보다 안전성이 높은 디지털 치료제에 대해 선판매 승인 후에 실사용데이터를 근거로 유효성을 검증하는 방식을 채택했다. 통제된 환경에서 이루어지는 임상시험 데이터 대신 일반 진료 환경에서 얻은 데이터를 의학적 근거로 사용하자는 것이다. 실사용증거를 확보하기 위해서는 모든 의료기관의 시스템과 환자의 시스템이 연동되어야 한다. 이 방향으로 전 세계의 의료 체계는 변화할 것이다. 이러한 데이터 중심 의학Data Driven Medicine으로 변화하기 위해서는 근거 기반 의학에 비해 엄청난 양의 빅데이터를 분석할 수 있는 인프라, 데이터에 대한 표준화, 빅데이터에 대한 인공지능 분석 기술 등이 필요하다.

데이터 중심 의학의 데이터 구조를 다음과 같은 5가지 데이터 프레임워크로 정리할 수 있다.

① 유전체 데이터: 타깃 질병의 유전율 기준으로 선택적으로 적용 가능하다.

② 임상 데이터: 의사의 진단 결과, 문진, 가족력, 병력, 약물복용 등이다.

③ 바이오마커 데이터: 근거 기반 의학에서 입증된 각 질병별 진료 지침상의 바이오마커이다.

④ 디지털 바이오마커 데이터: 실제 세계에서 입수되는 생리학적 데이터와 행동적 데이터 등으로 음성, 안구 움직임, 보행패턴, 키스트로크 등 웨어러블 기기나 스마트폰을 통해 입수되는 실시간, 연속적, 객관적, 정량적 특성을 가진 질병 특이적 데이터이다.

⑤ 라이프로그 데이터: 실제 세계에서 개인의 활동에 대한 행동적 데이터로 운동, 식습관, 수면, 흡연, 음주, 명상, 사회적 활동 등과 관련된 데이터이며 질병 특이적 데이터는 아니다.

이러한 5가지 데이터 프레임워크 기반으로 데이터를 통합적으로 수집, 전송, 저장, 분석하기 위해서는 데이터 표준화와 인프라, 분석 기술, 보안 기술 등이 확보되어야 한다. 이러한 데이터 중심 의학이 본격화되는 시점에 의사들은 근거 기반 의학의 진료지침과 가이드라인에 따른 진료가 아니라 인공지능 등의 도움을 받아 환자의 특성을 반영한 맞춤형 진료를 하게 될 것이다. 또한 의료 데이터 표준화를 기반으로 한 데이터 중심 의학은 의료 데이터의 비대칭성을 최소화하여 예방의학적 관점에서 각 개인이 스스로, 선제적으로 질병을 관리하는 시대를 만들어갈 것이다.

## 디지털 헬스케어의 5가지 데이터 프레임워크

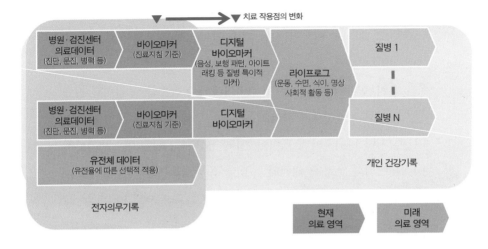

현재의 근거 기반 의학에서는 새롭게 대두되는 디지털 바이오마커를 대부분 반영하지 않고 있다. 향후 데이터 중심 의학이 제시하는 실사용증거가 입증될 경우 디지털 바이오마커를 반영한 임상진료지침이 나올 것으로 보인다. 특히 라이프로그와 상관관계가 높으며 선행 연구에서 입증된 디지털 바이오마커에 대해, 특히 주요 만성질환과 관련된 디지털 바이오마커부터 우선적으로 임상진료지침에 반영될 것으로 보인다. 디지털 바이오마커가 임상 지침에 반영되어 의료 현장에 적용될 때 해당 질병에 맞는 디지털 바이오마커와 디지털 치료제는 동반진단Companion Diagnosis[97] 관점에서 결합된 서비스로 제공될 수 있을 것이다. 즉 디지털 치료제와 디지털 바이오마커가 스마트폰에 탑재된 하나의 단일 앱으로 서비스될 것이다. 그 서비스의 결과를 이용하여 의사가 진단과 치료 방향을 결정하고 치료의 예후를 대시보드로 파악하여 원격진료를 하며, 나아가서는 메타버스 기반

의료서비스를 제공하게 될 것이다. 물론 수술 등의 오프라인 의료서
비스는 당연히 유지되겠지만 예방의학적 디지털 헬스케어 서비스는
온오프라인 융합 서비스로 제공될 것이다.

# 2

# 디지털 치료제는 어떤 질병에 더 유용한가

디지털 앱을 이용하여 인간의 오감 자극을 통해 육체와 정신을 치유하고 오감의 출력을 통한 디지털 치료의 예후를 파악하는 기전은 명확하지 않다. 아킬리는 오감 중 디지털 입력이 상대적으로 용이한 시각, 청각, 촉각을 이용하고 게임화을 통해 순응도를 높이는 디지털 치료제 전략을 추진했다. 하지만 의도된 시각, 청각, 촉각을 통한 입력값이 신경계의 어떤 기전을 통해 뇌의 연결 구조를 변경하여 치료 효과를 높이는지는 지속적으로 연구되어야 할 과제다. 특허에 기반한 독점력을 확보하기 위해서는 새로운 기전의 규명은 필수적이다. 이를 위한 개념 검증은 신규 파이프라인을 개발함에 있어 선결되어야 할 과제다. 즉 디지털 치료와 디지털 예후의 상관관계를 규명할 것이 아니라 인과관계를 규명하여 특허화해야만 해당 디지털 치료제의 미래가 밝다고 볼 수 있다.

디지털 치료제 대표 기업인 페어테라퓨틱스의 파이프라인의 변화를 통해 디지털 치료제가 어떤 질병에 집중해야 하고 어떤 방식으로 연구개발을 해야 되는지 알아보자. 페어테라퓨틱스는 2013년 설립되었다. 2017년 9월 미국식품의약국에서 물질사용장애SUD 병용요법 디지털 치료제인 리셋을 허가받았고, 2018년 12월 오피오이드 중독 디지털 치료제인 리셋-O를 허가받았다. 2020년 3월에는 불면증 디지털 치료제인 솜리스트를 허가받았다. 대표이사는 코리 맥켄Corey McCann 의과학박사로 페어테라퓨틱스 창업 전에 MPM캐피털에서 투자를 담당했고 맥킨지McKinsey & Company에서 제약, 바이오, 의료기기 회사에 대한 사업개발과 인수합병 등을 담당하였다. 특히 중추신경계 전문가 그룹으로 활동했다. 페어테라퓨틱스는 2021년 소프트뱅크SoftBank 비전펀드, 테마섹Temasek, 노바티스Novartis 등에서 약 3,000억 원을 투자받았으며 2021년 12월 기업인수목적회사SPAC 방식으로 나스닥에 16억 달러(1조 9,000억 원)의 기업가치로 상장되었다.

페어테라퓨틱스의 주요 파이프라인은 처방용 디지털 치료제PDT이며 2019년 기업활동IR 자료에서는 13개의 파이프라인을 제시하고 있다. 개념검증POC, Proof of Concept을 완료한 파이프라인은 4개고 미국식품의약국 허가가 완료된 제품은 3개다. 2017년 미국식품의약국이 허가한 리셋은 알코올, 대마초, 코카인, 흥분제 등 특정한 물질의 반복적 사용으로 신체, 인지, 행동 등 다양한 문제가 발생함에도 이를 중단하거나 조절하지 못하는 물질사용장애를 적응증으로 한다.

리셋은 물질사용장애 환자 1,000여 명을 대상으로 기존 약물과 병행하는 병용요법 임상시험을 통해 안전성과 유효성을 입증받아 드노보De Novo 방식[98]으로 허가되었다. 2019년 미국식품의약국 허가

# 2019년 페어테라퓨틱스사의 파이프라인

| PRODUCT/ CANDIDATE | THERAPUTIC AREA | DISCOVERY | POC | FDA PRESUB | PIVOTAL STUDIES | FDA SUBMISSION | FDA AUTHORIZATION | ACADEMIC PARTNER | COMMERCIAL PATNER |
|---|---|---|---|---|---|---|---|---|---|
| reSET | Substance Use Disorder | | | | | | ■ | DARTMOUTH | △ SANDOZ |
| reSET-O | Opioid Use Disorder | | | | | | ■ | DARTMOUTH | △ SANDOZ |
| Pear-003 | Insomnia/Depression | | | | ■ | | | (logo) | |
| Pear-004 | Schizophrenia (Pos Sx) | | | | ■ | | | | ⑪ NOVARTIS |
| Discovery | Cognition | | ■ | | | | | UCSF | |
| Discovery | Epilepsy | | ■ | | | | | | |
| reCALL™ | PTSD | | ■ | | | | | ◉ USC | |
| Pear-007 | Pain | | ■ | | | | | | |
| Discovery | Movement Disorders | ■ | | | | | | | |
| Pear-006 | Multiple Sclerosis | ■ | | | | | | | ⑪ NOVARTIS |
| Discovery | Migraine | ■ | | | | | | | |
| Discovery | Autism Spectrum Disorder | ■ | | | | | | SickKids | |
| Discovery | Oncology, Inflammation, CV, GI, Respiratory | ■ | | | | | | | |

■ PARTNERED  ■ INTERNAL

가 난 리셋-O의 적응증은 부프레노르핀과 같은 마약성 진통제 중독 OUD으로 리셋과 동일한 병용요법으로 허가되었다.

2019년 기업활동 자료에 의하면, 주요 파이프라인으로 2019년 6월 미국식품의약국의 허가 이후 상용화가 이루어진 리셋, 리셋-O가 있다. 2020년 허가가 완료되었지만 2019년 당시는 확증임상Pivotal Study 단계였던 솜리스트(만성 불면증), 페어-004Pear-004(조현병)가 있다. 개념검증POC이 진행 중인 외상후스트레스장애, 인지장애, 통증, 뇌전증 디지털 치료제가 있다. 발견Discovery 단계인 운동장애, 다발성 경화증, 편두통, 발달장애, 암, 염증, 위장장애, 호흡기 질환 등의 디지털 치료제가 있다.

2021년 1월 파이프라인은 미국식품의약국 허가가 완료된 리셋, 리셋-O, 솜리스트와 확증임상 단계인 페어-004, 과민성 대장 증후군IBS[99]과 통증 디지털 치료제, 개념검증이 진행 중인 외상후스트레

**페어테라퓨틱스사의 파이프라인: 음성분석 플랫폼 신규 선정 (2021. 1 기준)**

| PRODUCT/CANDIDATE | THERAPEUTIC AREA | DISCOVERY AND TRANSLATION | POC | PIVOTAL | COMMERCIAL | CONTENT PARTNER |
|---|---|---|---|---|---|---|
| reSET | Substance Use Disorder | | | | ● | DARTMOUTH |
| reSET-O | Opioid Use Disorder | | | | ● | DARTMOUTH |
| Somryst | Chronic Insomnia | | | | ● | ▼ |
| PEAR-004 | Schizophrenia | | ● | | | |
| DISCOVERY | IBS | | ● | | | Karolinska Institutet |
| DISCOVERY | Pain | | ● | | | Firsthand |
| DISCOVERY | PTSD | | ● | | | USC |
| DISCOVERY | Migraine | | ● | | | |
| DISCOVERY | Bipolar Disorder | ● | | | | |
| PEAR-006 | Multiple Sclerosis | ● | | | | |
| DISCOVERY | Epilepsy | ● | | | | |
| DISCOVERY | Specialty GI | ● | | | | .... |
| DISCOVERY | Oncology | ● | | | | |
| PLATFORM | Voice Analytics | ● | | | | |

스장애와 편두통[100] 디지털 치료제, 개념검증이 착수된 양극성 우울증, 다발성 경화증, 위장장애,[101] 암 디지털 치료제로 변경되었다. 또한 발견 단계에 음성분석 플랫폼을 신규로 선정하여 디지털 바이오마커와 연계된 디지털 치료제 인프라를 적극적으로 개발하기 시작하였다.

페어테라퓨틱스는 2019년 이후 외부 연구기관과 제휴를 통한 파이프라인 확장을 추진하고, 인공지능 기반 처방용 디지털 치료제 플랫폼을 지향하고, 빅파마Big Pharma와 연계된 오픈 이노베이션을 추진하고 있다. 과민성대장증후군 디지털 치료제는 스웨덴의 카롤린스카연구소Karolinska Institute, 편두통 디지털 치료제는 신시내티 어린이병원 의료센터Cincinnati Children's Hospital Medical Center, 위장장애는 아

**2021년 8월 페어테라퓨틱스사의 파이프라인: 디지털 바이오마커 플랫폼 추가**

이언우드 제약사Ironwood Pharmaceutical와 협력하여 개발 중에 있다.

그 후 2021년 8월 기준 페어테라퓨틱스사의 파이프라인은 1년 만에 수정되었다. 기존 디지털 바이오마커로서 음성분석 플랫폼이 확장되어 ① 음성, ② 키스트로크, ③ 순응도 센서 ④ 생리학적 모니터링 기술을 개발하고 있다. 이 4가지는 명확하게 디지털 바이오마커로 표기되어 있다. 오픈 이노베이션을 통해 요소 기술을 보유한 외부 전문업체와 제휴를 추진하고 있는 것으로 보인다. 기존 전략이 정신질환을 대상으로 인지행동치료를 하는 디지털 치료제를 개발하고 처방용 디지털 치료제PDT 방식의 병용요법 시장을 대상으로 제품 파이프라인을 확장하는 것이었다면, 변화된 파이프라인은 다양한 기관계를 대상으로 디지털 바이오마커에 기반하여 건강상태를 모니터링하고, 예방의학적 관점의 디지털 치료서비스로 확대하는 전략으로 변경되었다.

# 3

# 디지털 바이오마커와 디지털 치료제가
# 결합한다

　디지털 바이오마커는 건강상태 변화를 감지하는 단계에서 특정 질병의 선별 검사를 진행하는 단계까지 데이터 기반 건강관리 및 진단 도구로 활용될 것이다. 디지털 바이오마커는 데이터 프레임워크에서 본 바와 같이 디지털 기반 임상진료지침의 기반이 될 것으로 보인다. 질병이 발현되기 전 단계에서 정보 처리를 위주로 하는 기관계인 신경계의 변화와 연동된 오감의 변화는 질병 근거를 제시하는 디지털 바이오마커로 활용될 것이다. 디지털 치료제의 성장도 디지털 바이오마커의 발전과 연동되어 본격화될 것으로 예상한다.

## 음성 기반 디지털 바이오마커와 디지털 치료제

　음성으로 건강을 파악하는 손드헬스Sonde Health는 8만 개의 연구 주제와 100만 개의 음성 샘플을 통해 4,000여 개의 음성 특징을 추

### 음성으로 건강을 파악하는 손드헬스사[104]

출하여 6초 이내에 건강상태를 감지할 수 있다고 한다. 손드헬스사의 탄생에는 미 육군이 지원하고 매사추세츠공과대학교MIT의 링컨연구소Lincoln Laboratory에서 진행한 음성 기반 우울증 진단 기술인 '주요 우울장애에 대한 음운론 기반의 디지털 바이오마커'가 기반이 되었다.[102] 이 기술은 2018년 미국 특허청에 등록되었으며 음성의 미세한 변화에서 몇 초 만에 뇌, 근육, 호흡기의 건강을 감지하고 분석하여 우울증 등 정신질환을 진단하는 기술이다.[103] 2015년 아킬리를 설립한 퓨어텍PureTech은 음성 디지털 바이오마커 기술의 라이선스를 받아 자회사인 손드헬스사를 설립하였다.

손드헬스는 음성으로 건강을 진단하는 플랫폼을 개발하고 3,000여 개 주제의 음성 데이터를 수집하여 알츠하이머, 호흡기질환, 심혈관질환 등 다양한 건강 진단 영역으로 확장하고 있다. 유사한 음성 기반 질병 감지 연구로 서던캘리포니아대학교의 창조기술연구소와 미국육군연구소는 공동으로 우울증과 외상후스트레스장애 진단을 지원하는 심센세이SimSensei라는 가상현실 프로젝트를 진행했다.[105] 2016년에 발표된 이 프로젝트는 가상 에이전트인 심센세이와 대화를 통해 음성을 수집하고 음성신호로부터 추출된 스펙트로그램의 특징으로부터 감정을 인식하였다. 스펙트로그램 인코딩은 스택 자동인코더에 의해 수행되고 RNN 알고리즘은 기본 감정의 분류에 사용되었다.

연구팀은 전투에서 복귀한 미군이 정신적으로 괜찮은지를 점검받는데 군인들이 귀환 후 본인들의 문제를 거의 보고하지 않는다는 것을 파악했다. 연구팀은 군인 상담에 인간 의료진 대신 인간과 같은 외모를 가진 디지털 아바타로 심센세이라는 가상 면접관을 투입하여 군인과 상호작용하도록 하였다. 심센세이 도입 이후 군인들이 악몽을 꾸거나 잠을 못 자는 등 건강 문제가 이전보다 많이 줄었다고 보고했다. 2019년 뉴욕대학교의 디미트라 베르기리Dimitra Vergyri 교수팀은 음성분석 인공지능을 이용해 외상후스트레스장애를 89%의 정확도로 진단한 연구를 발표했다.[106] 이와 같이 음성분석과 디지털 아바타를 통해 외상후스트레스장애를 진단하고 치료하는 방법은 디지털 치료제의 개발 전략에 많은 시사점을 준다.

상용화가 기대되는 연구 사례를 몇 가지 들자면 유럽에서는 130여 개의 기업, 대학, 연구기관이 EIT디지털EIT Digita을 설립하여 음성기반 감정 측정 연구의 상용화를 진행하고 있다. 음성분석으로 치매를 진단하는 연구인 델타Delta 프로그램을 상용화하여 임상의를 지원하고 있다.[107]

2018년 스페인 무르시아대학교의 프란시스코 마르티네즈-산체스Francisco Martínez-Sánchez 교수팀은 음성분석을 통한 알츠하이머 진단 연구결과를 발표하였다.[108] 음성은 신경 퇴행 과정에 의해 영향을 받는 기능 중 하나로 알츠하이머의 전임상 단계Preclinical AD Stage를 감별하는 데 사용될 수 있다. 해당 연구에서는 작고 가볍고 저렴한 휴대용 장치를 통해 알츠하이머로 발전할 가능성이 큰 사람들을 선별하는 시제품을 개발하고 자동 음성분석을 통한 진단의 가능성을 살펴보았다.

이스라엘에서는 네메시스코Nemesysco와 비욘드버벌Beyond Verbal이 음성 기반 감정 측정 서비스를 제공하고 있다. 네메시스코는 아미르 리베르만Amir Liberman이 2000년에 설립한 회사로 음성의 다양한 특징에서 비정상을 탐지하고 스트레스, 흥분, 혼란 등의 정서를 분류하는 기술을 개발하였다.[109] 인간의 복잡한 정서적 반응을 대상으로 음성을 이용하여 계층화 분석LVA, Layered Voice Analysis을 진행하고 시각화하는 솔루션을 개발했다. 이 솔루션은 정보기관, 군대, 경찰, 정부기관을 위한 보안 응용 프로그램부터 기업 평가기관, 투자기관, 콜센터, 보험, 금융기관까지 다양한 분야에서 사용하고 있다. 일본의 센트릭Centric은 2017년부터 이 솔루션을 콜센터 시스템에 도입하여 사용하고 있다.

비욘드버벌은 2008년 '음성신호를 이용한 병리현상 진단방법 및 시스템'을 미국 특허청에 등록하였다.[110] 비욘드버벌은 21년에 걸친 여러 연구를 통해 40개 이상의 언어로 250만 개 이상의 감정 태그 음성을 수집하여 감정 분석기를 개발하였다. 또한 감정 분석을 넘어 파킨슨병, 자폐증 등의 신경학적 질환과 심장질환의 진단까지 영역을 확장해 나가고 있다.

일본에서는 히타치시스템즈Hitachi Systems와 엠파스Empath 등이 감정 분석용 음성 인식 연구의 상용화를 진행하고 있다. 히타치시스템즈는 2017년부터 병리학적 상태 분석 및 감성 기술PST, Pathologic Condition Analysis and Sensibility Technology을 기반으로 음성분석을 통한 정신질환의 변화와 조기진단에 도움을 주는 클라우드형 서비스인 마인드 모니터링 시스템MIMOSYS을 상용화하였다.[111] 마인드 모니터링 시스템은 스마트폰을 통해 즉시 사용이 가능하며 전화 등에서 녹음한 음성 데이터를 사용하여 정신건강지수를 분석한다.

우선 음성에서 분노, 슬픔, 기쁨, 평온, 흥분도 등의 정서적 지표를 추출한 후 기쁨과 슬픔에서 생동감을 계산하고 평온과 흥분도에서 이완을 계산하여 활력지수라는 단기 정신건강지수를 계산한다. 이후 2주간 축적된 활력지수에서 정신활동이라는 중기 정신건강지수를 계산한다. 엠파스는 매일 음성을 입력하면 그날의 기분 상태를 측정하는 자신예보(じぶん予報, My Mood Forecast) 앱을 출시하였다. 음성 분석을 통해 자신의 기분 변화를 추적하여 자기 관리를 도우며 회사에서는 팀의 기분 변화를 모니터링하여 직장 분위기를 관리하는 데 도움을 준다.

일본 쓰쿠바대학교 히로카즈 다키가와 교수팀은 2018년 멜-주파수 켑스트럼 계수MFCC, Mel-Frequency Cepstral Coefficient를 이용해 주요 우울증 환자의 음성 음향 특성을 판별하는 연구를 진행했다.[112] 이 연구에서 우울증 환자의 음성 음향인 MFCC2가 정상인과 차이를 보이며 우울증 진단에 음성이 유용한 바이오마커가 될 가능성을 제시하였다. 이처럼 음성을 통한 감정 분석과 질병의 진단과 관련된 연구가 다양하게 진행되고 있으며 다른 기술에 비하여 경제성과 효용성이 높아 향후 빠르게 상용화되고 확대될 것으로 전망된다.

## 인지 기능 디지털 바이오마커와 디지털 치료제

아킬리는 주의 통제를 포함한 특정 인지 기능에 주요한 역할을 하는 것으로 알려진 신경 시스템을 활성화하는 감각과 운동자극을 제공하는 플랫폼 기술을 보유하고 있다. 아킬리는 신경 경로Neural Processing를 향상하여 인지장애를 개선하는 비디오 게임 등 안전하고 효과적이고 확장 가능하고 개인화된 치료를 제공하는 플랫폼 기술을 지속적으로 개발하고 있다.

아킬리가 개발한 엔데버Rx(AKL-T01)은 실시간 자동화된 적응형 인지 중재치료를 제공하는 주의력결핍과잉행동장애ADHD 대상 디지털 치료제다. 주의력결핍과잉행동장애ADHD의 치료를 위해 엔데버Rx를 처방받은 아이들이 앱을 실행하면 장애물을 피하는 게임 화면이 나타난다. 이 화면을 조종, 터치하면서 하루에 5개 코스를 성공적으로 완료해야 한다. 하나의 미션을 완료하면 다음 세상을 탐험하는 미션을 수행한다. 한 번 이용 시 25~30분 정도 걸리고 매주에 5회를 완료하여 한 달 후 첫 번째 치료를 끝내게 된다. 치료를 생략하거나 빠트리는 경우 지속적인 치료가 가능한 리마인드 서비스를 제공한다.

아킬리는 핵심 기술은 다음과 같다.[113]

① 선택적인 자극 관리 엔진SSME: 뇌의 전두엽과 두정엽 영역에서 주로 발생되는 멀티 태스킹과 간섭 과정을 대상으로 주의와 집중을 통제하는 신경 시스템을 관리하는 엔진이다.

## 아킬리사의 핵심 기술[114]

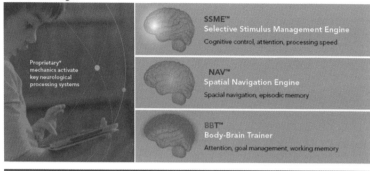

Akili's core technologies

Proprietary* mechanics activate key neurological processing systems

**SSME™**
Selective Stimulus Management Engine
Cognitive control, attention, processing speed

**NAV™**
Spatial Navigation Engine
Spacial navigation, episodic memory

**BBT™**
Body-Brain Trainer
Attention, goal management, working memory

② 육체-뇌 훈련기BBT: 뇌의 전두엽과 소뇌 영역에서 주의력, 충동성, 작업 기억, 목표 관리와 관련된 신경 시스템을 관리하는 엔진이다.

③ 공간 항해 엔진SNAV: 뇌의 해마 시스템이 수행하는 공간 탐색, 기억, 계획, 조직과 관련된 신경 시스템을 관리하는 엔진이다.

2013년 캘리포니아대학교 샌프란시스코캠퍼스UCSF의 연구결과는 특정한 방식의 인지 기능(주의, 집중 등)을 자극하여 선택적으로 뇌신경 기능을 활성화하는 것을 뇌파로 증명하였다. 그 후 아킬리는 이러한 매커니즘을 fMRI, DTI 등 뇌영상Neuroimaging 기술을 적용하여 추가적인 의학적 근거를 확보한 것으로 보인다. 특정 외부 자극과 특정 뇌신경 활성화에 대한 지적재산권과 노하우를 보유하고 있는 것으로 보이지만 핵심 기술인 선택적인 자극 관리 엔진SSME 등에 대한 상세한 논문이나 연구 자료는 아직 발표되지 않았다.

디지털 바이오마커는 건강 상태의 미묘한 변화를 온라인상으로 획득할 수 있는 질병 특이적인 지속적, 객관적, 정량적 데이터로서 질병 예방을 위한 맞춤형 치료의 필수요소가 될 것이다. 갤럭시워치 4에는 다양한 생리적 센서가 탑재되어 심혈관계 바이오마커와 운동 등에 대한 라이프로그를 수집하고 있다. 구글은 베릴리Verily의 스터디워치Study Watch를 통해 건강 상태를 측정하는 프로젝트를 진행하고 있다. 이는 구글의 베이스라인 연구Baseline Study와 연결되어 있다. 2014년부터 진행된 이 연구는 불특정 다수의 참가자로부터 추출한 방대한 생체 데이터를 분석하여 건강의 기준값(베이스라인)을 정의하는 작업이다. 생체 데이터에는 심박수, 소변, 혈액, 침, 눈물 등의 성분까지 포함되어 있다. 현재 1만 명의 피험자를 대상으로 건강 관련 데이터를 수집했다.

기존 의료기관은 건강한 상태에서 질병이 발병한 상태까지 변화하는 디지털 바이오마커 데이터에 대한 기준값 등 체계적인 데이터를 보유하고 있지 않다. 이러한 사례처럼 변화하는 건강 상태에 대한 디지털 바이오마커 데이터를 질병별과 기관계별로 측정하고 디지털 치료제 기업은 이와 연계한 서비스를 개발하여야 한다.

- 글로벌 디지털 치료제 기업의 유연한 개발 전략을 벤치마킹해
  야 한다.
  : 예를 들면 페어테라퓨틱스사의 파이프라인의 변화를 벤치마킹
  하자. ① 오픈 이노베이션을 통한 외부 연구기관 협업. ② 음성
  등 디지털 바이오마커와 디지털 치료제의 융합적 서비스 개발.

- 인과관계에 기반한 기전을 규명하고 지적재산권화해야 한다.
  : 디지털 치료제를 통해 인간의 오감을 자극하여 입력된 정보를 수
  집한다.
  : 의도된 오감 정보의 입력은 타킷으로 하는 질병을 치료한다. 또
  한 치료의 결과를 디지털 치료제를 통해 출력할 수 있다.
  : 의도된 입력과 출력은 치료 기전의 디지털화된 구현이다. 이러한
  인과관계를 반영하고 명시화하여 지적재산권화해야 한다.

- 데이터 중심 의학은 디지털 치료제의 실사용증거를 기반으로
  발전할 것이다.
  : 음성과 같은 디지털 바이오마커가 미래의 임상진료지침에 반영
  되는 시점이 되면 디지털 치료제와 디지털 바이오마커의 융합 서
  비스가 본격화될 것이다.
  : 라이프로그에 대한 근거가 많이 축적된 만성질환과 정신질환부
  터 우선적으로 적용될 것으로 보인다.

# 2부

# 디지털 치료제
# 생태계가 커진다

# DTx

## Digital
## Therapeutics

# 7장

# 디지털 치료제는
# 바이오 산업의 성장 동력이다

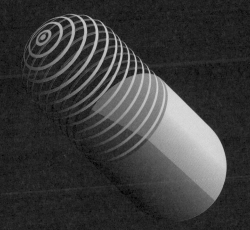

# 1

# 디지털 치료제도 개발 플랫폼 기술을
# 적용해야 한다

신종 코로나바이러스 감염증[115]의 발병으로 전 세계의 생활 방식은 극적으로 변화되었다. 일상생활에서 비대면 문화가 확산됨에 따라 비대면 경제의 가속화는 디지털화와 온라인화를 더욱 심화하게 되었고 뉴노멀New Normal이라는 새로운 표준이 만들어졌다. 이러한 뉴노멀 시대에서 도약적인 경제적 성과를 확보한 대표적인 바이오 기업이 모더나Moderna다.

코로나19에 대한 mRNA 백신 개발에 성공한 모더나와 화이자 Pfizer는 단숨에 백신 시장의 리더로 떠올랐다. 모더나는 2020년 매출액이 8억 달러(약 9,200억 원)였는데 2021년 매출액은 184억 달러(약 22조 원)를 달성했다. 시장조사기관 글로벌 인더스트리 애널리스트Global Industry Analysts는 mRNA 백신 시장 규모가 2021년 649억 달러(약 72조 원)에서 연평균 11.9% 성장하여 2027년에는 1,273억 달러(약 144조 원)에 달할 것으로 내다봤다.

실리콘밸리에서 5,000킬로미터 떨어진 보스턴의 하버드대학교 주변은 의학과 생물학 연구의 본산이다. 모더나도 여기에 위치하고 있다. 모더나는 2011년 창업 이후 10억 달러 이상의 자본을 확보하고 다양한 mRNA 기반 치료제를 개발하고 있다. 모더나는 기존 신약 개발 방식이 아니라 개발 플랫폼[116] 기반 신약 개발 방식으로 연구개발을 하고 있다. 세포핵에 존재하는 DNA의 유전정보를 세포 내 단백질 생산 공장인 리보솜으로 전달하는 mRNA를 이용하여 원하는 단백질을 만들 수 있도록 mRNA를 합성하는 기술을 개발한다. 인간의 유전자에는 약 2만 2,000개의 단백질 구성 명령어가 있다. 이러한 명령어를 바탕으로 인간의 신체는 매일 1조 개의 단백질을 생산한다.

모더나가 초창기에 mRNA 합성 기술을 개발하겠다고 했을 때 투자자와 학자들은 회의적인 반응을 보였다. mRNA는 매우 불안정하기에 통제하는 것이 어렵다고 본 것이다. 하지만 모더나는 mRNA를 통제하는 기술을 개발하여 인체를 치료하는 치료제를 만들기 시작했고 그중 하나가 코로나19 백신이다. 이렇게 원하는 mRNA를 만들 수 있도록 mRNA를 통제하는 기술은 소프트웨어의 프로그램처럼 다른 질병에도 수정하여 재사용할 수 있다. 모더나는 이러한 mRNA를 마치 소프트웨어 프로그램처럼 재사용하여 혁신적인 생산성을 확보한 치료제 개발 플랫폼을 보유하고 있다. 2018년 기준 독감, 지카 바이러스, 암, 에이즈, 심근경색, 간질환 등 다양한 질환을 대상으로 한 16개 신약을 동시에 개발하고 있다. 일반적으로 신약 하나를 개발하기 위해 최소 10년이 걸리고 평균 10억 달러가량 자금이 든다고 한다. 이를 고려할 때 개발 플랫폼 기반 신약 개발의 생산성은 10~20배 이상이라고 볼 수 있다.

2019년 12월 8일 중국 우한의 한 사무직 노동자에게서 코로나바이러스 증세를 처음 확인한 이후 2020년 12월 20일 미국에서 모더나 백신의 최초 접종이 이루어지기까지 약 1년 동안 모더나는 보유한 mRNA 백신 플랫폼에 코로나19의 DNA 정보를 반영하여 백신을 개발하였다. mRNA 백신은 바이러스의 스파이크 단백질 정보를 담은 유전자를 우리 몸속에 집어넣어 항원 생성과 항체 반응을 유도하는 것이다. 하지만 mRNA는 온도나 화학물질 등 주변 환경에 취약하다는 치명적인 단점이 있다. 또 우리 몸속에는 수많은 RNA 분해효소가 존재하는데, 주입한 백신이 항체 생성으로 이어지기 전에 mRNA 백신을 이들 효소로부터 보호해야 한다.

이 때문에 mRNA 백신을 제작할 때는 mRNA 분자를 지질나노입자LNP, Lipid Nano Particle로 감싸는 기술이 필요하다. 모더나는 이러한 요소 기술을 보유하고 있어 범용적인 mRNA 치료제와 백신 개발 플랫폼을 활용하여 새로운 신약을 빠르게 개발할 수 있다. 모더나는 소프트웨어 엔지니어와 바이오 연구자들이 필요한 조합의 단백질을 공동으로 설계하고 임상연구를 완료하는 생산 플랫폼을 구축하여 새로운 치료법이 반영된 제품을 1년 안에 시장에 출시하려고 한다.

신약 개발 트렌드가 합성신약에서 바이오 의약품으로 옮겨가고 있다. 그러다 보니 개발기간과 개발비용이 증가하여 실패 위험을 줄일 수 있는 효율적인 신약 개발 플랫폼 기술이 요구되고 있다. 새로운 치료제를 만드는 개발 플랫폼 기술은 해당 치료제 개발에 실패하더라도 위험 부담을 상대적으로 줄이기 위한 공통기술을 의미하며 신약을 개발하는 바이오 회사가 필연적으로 확보해야 하는 개발 방법이다. 디지털 치료제도 이런 개발 플랫폼 기술을 적용한다면 높은 생산성과 빠른 구현, 개발 실패의 위험을 최소화할 수 있을 것이다.

바이오 산업의 차세대 성장 동력이 될 수 있는 디지털 치료제 산업에서 모더나 사례가 시사하는 점은 디지털 치료제를 개발할 때 개발 플랫폼 기반으로 파이프라인을 설계하는 것이라고 본다.

---

## 신약 개발 플랫폼이란 무엇인가

기존 제약산업에서 공통기술을 플랫폼화하여 개별 파이프라인이 실패할지라도 개발 위험을 최소화하는 방법이 본격화되었다. 다음은 국내 제약사와 바이오 기업이 보유한 신약 개발 플랫폼의 예시다.

① 알테오젠: 약물 전달 기술 중 정맥주사를 피하주사로 대체하는 개발 플랫폼

② 레고켐바이오사이언스: 항체약물결합ADC, Antibody-Drug Conjugate 기술로 약물이 항원에 도달 시 항체와 약물의 결합을 분리하여 표적치료가 가능한 개발 플랫폼

③ 한미약품: 약물 반감기를 줄여 약효 지속시간을 늘리는 '랩스커버리LAPSCOVERY' 개발 플랫폼

④ 셀트리온: 항체약물결합 기술 기반 신약 개발 플랫폼

위와 같은 개발 플랫폼 기술은 다양한 질환 분야로 적용하고 확장할 수 있으며 기술적 진화를 통해 높은 부가가치를 지닌 수익 모델을 확보할 수 있다. 또한 기존 의약품에 적용하여 새로운 후보 물질을 도출할 수 있는 기반 기술로도 작동될 수 있다.

한미약품은 면역항암치료와 표적항암치료가 동시에 가능한 이

중 항체 개발 플랫폼 기술인 펜탐바디PENTAMBODY, 단백질 의약품의 반감기를 늘려 약효를 지속시키고 투약 편의성을 높인 랩스커버리 LAPSCOVERY, 주사용 항암제를 경구용 제제로 바꿀 수 있는 오라스커 버리ORASCOVERY 등의 개발 플랫폼 기술을 보유하고 있으며 자체 파이프라인에 해당 기술을 적용하여 개발하고 있다.

글로벌 디지털 치료제 기업 중 빠른 성장을 하는 페어테라퓨틱스는 2가지 관점으로 개발 플랫폼을 가져간다. 하나는 병용요법을 전제로 기존 약물치료TAU, Treatment As Usual와 병행하는 인지행동치료 기반 디지털 치료제 개발 플랫폼이다. 다른 하나는 디지털 치료 대상자 선별을 위한 검사와 진단 용도의 디지털 바이오마커 개발 플랫폼이다. 페어테라퓨틱스는 공통기술인 인지행동치료 방법을 개발하고 플랫폼화하여 중독뿐만 아니라 통증과 퇴행성질환 등 다양한 질병에 대한 디지털 치료제를 개발하고 있다. 또한 공통기술인 음성, 키스트로크 등의 디지털 바이오마커 개발 플랫폼을 통해 디지털 치료제를 적용할 대상자를 선별하고 치료의 예후를 모니터링한다.

---

미국 나스닥에 상장된 모더나의 2018~2021년 재무제표를 보면, 10년간 투자된 연구개발비 2조 원 대비 2021년 매출이 22조 원 (184억 달러)에 달해 1년 동안 주가가 출렁거렸다. 2021년 매출 22조 원(184억 달러) 대비 영업이익은 15조 8,000억 원(132억 달러)으로 2018년 매출 1.35억 달러(1,620억 원) 대비 영업손실 4.13억 달러 (5,000억 원)와 비교해볼 때 실로 엄청난 변화라고 할 수 있다. 코로나19 특수로 인한 극적인 반전이기는 하지만 mRNA라는 플랫폼 기술에 기반한 지속적인 고성장을 통해 기업가치가 상승할 것이라고

## 2018~2021년 모더나 재무제표(나스닥)

INCOME STATEMENT　　BALANCE SHEET　　CASH FLOW　　FINANCIAL RATIOS

IN USD THOUSANDS
ANNUAL ∨

| Period Ending: | 12/31/2021 | 12/31/2020 | 12/31/2019 | 12/31/2018 |
|---|---|---|---|---|
| Total Revenue | $18,471,000 | $803,000 | $60,000 | $135,068 |
| Cost of Revenue | $2,617,000 | $8,000 | -- | -- |
| Gross Profit | $15,854,000 | $795,000 | $60,000 | $135,068 |
| Operating Expenses | | | | |
| Research and Development | $1,991,000 | $1,370,000 | $496,000 | $454,082 |
| Sales, General and Admin. | $567,000 | $188,000 | $110,000 | $94,252 |
| Non-Recurring Items | -- | -- | -- | -- |
| Other Operating Items | -- | -- | -- | -- |
| Operating Income | $13,296,000 | -$763,000 | -$546,000 | -$413,266 |
| Add'l income/expense items | -$11,000 | $19,000 | $31,000 | $28,858 |
| Earnings Before Interest and Tax | $13,285,000 | -$744,000 | -$515,000 | -$384,408 |
| Interest Expense | -- | -- | -- | -- |
| Earnings Before Tax | $13,285,000 | -$744,000 | -$515,000 | -$384,408 |
| Income Tax | $1,083,000 | $3,000 | -$1,000 | $326 |
| Minority Interest | -- | -- | -- | -- |
| Equity Earnings/Loss Unconsolidated Subsidiary | -- | -- | -- | -- |
| Net Income-Cont. Operations | $12,202,000 | -$747,000 | -$514,000 | -$384,734 |
| Net Income | $12,202,000 | -$747,000 | -$514,000 | -$384,734 |
| Net Income Applicable to Common Shareholders | $12,202,000 | -$747,000 | -$514,000 | -$401,857 |

보는 투자자의 판단이 2021년 동안 상승과 하락을 반복한 주가로 나타난다. 이는 타 산업과 비교해 바이오 산업의 차별성을 보여주는 대표적인 예시다.

# 2

# 바이오헬스 산업은 크고 앞으로
# 더 커질 시장이다

우선 바이오 산업은 무엇이며, 바이오 산업과 헬스케어 산업, 의료 서비스 산업은 어떠한 관계에 있는지 알아보자. 바이오 산업Bioindustry은 생명공학기술Biotechnology을 기반으로 생물체의 기능과 정보를 활용하여 부가가치를 만드는 산업이다.[117] 생명공학기술이란 생물체가 가진 유전, 번식, 성장, 자기 제어, 물질대사 등의 기능과 정보를 이용해 물질 또는 서비스를 가공하고 생산하는 기술을 의미한다. 국가기술표준원이 제정한 바이오 산업 분류코드(KS J 1009, 2016년 12월 29일 개정)에 의하면, 바이오 산업은 생명공학기술을 연구개발, 제조, 생산, 서비스 단계에 이용하는 기업을 포함한다. 이 표준 분류 체계는 대분류 항목 8개와 중분류 항목 51개로 구성되어 있으며 대분류명은 다음과 같다.

코드 1. 바이오의약 산업(biopharmaceutical industry)

코드 2. 바이오 화학·에너지 산업(biochemical and bioenergy industry)

코드 3. 바이오식품 산업(biofood industry)

코드 4. 바이오환경 산업(bioenvironmental industry)

코드 5. 바이오의료기기 산업(bioinstrument and bioequipment industry)

코드 7. 바이오자원 산업(bioresource industry)

코드 8. 바이오서비스 산업(bioservice industry)

디지털 치료제의 경우 5. 바이오의료기기산업 내의 5030. 바이오센서·마커 장착 의료기기, 5000. 기타 바이오 의료기기로 분류되거나, 또는 8. 바이오서비스 산업 내의 8020. 바이오 분석·진단 서비스, 8000. 기타 바이오서비스 산업으로 분류된다. 상세한 내용은 다음의 표와 같다.[118]

바이오 산업과 헬스케어 산업을 합친 '바이오헬스 산업'이란 개념을 정부에서 사용하여 해당 산업에 대한 육성 정책을 수립하고 추진하고 있다.[119] 정부는 '바이오헬스 산업을 생명공학, 의·약학 지식에 기초하여 인체에 사용되는 제품을 생산하거나 서비스를 제공하는 산업을 의미하며 의약품, 의료기기 등 제조업과 디지털 헬스케어 서비스 등 의료·건강관리서비스업을 포함한다'고 정의하고 있다. 그리고 바이오헬스 산업을 "미래 성장 가능성이 높고, 고용효과가 크고, 국민건강에도 기여하는 유망 신 산업으로, 한국은 세계 최고 수준의 정보통신 인프라와 의료 및 병원 시스템, 의·약학 인재, 첨단산업 경험 등의 국제적인 경쟁력을 보유하고 있어 정부는 차세대 성장 산업

## 바이오산업 분류코드(KS J 1009)

| 코드 | 산 업 분 류 명 | 영 문 명 |
|---|---|---|
| 1 | 바이오의약산업 | Biopharmaceutical Industry |
| 1010 | 바이오항생제 | Bio-antibiotics |
| 1020 | 바이오저분자량의약품 | Biologically manufactured low molecular medicine |
| 1030 | 백신 | Vaccines |
| 1040 | 호르몬제 | Hormones |
| 1050 | 치료용항체 및 사이토카인제제 | Therapeutic antibodies and cytokines |
| 1060 | 혈액제제 | Blood products |
| 1070 | 세포기반치료제 | Cell-based therapeutics |
| 1080 | 유전자의약품 | Gene therapeutics |
| 1090 | 바이오진단의약품 | Biological diagnostic products |
| 1100 | 효소 및 생균의약품 | Enzyme and live bacteria medicine |
| 1110 | 바이오소재 의약품 | Biomaterial-based medicine |
| 1120 | 동물용 바이오의약품 | Veterinary biopharmaceuticals |
| 1000 | 기타 바이오의약품 | Other veterinary biopharmaceuticals |
| 2 | 바이오화학 · 에너지산업 | Biochemical and bioenergy industry |
| 2010 | 바이오고분자제품 | Biopolymers |
| 2020 | 산업용 효소 및 시약류 | Industrial enzymes and reagents |
| 2030 | 연구·실험용 효소 및 시약류 | Enzymes and reagents for research |
| 2040 | 바이오화장품 및 생활화학제품 | Biocosmetics and home & personal care chemicals |
| 2050 | 바이오농약 및 비료 | Biological agrochemicals and fertilizers |
| 2060 | 바이오연료 | Biofuel |
| 2000 | 기타 바이오화학·에너지제품 | Other biochemicals and bioenergy |
| 3 | 바이오식품산업 | Biofood Industry |
| 3010 | 건강기능식품 | Functional health foods |
| 3020 | 식품용 미생물 및 효소 | Food-grade microorganisms & enzymes |
| 3030 | 식품첨가물 | Food additives |
| 3040 | 발효식품 | Fermented foods |
| 3050 | 사료첨가제 | Feed additives |

| 코드 | 산업분류명 | 영문명 |
|------|-----------|--------|
| 3000 | 기타 바이오식품 | Other biofoods |
| 4 | 바이오환경산업 | Bioenvironmental Industry |
| 4010 | 환경처리용 생물제제 및 시스템 | Biological treatment agents and systems |
| 4020 | 생물 고정화 소재 및 설비 | Materials and equipments for bio immobilization |
| 4030 | 환경처리, 자원재활용 제제 및 시스템 | Bioenvironmental agents and systems for treatment and recycle |
| 4040 | 환경오염 측정기구 및 진단, 서비스 | Measuring apparatus and service for environmental pollution and assessment |
| 4000 | 기타 바이오환경제품 및 서비스 | Other bioenvironmental products and services |
| 5 | 바이오의료기기산업 | Biomedical equipment industry |
| 5010 | 바이오센서 | Biosensors |
| 5020 | 체외진단 | In-vitro diagnostics |
| 5030 | 바이오센서/마커 장착 의료기기 | Medical devices using biosensors and/or biomarkers |
| 5000 | 기타 바이오의료기기 | Other biomedical equipment |
| 6 | 바이오장비 및 기기산업 | Bioinstrument and bioequipment industry |
| 6010 | 유전자/단백질/펩타이드 분석·합성·생산 기기 | Gene/protein/peptide analysis, synthesis and manufacturing instruments |
| 6020 | 세포 분석·배양 장비 | Cell analysis and cultivation equipments |
| 6030 | 다기능 및 기타 분석기기 | Multi-functional and other bioanalysis instruments |
| 6040 | 연구 및 생산장비 | R&D and manufacturing equipments |
| 6050 | 공정용 부품 | Bioprocess equipment parts |
| 6000 | 기타 바이오장비 및 기기 | Other bioinstruments and bioequipments |
| 7 | 바이오자원산업 | Bioresource industry |
| 7010 | 종자 및 묘목 | Seeds and seedlings |
| 7020 | 유전자변형 생물체 | Genetically Modified Organisms for use as food, feed or processing |
| 7030 | 실험동물 | Other bioresources |
| 7000 | 기타 바이오자원 | Bioservice industry |
| 8 | 바이오서비스산업 | Bioservice industry |

| 코드 | 산업분류명 | 영문명 |
|------|-----------|--------|
| 8010 | 바이오 위탁생산·대행 서비스 | Bio consignment production & procuration services |
| 8020 | 바이오 분석·진단 서비스 | Bio diagnostic and analytical service |
| 8030 | 임상·비임상 연구개발 서비스 | R&D services |
| 8040 | 기타 연구개발 서비스 | Other R&D services |
| 8050 | 가공 및 처리·보관 서비스 | Processing treatment & warehousing services |
| 8000 | 기타 바이오서비스업 | Other bioservices |

으로 육성하려고 한다." 하지만 다른 제조업이나 서비스업과 달리 바이오헬스 산업은 제품 생산까지 연구개발에 장기간이 필요하고 제품 또는 서비스의 소비는 병원, 의사, 환자 등 다양한 이해관계자 사이에서 작동되는 특수성이 있다.

바이오 산업과 의료서비스가 포함된 헬스케어 산업을 합칠 경우 시장 규모를 8,800조 원으로 보고 있다. 이 중 웰니스 헬스케어와 의료서비스가 8,400조 원으로 대부분을 차지하고 있다. 바이오헬스 산업은 IT 산업과 자동차 산업과 비교해 상대적으로 큰 시장일 뿐만 아

**바이오헬스 산업의 타 산업 대비 시장 규모[120]**

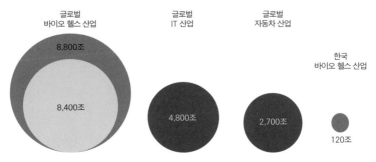

니라 2030년까지 산업 성장률에서도 자동차 1.5%, 조선 2.9%에 비해 4.0%라는 높은 성장률을 보일 것으로 예측하고 있다.[121]

바이오헬스 산업에 포함되는 의료서비스 산업은 국가별로 의료 관련 법과 규제가 별개로 적용되는 국가 의존적 산업의 특징이 있다. 즉 의료보험, 급여체계, 수가, 의약품·의료기기 인허가 등은 해당 국가의 관련 법제도를 따를 수밖에 없다.

# 3

# 디지털 치료제는 의약품이 아닌
# 의료기기로 분류된다

  일반적으로 투자자가 투자를 할 때 주요하게 고려하는 사항 중 하나는 투자수익률ROI, Return On Investment이다. 의약품의 경우 판매가격이 높고 생산원가가 낮아 투자수익률이 높을 가능성이 타 산업의 제품 대비 높다. 또한 지적재산권 등을 기반으로 한 독점적인 제품 생산이 가능한데 관련 법제도에 의해 지적재산권을 보호받을 경우 경쟁자가 적을 수 있다는 특징이 있다.

  예를 들면 애플과 삼성 등 고가의 스마트폰을 만드는 제조사가 주도하는 시장에 중국의 화웨이, 샤오미, 오포 등 저가 스마트폰을 만드는 제조사가 진입하면서 전 세계 시장점유율이 급격히 바뀌었고 가격이 하락하였다. 이 경우 생산원가는 변동 없이 판매가격이 낮아지면 판매 마진이 떨어지고 해당 산업에 참여하는 기업의 투자수익률은 낮아질 수밖에 없다. 이와 유사하게 특허기간이 종료되는 의약품은 독점력이 상실되기 때문에 해당 제약사의 투자수익률도 떨어질 수밖에 없다.

특허권에 기반한 독점력이 유지되는 경우 해당 제약사의 투자수익률은 타 산업의 제조사 대비 높을 수밖에 없다. 하지만 대부분 국가에서 독점은 규제의 대상일 뿐만 아니라 의약품은 공공재의 성격도 가지기 때문에 윤리적 측면과 의료보험 재정을 고려한 정부의 개입이 필연적이다. 그럼에도 불구하고 제약·바이오 기업의 투자수익률은 IT 기업, 자동차 기업 등에 비해 높은 편이다. 특허는 20년간 독점력을 가지기 때문에 해당 기업의 지속적 성장을 보장한다. 디지털 치료제도 치료의 기전에서 확보할 수 있는 특허를 통해 기존 의약품과 유사하게 독점력에 기반한 높은 투자수익률과 지속적 성장력을 확보하는 것이 관건이다.

바이오 산업의 또 다른 차이점은 위험 요소가 크다는 것이다. 신약 개발 성공률은 0.2%이며 전임상단계에서는 1% 정도에 불과하다. 따라서 전임상, 임상1상, 임상2상, 임상3상을 진행하는 각 단계에서 의사결정이 매우 중요하다. 임상1상이 성공했다고 해도 10% 미만이 임상3상을 통과하며 1상에서 허가까지 7년 넘는 기간이 소요된다고 한다. 이에 비해 디지털 치료제는 디지털이란 속성 때문에 기존 의약품 대비 성공률과 소요기간이 달라질 수 있다. 국내 발표 자료에 의하면 디지털 치료제의 임상 소요기간은 상대적으로 짧은 3년 정도로 보는 견해도 있다. 그럼에도 불구하고 기존 의약품과 동일하게 임상 단계별로 위험 관리를 위한 의사결정은 매우 중요하다.

국내 바이오 산업의 대표 종목이었던 헬릭스미스와 신라젠의 글로벌 임상 실패 소식으로 2019년 주식시장이 요동을 쳤다. 지금까지 글로벌 빅파마는 국내 바이오 기업으로부터 전임상 또는 임상1상 단

## 신약 개발 및 인허가 단계별 성공 확률[122]

## 신약 인허가 단계별 성공 확률[123]

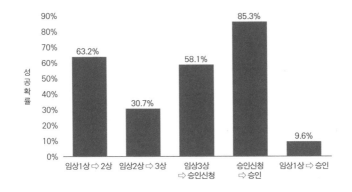

계에서 기술이전을 받거나 해당 회사에 투자를 하여 라이선스를 확
보하는 방식을 일반적으로 선택했다. 헬릭스미스와 신라젠처럼 신
약 상업화의 마지막 관문인 글로벌 임상3상을 독자적으로 진행하는
경우는 드물었다. 상기 2개 회사도 임상3상을 진행하기 전에 단계별
로 개발 중단, 라이선스 아웃, 독자 개발 등 시나리오별 장단점을 분
석한 후 추진하였을 것이다. 하지만 헬릭스미스는 당뇨병성 신경병
증 치료제인 엔젠시스(VM202)의 임상3상을 실패했고, 신라젠은 항

암 치료제 펙사벡에 대한 임상3상을 실패했다. 그러면서 2019년 이후 회사가 어려움에 부닥친 상황이다. 전문가들은 "바이오 벤처가 단독으로 임상3상까지 진행하는 것은 상업화에 확실한 자신이 있거나, 아니면 기술력에 별볼일이 없어 메이저 제약사가 라이선스 인에 별 관심을 가지지 않는 경우입니다."라고 조언한다. 디지털 치료제를 개발하는 바이오 기업의 경우 개발 소요기간이 상대적으로 짧은 만큼 임상 단계별 의사결정을 빠르게 내리기 위한 내부 기준과 전략이 필요하다.

신약 개발의 성공 확률과 관련해서 2016년 발표된 논문인 「제약 산업에서의 혁신Innovation in the pharmaceutical industry」에 의하면 임상 1상에서 최종 승인까지 가는 확률은 9.6%에 불과하다. 디지털 치료제는 미국식품의약국뿐만 아니라 국내 식품의약품안전처의 인허가 가이드라인에 의거하여 의약품이 아니라 의료기기로 분류된다. 상기 논문의 계산 방식을 의료기기에 대입하여 계산할 때 $0.632 \times 0.307 \times 0.581 = 0.11$, 약 11% 내외의 승인 확률이 나온다. 디지털 치료제는 탐색임상에서 확증임상까지 성공 확률이 의료기기와 유사할 것으로 예상된다. 따라서 승인 단계별로 다음 단계의 임상을 어떻게 진행할 것인가에 대한 기업 내 의사결정이 중요하다. 다시 말해 개발 플랫폼 기반 디지털 치료제 파이프라인 전략과 임상 단계별 의사결정 전략이 중요하다.

# 4

# 바이오헬스 산업의 가치사슬이 급속히 변화하고 있다

바이오헬스 산업을 기술 상용화 단계에 따라 가치사슬로 구분할 때 원천기술 개발을 담당하는 생명공학 산업, 검증된 원천기술을 응용하여 약품화하는 제약·바이오 산업, 식품화하는 건강기능식품 산업, 기기화하는 의료기기·웰니스기기 산업으로 나눌 수 있다. 일반적인 바이오 산업은 원천기술을 개발하는 산업과 원천기술을 응용하여 적용한 산업으로 분류할 수 있다.

헬스케어 산업은 발병한 환자를 대상으로 병원 등 의료기관에서 서비스하는 의료서비스 산업과 발병 전 단계에서 건강관리서비스를 제공하는 협의의 헬스케어 산업으로 분류할 수 있다. 그리고 이 두 산업을 포괄하는 광의의 헬스케어 산업이 있다.

광의의 헬스케어 산업 내 하위 분류인 '의료서비스 산업Healthcare Industry or Medicine Industry은 환자들의 병을 치료, 예방, 재활, 완화하기 위한 상품과 서비스를 제공'하는 산업 분야를 통틀어 말한다.[124]

## 기술 발전 단계 기반 바이오헬스 산업의 가치사슬

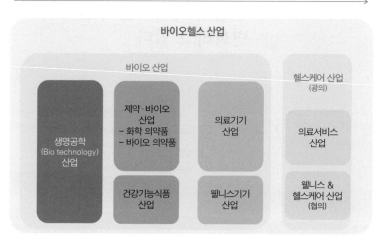

현대 의료서비스 산업은 개인의 건강에 대한 요구를 충족시켜줄 전
문가들로 구성된 학제 간 팀에 따라 여러 분야로 나뉜다. 의료서비
스 산업은 세계에서 빠르게 성장하는 산업 중의 하나로 유엔의 국제
표준산업분류법ISIC에 따라 일반적으로 다음과 같이 분류하고 있다.
'① 병원에서의 활동, ② 의과, 치과의 실습 활동, ③ 기타, 사람들의
건강을 위한 활동을 말한다. 이러한 3가지 분류는 간호사, 조산원, 물
리치료사, 과학실험실, 진단실험실, 병리학 클리닉, 주거보건시설, 그
외 건강과 관련된 직업들, 예를 들어 검안, 수치료, 의료용 마사지, 요
가 치료, 작업 치료, 언어 치료, 발 치료, 유사 요법, 척추지압요법, 침
술 등을 포함한다.' 글로벌산업분류기준GICS과 산업분류벤치마크ICB
로 더 자세히 구분할 수 있다.
  바이오헬스 산업이란 바이오 산업과 의료서비스를 포함한 헬스케

어 산업을 통합한 개념이다. 빅데이터가 중심이 되는 디지털 기술과 생명공학 기술의 융합적 발전과 함께 바이오헬스 산업의 가치사슬이 급속하게 변화하고 있다. 유전체, 임상, 디지털 바이오마커, 라이프로그 데이터 등 개인의 모든 데이터를 통합한 정밀의료가 미래 의료서비스의 모습이다. 하지만 실제 임상 환경에서 이러한 정밀 의료 서비스가 어느 시점에 가능할지는 좀 더 지켜봐야 한다.

# 5

# 디지털 치료제는 바이오와 IT 속성이
# 융합됐다

바이오헬스 산업에서 광의의 디지털 치료제는 기존 가치사슬의 의약품, 의료기기, 웰니스기기, 의료서비스 영역 전체에 걸쳐 있다. 실제로 미국식품의약국 인가를 받은 페어테라퓨틱스의 리셋, 리셋-O 등은 처방용 디지털 치료제PDT로 의사의 처방이 있어야 사용할 수 있는 협의의 디지털 치료제다. 하지만 미국식품의약국의 인허가와 관계없이 웰니스 시장에서 사용되는 눔Noom은 인지행동치료 기반 건강관리서비스로 분류된다. 당뇨병을 관리하는 리봉고Livongo는 당화혈색소를 측정하는 의료기기는 승인을 받았지만, 당뇨병을 관리하는 서비스는 승인과는 무관한 방식의 웰니스 디지털 치료제로 광의의 디지털 치료제로 분류된다. 일반적인 협의의 디지털 치료제는 소프트웨어로서 의료기기SaMD로 분류된다. 이와 관련된 인허가 절차를 완료한 경우에만 의료서비스 시장에 출시될 수 있다.

다음 그림은 바이오 산업 글로벌 투자 자문사인 토레야Torreya가

## 기술 발전 단계 기반 바이오헬스 산업 가치사슬과 디지털 치료제

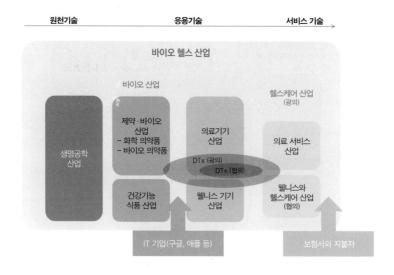

「디지털 치료제와 제약회사의 미래」라는 제목으로 발표한 자료다. Y축은 상단으로 갈수록 의학적 근거가 높아지고, 인허가 기관의 허가를 받았음을 의미한다. X축은 상업화 방식의 유형으로 웰니스 B2C 시장을 공략하는 방식DTC, 의학적 근거를 가진 일반의약품 방식OTC, 의사가 처방하는 디지털 치료제Rx로 구분하여 각 방식을 채택한 주요 디지털 치료제 기업의 포지셔닝을 보여준다.

디지털 치료제는 본질적으로 바이오 속성과 IT 속성이 융합된 제품이다. 근거 기반 치료를 위한 의학적 측면(유효성과 안전성)은 바이오 속성을 가지지만, 시스템으로 구현하고 지속적으로 사용하기 위한 측면(모니터링, 사용자경험, 순응도 등)은 IT 속성을 가진다. 즉 디지털 치료제는 의학적 유효성과 사용자경험UX 기반 사용성이라는 두 마리 토끼를 잡아야 한다. 따라서 바이오헬스 산업의 가치사슬을 바

## 의학적 근거와 인허가 유형별 주요 디지털 치료제의 포지셔닝[125]

꿀 수 있는 디지털 치료제 산업에는 글로벌 제약사인 빅파마와 글로벌 플랫폼 기업인 빅테크가 본격적으로 참여하고 있다. 존슨앤드존슨Johnson & Johnson, 노바티스Novartis, 화이자Pfizer, 로슈Roche, 머크Merck, 애브비Abbvie와 같은 빅파마는 각각 400억 달러(약 50조 원) 이상의 연간 매출을 달성하고 있다. 빅테크는 애플, 구글, 마이크로소프트, 아마존, 페이스북, 알리바바, 텐센트 등이 대표적인데 빅파마보다 훨씬 큰 매출 규모와 상대적으로 높은 영업이익률을 달성하고 있다. 빅테크는 전자상거래, 콘텐츠, 금융 산업과의 융합 전쟁을 이미 승리로 이끌었으며 앞으로 바이오헬스 산업과의 융합 전쟁에서 승자가 되기 위해 준비하고 있다. 그들은 ABC(인공지능AI, 빅데이터Big-data, 클라우드Cloud) 기반 IT 기술을 이용하여 생명공학, 제약, 의료기기, 의료서비스, 웰니스 서비스로 뛰어들고 있다. 그들은 마치 자율주행과 전기차로 대표되는 자동차 산업의 변화, 핀테크로 대표되는

금융 산업의 변화와 유사하게 플랫폼[126]기술을 기반으로 바이오헬스 산업 내에서 경쟁력을 확보하려 할 것이다.

## 인사이트

- **디지털 치료제는 개발 플랫폼 방식으로 추진되어야 한다.**

  : 개발 플랫폼 기반으로 새로운 파이프라인이 지속적으로 개발되어야 한다.

  : 보유한 개발 플랫폼은 경쟁사업자 대비 풍부한 데이터, 혁신적인 기전 모델, 효율적인 재사용성, 정확한 검증 기능을 갖추어야 한다.

- **디지털 치료제는 인허가 단계별 의사결정이 중요하다.**

  : 개념검증, 연구임상, 탐색임상, 확증임상 등 단계별 안전성, 유효성, 순응도 등의 결과를 기반으로 의사결정을 해야 한다.

  : 의사결정 시 선행 연구결과와의 비교, 경쟁업체와의 비교, 의료계의 미충족 수요, 수가 확보 전략 등 다양한 요소를 고려하여야 한다.

  : 인허가 단계별 다음 단계 진행 유무와 라이선스 아웃 또는 공동 개발 등과 관련된 진행 방식 등을 결정하는 것이 중요하다.

  : 디지털 치료제 기전에 기반한 특허를 확보하여 기존 빅파마처럼 지적재산권을 활용한 지속적 성장을 추진해야 한다.

# 8장

# 의료산업 생태계의 변화가
# 시작됐다

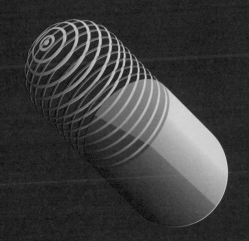

# 1

# 빅파마 주도로 생태계가 재편되고 있다

디지털 기술의 가속화와 더불어 산업 간 융복합화를 의미하는 4차 산업혁명은 기존 산업 가치사슬의 변화뿐만 아니라 새로운 융복합 산업의 생태계를 만들었다. 기업 내부의 주요 활동을 통한 가치 창출이 아니라 기업이 속한 산업, 경쟁 환경, 더 나아가 제3의 산업과의 협력과 공존을 강조하는 기업 생태계적인 접근법이 중요해졌다. 예를 들면 산업의 성숙도가 높은 스마트폰 산업의 경우 애플의 생태계, 삼성의 생태계, 샤오미의 생태계 간 경쟁구조가 만들어졌다. 그들은 CPND(콘텐츠Contents, 플랫폼Platform, 네트워크Network, 디바이스Device)[127] 가치사슬을 각자 기업의 생태계로 만들어 가치를 극대화하고 있다.

바이오헬스 산업은 글로벌 제약사인 빅파마[128]가 오픈 이노베이션과 인수합병을 통해 생태계를 만들고 있었다. 빅파마가 국내 제약·바이오 기업과의 협업에 적극적으로 나서는 것은 생태계의 경쟁력 강화를 위해서다. '퀀텀 점프Quantum Jump'는 물리학 용어로 대약

진을 뜻하는데 경제학에서는 기업의 사업구조나 사업 방식의 혁신을 통해 단기간에 비약적으로 실적이 호전되는 경우를 말한다. 제약사의 퀀텀 점프를 위해서는 그 수단이 되는 신약후보물질을 선점해야 한다. 이런 신약후보물질 선점을 위한 도구로 오픈 이노베이션은 필수적이다. 자금과 인허가 노하우, 제품 개발 기술, 브랜드, 영업망을 갖춘 빅파마는 오픈 이노베이션을 통해 신약후보물질을 찾아 신약 개발기간을 단축하고 있다. 글로벌 컨설팅 기업인 딜로이트가 낸 제약업계의 오픈 이노베이션에 관한 보고서를 보면 오픈 이노베이션을 통한 신약 개발 성공률은 자체 개발보다 3배가량 높다고 한다. 빅파마의 파이프라인 중 외부 기술 도입 비중도 2015년 10%에서 2019년 27%로 증가했고, 특히 항암제 관련 기술 도입 계약은 연평균 약 360건으로 가장 많은 것으로 나타났다.

아울러 빅파마는 오픈 이노베이션을 신약뿐만 아니라 헬스케어 산업까지 넓히고 있다. 다양한 바이오기술BT, 정보기술IT을 보유한 스타트업에 대한 지원과 협력을 통해 빅파마는 전략적으로 헬스케어 기술을 공동 개발하기도 한다. 그렇다면 디지털 치료제를 대상으로 한 빅파마의 생태계는 어떻게 만들어지고 있을까?

2019년 3월 일본의 제약사 시오노기Shionogi는 미국의 디지털 치료제 기업 아킬리와 디지털 치료용 앱인 AKL-T01, AKL-T02 도입과 관련된 계약을 맺었다. AKL-T01은 2020년 6월 미국식품의약국 승인이 완료된 소아 주의력결핍과잉행동장애ADHD 대상 디지털 치료용 앱이며, AKL-T02는 개발 단계에 있는 자폐스펙트럼증ASD, Autism Spectrum Disorder 대상 디지털 치료용 앱이다. 이 계약을 통해 시오노기는 두 개의 치료제에 대한 일본, 대만의 독점적 개발과 판매권

## 시오노기와 아킬리의 제휴 관련 분석 자료

**SHIONOGI & AKILI**

* Akili Interactive is a digital medicine company creating prescription treatments for people living with cognitive dysfunction and brain-related conditions
* Shionogi & Co., Ltd. is a major research-driven pharmaceutical company focused in two therapeutic areas: infectious diseases, and pain/CNS disorders
* Strategic partnership to develop and commercialize AKL-T01 and AKL-T02 in Japan and Taiwan
* AKL-T01 is currently under review with the FDA as a potential digital treatment for children with ADHD; AKL-T02 is in late stage development as a potential treatment for cognitive dysfunction and related symptoms in children with Autism Spectrum Disorder
* Shionogi to oversee clinical development, sales and marketing for both products in Japan and Taiwan
* Shionogi made an upfront payment to Akili of $20 million and Akili will be eligible to receive development and commercial milestones of up to $105 million and royalties on sales of products in Japan and Taiwan

**SHIONOGI**

Strategic Partnership

**.\KILI**

Up to $125 million
March 2019*

**OTSUKA & CLICK**

* Click Therapeutics, Inc. develops and commercializes software as prescription medical treatments through cognitive and neurobehavioral mechanisms
* Otsuka is a global healthcare company with a significant presence in the area of mental health
* Otsuka has agreed to commit capital to fully fund development of Click's novel mobile application CT-152 for Major Depressive Disorder, and to commercialize this application world-wide upon achievement of regulatory approvals
* CT-152 is a software application (app) that will leverage evidence-based cognitive therapy principles and Click's patient engagement platform to treat patients either independently or in conjunction with prescribed pharmacotherapies; the app will be classified as Software as a Medical Device (SaMD)
* Otsuka will pay Click up to $10 million in upfront and regulatory milestone payments, along with an estimated $20 million in development funding. An additional $272 million in commercial milestone payments are contingent upon regulatory approvals and Click will receive tiered, double-digit royalties on global sales of the software and the digital therapeutic applications that result

Otsuka

Collaboration Agreement

CLICK THERAPEUTICS™

Up to $302 million
January 2019*

Source: Press Releases　　　*Torreya did not advise on these transactions

---

을 취득했다. 시오노기는 2020년 매출액 약 3조 970억 원에 순이익 1조 1,678억 원을 달성한 일본의 빅파마다. 미국의 빅파마인 암젠 Amgen과 머크Merck도 아킬리에 투자했다. 국내 제약사 중 한독제약 은 디지털 치료제 기업인 웰트Welt에 30억 원을 지분투자했다.

아킬리는 지분 34.4%를 보유한 퓨어텍PureTech이 창업을 주도하였다. 퓨어텍은 림프계와 면역질환에 집중한 신약 파이프라인을 보유한 제약·바이오 기업으로 아킬리 외에도 다수의 바이오 기업에 투자하여 퓨어텍의 관련 파이프라인은 총 20여 개에 달한다. 그중 다수는 임상 진행 중이다. 퓨어텍의 신경과학자와 의사들은 2013년경 안전한 비침습 방식으로 감각을 자극하여 인지기능과 신경 전달 프로세스에 접근하는 비디오 게임의 효과를 연구하던 중 캘리포니아 대학교 샌프란시스코캠퍼스UCSF의 아담 가즐리Adam Gazzaley 교수가

## 퓨어텍이 투자한 바이오 기업 현황(2020년 퓨어텍 기업활동 자료)

Founded Entities[4]

**Controlling interest or right to receive royalties**

**Limited to equity interest**

Advancing a novel hydrogel platform technology to treat obesity and other chronic metabolic diseases

Interest[5] 19.3% Equity plus Royalties

Stage of Development Commercial Launch

Advancing transformative medicines for people living with psychiatric and neurological conditions

Interest[5] 8.2% Equity plus Royalties

Stage of Development Phase 3 Nasdaq: KRTX

Advancing digital treatments to target cognitive dysfunction associated with conditions across neurology and psychiatry

Interest[5] 33.7% Equity

Stage of Development Commercial Launch

Building a regenerative biology platform for androgenetic alopecia, epithelial aging and other medical indications

Interest[5] 78.2% Equity plus Royalties

Stage of Development Phase 3 Ready

Pioneering a new category of therapies for immune-mediated diseases

Interest[5] 49.5% Equity

Stage of Development Phase 2

Engineering hematopoietic stem cell therapies combined with targeted therapies

Interest[5] 8.6% Equity

Stage of Development Phase 1/2 Nasdaq: Vor

Developing a voice-based technology platform to measure health when a person speaks

Interest[5] 44.6% Equity

Stage of Development Commercial Release

Pioneering inflammation targeted disease immunomodulation

Interest[5] 78.0% Equity

Stage of Development Preclinical

Engineering hydrogels to enable the oral administration of biologics

Interest[5] 72.9% Equity

Stage of Development Preclinical

『네이처』에 발표한 내용을 보게 되었다. 이후 해당 논문에 게재된 지적재산권을 사들여서 사업화를 추진하였다. 다음은 바이오 기업과 전략적인 오픈 이노베이션을 적극적으로 추진하는 퓨어텍이 투자한 기업 현황이다.

**빅파마가 투자 또는 제휴한 디지털 치료제 기업[129]**

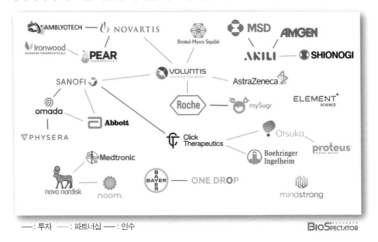

— : 투자   — : 파트너십  — : 인수

BIOSPECTATOR

퓨어텍은 아킬리 외에도 혁신적인 의료기술을 개발하는 다수의 바이오 기업에 대해 오픈 이노베이션 방식의 투자 또는 제휴를 진행하였다. 음성을 이용한 디지털 바이오마커 기술을 개발한 손드헬스 외에도 줄기세포 기반 재생 치료 기술을 개발하는 다수의 바이오 기업을 설립하거나 지분투자를 했다. 노바티스, 페어테라퓨틱스, 로슈와 볼룬티스Voluntis, 사노피Sanofi와 클릭테라퓨틱스Click Therapeutics와 오마다Omada 등 다수의 빅파마와 디지털 치료제 기업 간에 투자 또는 제휴가 진행되었다.

# 2

# 질병 발병 단계별 가치사슬이 변화한다

　의료산업은 질병 치료, 건강 유지, 증진과 관련된 제품 또는 서비스를 생산하고 유통하는 산업으로 의약품 산업, 의료기기 산업, 화장품 산업, 건강기능식품 산업, 의료서비스 산업을 포괄한다. 의료산업에 원천기술 또는 응용기술을 개발하는 바이오 기업을 포함할 때 바이오헬스 산업으로 확장하여 표현할 수 있다.

　의료산업은 진단 또는 치료 중심의 서비스에서 사전 진단, 사전 치료, 건강 유지 서비스까지 확장되고 있다. 지금까지 의료산업은 환자를 대상으로 한 치료 중심 서비스를 제공했다면 새로운 의료산업은 건강한 일반인을 대상으로 건강을 유지하고 관리하는 웰니스 서비스로 확장되고 있다. 이러한 변화로 의료산업과 헬스케어 산업이 융합되고 있으며 개인맞춤형 사전 관리와 치료를 제공하는 예방의학 중심으로 변화하고 있다. 삼성경제연구소가 바라본 헬스케어 산업의 가치사슬의 변화 방향처럼 혁신적인 정보통신기술ICT 기반 디지털

## 헬스케어 산업 가치사슬 변화 방향[130]

(출처: 삼성경제연구소, 2012. 16, 인용·재구성)

## 질병 발병 단계에 따른 가치사슬의 변화 방향

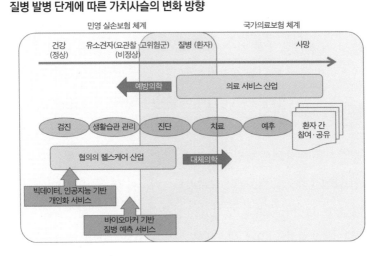

의료기술이 디지털 헬스케어 서비스로 만들어져 제공되고 있다.

가치사슬의 변화는 다양한 관점에서 분석할 수 있다. 그중 하나가 질병 발병 단계 관점에서 분석하는 것이다. 질병 발병 단계는 유전적 요인과 환경적 요인이 상호 작용하여 건강상태가 정상에서 비정상으로 변화하는 단계, 비정상적인 상태가 더 심각해져서 임상진료지침 등 합의된 의학적 기준으로 의사가 질병을 확진하는 단계, 확진 이후 치료하는 단계, 치료 이후 예후를 보는 단계 순으로 정리할 수 있다. 단계별 역할에 따른 부가가치가 반영되어 질병 발병 단계별 가치사슬이 만들어진다.

질병 발병 단계별 가치사슬을 세분화하면 사람의 건강 상태가 정상 또는 비정상인지를 검사하는 건강검진 시장, 비정상적인 건강상태인 유소견자 중 질병 확진을 받은 환자를 제외한 요관찰·고위험군을 대상으로 생활습관 관리서비스를 제공하는 시장, 발병 이후 의사의 진료를 통해 질병을 진단하는 시장, 확진 환자를 대상으로 치료를 제공하는 시장, 치료 이후 환자의 발병 상태를 지속적으로 관리하는 예후 시장 등으로 구분할 수 있다.

우리나라의 국가 단일 의료보험 체계에서는 의사가 질병을 처방하고 그에 따라 치료하는 급여 기반 의료서비스가 지금까지 주된 산업이었다. 현재 질병의 발병 이전 단계에서 요관찰·고위험군을 포함한 유소견자를 대상으로 생활습관 관리서비스를 제공하는 헬스케어 산업이 급성장하고 있다. 특히 원격의료서비스와 연계하여 미국, 유럽, 중국 등은 디지털 헬스케어 산업이 급부상하고 있다. 생활습관 관리서비스를 포함한 디지털 헬스케어 시장은 의료 비용을 지불하는 지불자 역할이 중요하다. 현재까지는 B2C 방식으로 웰니스 서비스가 제공되는 사업은 성공적으로 성장하기가 어려웠다. 지불자가 명확하지 않거나 지불자가 개인일 경우 충분한 구매 동기를 부여하기 어려웠기 때문이다. 웰니스 서비스를 제공하는 헬스케어 서비스에 대해 국가 의료보험의 보조 역할을 하는 민영 실손보험도 지불자 역할을 하고 있지만 아직은 여력이 부족한 상황이다. 2019년 보험업법 시행령 개정과 더불어 디지털 맞춤형 보험상품과 연계한 보험사의 건강증진형 보험상품이 본격화될 것으로 예상된다. 헬스케어 서비스와 연계된 유소견자 보험, 건강증진형 보험에 대한 자세한 설명은 9장과 10장에서 다루었다.

질병 발병 이전 단계를 대상으로 한 협의의 헬스케어 산업(광의의 헬스케어 산업은 발병 이후 단계를 담당하는 의료서비스 산업과 협의의 헬스케어 산업을 모두 포함)은 건강 검진 또는 건강관리서비스를 제공하며 라이프로그, 디지털 바이오마커 등 새로운 디지털 의료 데이터를 수집, 저장, 분석한다. 수집된 빅데이터를 기반으로 인공지능 기술을 적용하여 개인맞춤형 생활습관 개선과 관리서비스를 제공하게 될 것이다. 특히 개인의 디지털 바이오마커를 활용한 건강상태에 대한 모니터링, 예측, 관리가 핵심 서비스가 될 것이다. 보행, 안구 움직임, 심박변이도HRV, 음성, 스마트폰 조작 관련 운동 능력(키스트로크, 터치, 그리기 등) 등의 디지털 바이오마커는 스마트폰 앱 또는 웨어러블 기기를 통하여 수집한다. 질병 특이적 디지털 바이오마커를 활용하여 해당 질병에 대한 유소견자의 건강상태를 지속적, 객관적, 정량적으로 모니터링하고 분석하여 개인맞춤형 헬스케어 서비스를 제공한다. 디지털 바이오마커를 통해 건강상태를 관리하는 발병 이전 단계의 디지털 치료제는 개인맞춤형 서비스로 진화하여 발병을 지연하고 억제하는 효과를 의학적 근거로 확보할 것이다. 이 방식의 디지털 치료제는 대체의학으로서 기존 의료서비스 산업 내로 침투할 가능성이 크다.

반면에 발병 이후를 관리하는 기존 의료서비스 산업은 예방의학적 서비스를 강화하며 발병 이전의 유소견자 시장으로 확장할 것이다. 맞춤의료의 4P 의료 기반 정밀의료서비스를 적극적으로 수용하는 선도적인 병원이 발병 이전 단계의 디지털 헬스케어 서비스를 도입할 것이다. 발병 이전 단계의 생활습관 개선과 관리서비스를 중점

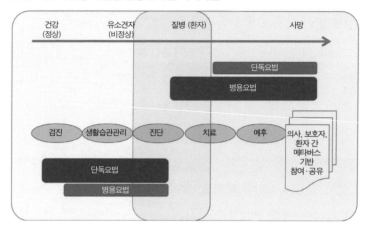

**디지털 치료제 유형과 질병 발병 단계별 가치사슬**

적으로 하는 디지털 치료제 기업은 이러한 협의의 헬스케어 산업의 참여자로서 정밀의료서비스를 도입하는 선도적인 병원과 협업을 진행해야 한다.

즉 디지털 바이오마커 기반 디지털 치료제는 협의의 헬스케어 산업과 기존 의료서비스 산업을 연결하는 마중물 역할을 할 것으로 예상된다. 디지털 치료제의 유형 중 기존 약물을 대체하여 사용하는 단독요법과 기존 약물과 병행하여 사용하는 병용요법이 있다. 아킬리의 엔데버Rx가 대표적인 단독요법 디지털 치료제이며 페어테라퓨틱스의 리셋, 리셋-O가 대표적인 병용요법 디지털 치료제다. 예방의학적 관점의 생활습관 중재치료 등은 현재 의료보험 급여 적용을 받는 치료제가 아니다. 하지만 향후 사용자의 건강증진 활동의 성과에 따라 선택적으로 의료보험의 급여가 적용될 것으로 전망된다.

예를 들면 고혈압 예방을 위한 디지털 치료제를 처방받고 혈압을 낮추지 못하면 급여를 받지 못하는 방식을 말한다. 또한 질병 발병

이전 단계의 생활습관 중재치료 등은 단독요법 유형의 디지털 치료제가 중심이 될 것으로 보인다. 현재의 만성질환에 대한 임상진료지침상으로도 발병 이전 단계의 경우 약물치료보다 생활습관 중재치료를 권고하기 때문이다. 이에 반해 질병 발병 이후 단계는 기존 의료보험 급여체계에서 처방되는 실물약과 병용요법으로 처방되는 디지털 치료제를 사용할 것으로 보인다. 병용요법 디지털 치료제는 실물약과 디지털약에 대한 치료 순응도 향상 효과와 병용 치료효과를 동시에 제공할 수 있어야 한다.

정리하면, 단독요법과 병용요법의 디지털 치료제 유형이 질병 발병 시점 전후로 이분법적으로 적용될 수는 없지만 발병 전은 단독요법 위주로, 발병 후는 병용요법 위주로 이루어질 수 있다.

# 3

# 기술 발전 단계별 가치사슬이 변화한다

　기술 발전 단계는 원천기술, 응용기술, 서비스기술로 구분할 수 있다. 바이오헬스 산업의 가치사슬도 기술 발전 단계별로 구분할 수 있다. 각 단계에서 기술의 실현 가능성, 안전성, 경제성 등이 검증되면 다음 단계로 나아가게 된다. 바이오헬스 산업의 가치사슬에서 설명된 것처럼 생명공학 산업에서 원천기술 측면의 신약후보물질을 탐색하여 개념검증을 진행한 후 이에 대한 안전성을 검증하는 전임상시험을 진행하게 된다. 이 단계에서 응용기술을 담당하는 제약·바이오 산업과 의료기기 산업은 오픈 이노베이션, 인수합병, 기술이전 등을 통해 해당 과정을 공동 또는 단독으로 진행할 수 있다. 바이오헬스 산업과 타 산업과의 주된 차이는 기술 발전 단계별로 인허가 등 법적 규제가 있다는 점이다. 디지털 치료제 기업인 바이오 기업은 이러한 인허가 장벽을 전략적으로 활용하면서 빅 플레이어인 빅파마, 빅테크, 민영보험사와 전략적 제휴를 추진해야 한다.

그다음 응용기술 단계에서 제약·바이오 기업은 1상, 2상, 3상 임상시험을 허가받고 성공하게 되면 판매허가를 받는다. 판매허가와는 별개의 절차로 의료보험에 대한 급여를 신청하여 급여 결정 유무에 따라 수가 적용을 받게 되고 의료기관을 통해 출시하게 된다. 의료기기 산업의 경우 제약·바이오 산업과 비교해 절차가 간소한데 탐색임상(선택적 적용)을 거친 후 품목허가를 위한 확증임상이 성공하면 판매가 가능하다. 마찬가지로 별개의 절차로 급여 신청 후 급여 결정을 받게 된다. 각 산업은 시판 이후에도 시판 후 임상시험(의료기기), 4상시험(의약품)을 통해 유효성과 안전성에 대한 자료를 제출하고 정부의 인허가 관련 관리를 받을 수도 있다. 발병 이전을 다루는 헬스케어 서비스는 전임상시험, 임상시험 등 응용기술 단계의 많은 절차가 생략되거나 간소화되기도 한다.

발병 이후를 다루는 의료서비스 시장은 급여 적용 유무에 따라 의료서비스를 제공하는 병원, 약국 등과 관련한 비즈니스 모델을 확정하게 된다. 우리나라는 식품의약품안전처에서 2015년 '의료기기와 개인용 건강관리(웰니스) 제품 판단기준'을 발표하여 의료서비스 시장과 헬스케어 시장에서 사용되는 의료기기의 의료법 적용 유무에 대한 기준을 제시하였다. 예를 들면 '만성질환자가 자가관리 목적으로 사용하는 제품'은 비의료기기로 적용된다. 디지털 치료제 중 이와 같은 목적의 제품은 의료기기 허가 절차를 진행하지 않고 비의료기기로 진행하는 것이 가능하다. 의료기기로 진행할 때 안전성과 유효성에 대한 충분한 근거가 필요하고 한정된 건강보험 예산으로 인하여 급여 적용 시 높은 수가를 받을 수 없다는 단점이 있다. 반면 의료기기로서 진입 장벽을 확보할 수 있고 사용자의 신뢰를 받을 수 있는 중요한 장점을 얻게 된다. 따라서 디지털 치료제 전략에서 의료기기와 비의료기기라는 제도적 구분 중 무엇을 선택할 것인가는 중요한 의사결정 요소가 된다.

기술 발전 단계 관점에서 디지털 치료제는 바이오헬스 산업의 가치사슬의 어디에 위치할까? 현재는 특정 질병의 기전, 특정 기관계의 메커니즘을 기반으로 개념검증을 하는 후보물질 탐색 단계에도 많은 디지털 치료제 기업이 있다. 이를 응용기술로 상용화하는 단계에도 많은 디지털 치료제 기업이 있다. 의료서비스 산업에 종사하는 의료진이 처방하는 디지털 치료제PDT에 대한 미충족 수요를 제시하여 디지털 치료제를 개발하기도 하고 헬스케어 산업 내에서 사용자들이 미충족 수요를 제시하여 비의료기기 방식으로 디지털 치료제를 개발하기도 한다.

디지털 치료제 시장은 제품수명주기상 도입기에 있다. 그러다 보니 시장 참여자인 기업별로 전문화가 되지 않아 원천기술, 응용기술, 서비스기술을 동시에 개발하는 디지털 치료제 기업이 대부분이다. 장기적으로는 각 기술 발전 단계의 특성에 맞는 전문화된 디지털 치료제 기업이 등장할 것이다. 즉 개념검증을 하는 단계, 임상을 통해 안전성과 유효성을 검증하는 단계, 임상 후 시장 출시를 준비하는 단계, 디지털 치료제 서비스 플랫폼을 기반으로 의료서비스 시장 내에서 의료기관과 연계한 처방-치료-청구-예후 관리서비스를 제공하는 단계별 전문성을 확보한 디지털 치료제 기업들이 각자만의 정체성을 가질 것으로 보인다. 또한 디지털 치료제 기업은 보험사 등 지불자뿐 아니라 서비스의 실사용증거 확보 등을 고려하여 빅테크, 빅파마와 물리적, 화학적 결합을 할 수 있는 생태계 전략을 필수적으로

**디지털 치료제의 기술 개발 단계별 가치사슬**

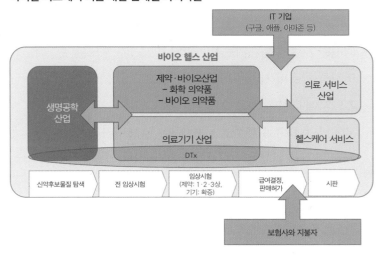

수립해야 한다.

 디지털 치료제를 만드는 기업은 이 산업에 참여하는 환자, 제약사, 지불자, 병원 등 의료서비스 구성원뿐만 아니라 보호자 등 모든 참여자를 고려한 생태계기반 서비스를 제공하여야 한다. 이러한 가치사슬 기반 생태계적 접근법을 통해 참여자별 혜택을 구체화하고 명료한 비즈니스 모델을 확보한다면 자사에 맞는 전략적 제휴 파트너를 선택할 수 있을 것이다.

- 디지털 치료제 생태계는 빅파마와 빅테크가 주도할 것이다.
  디지털 치료제 기업은 파이프라인별로 어떤 생태계를 택할
  것인지에 대한 전략을 수립해야 한다.
  : 빅파마, 빅테크가 주도하는 생태계는 오픈 이노베이션과 인수합
  병이 주요한 도구로 작동되고 있다. 이러한 상황을 고려한 생태
  계 진입 전략이 중요하다.
  : 각 기술 개발 단계에 맞는 생태계의 전략적 파트너를 선택해야
  한다.

- 디지털 치료제와 디지털 바이오마커는 동전의 양면이므로
  개발 플랫폼 방식으로 추진되어야 한다.
  : 디지털 치료제 산업이 성장할수록 질병 특이적 빅데이터와 기전
  을 반영한 전문화된 디지털 치료 기술이 중요해진다.
  : 보행, 안구 움직임, 심박변이도HRV, 음성, 스마트폰 조작 관련 운
  동 능력 등의 디지털 바이오마커를 통해 지속적, 객관적, 정량적
  인 질병 특이적 분석 모델을 확보해야 한다.
  : 디지털 치료제 전략에서 의료기기와 비의료기기라는 제도적 구
  분 중 무엇을 선택할 것인가는 중요한 의사결정 요소다.

# 9장

# 디지털 헬스케어 플랫폼 전쟁이 시작됐다

# 1

# 새로운 플레이어가 새로운 서비스를 제공하고 있다

과거 헬스케어 산업은 제약업과 의료기기기업 등의 제조업과 의료서비스업으로 구분되어 각각의 역할과 시장도 명확히 구분되어 있었다. 지금까지 헬스케어 산업의 생태계는 주로 글로벌 제약사와 병원 등 의료서비스를 공급하는 플레이어들이 이끌어왔고 국가보험과 민영보험이 지불 주체로 강력한 영향력을 행사해왔다. 그런데 인공지능, 빅데이터, 사물인터넷, 블록체인, 클라우드 등 4차 산업혁명 기술이 헬스케어에 접목되어 디지털 헬스케어가 본격화되면서 구분지어진 개별 산업에 변화가 생기기 시작했다.

예를 들면 가정에서 혈당을 체크하고, 의료진이 원격진료를 하고, 서비스 사업자가 지속적으로 혈당을 관리하는 리봉고Livongo는 엄청나게 성장하여 텔라닥Teladoc과 합병한 후 원격진료와 건강관리서비스를 통합적으로 제공하고 있다. 특정 질환의 발병 확률을 예측하는 유전자 검사, 생체나이 검사, 마음건강 검사 등 다양한 검사 서비스가 출시되었다. 이러한 새로운 서비스는 기존 의료서비스 체계에서 분류하기가 모호하다. 이러한 새로운 서비스는 기존 생태계 플레이어가 아니라 새로운 플레이어가 공급하는 경우가 많다.

빅파마의 인수합병과 지분투자 활동을 보면 바이오 기업과 제약사에 집중되어 있었다. 머크와 글락소스미스클라인GSK이 디지털 헬스케어 산업에 적극적으로 투자하고 있다. 하지만 그렇다고 해도 빅파마의 전체 투자 규모에서 디지털 헬스케어에 대한 투자 비중은 미미한 수준이다. 현재 빅파마의 핵심 투자 대상은 항암제 쪽이다. 애브비, 일라이 릴리Eli Lilly, 존슨앤드존슨, 화이자는 신경 퇴화 치료제 개발사인 매그놀리아 뉴로사이언스Magnolia Neurosciences, 암 치료제 바이오테크인 로도테라퓨틱스Lodo Therapeutics, 페트라 제약Perta Pharma, 메루스Merus 등에 공동투자하기도 했다. 빅파마는 디지털 헬스케어에 직접 투자하기보다 신약 개발 프로세스의 효율, 맞춤형 항암제, 만성질환자의 복약 관리 도구 등을 위해 디지털 헬스케어 기술을 활용하는 제휴 방식을 선택하고 있다.

이러한 빅파마의 선택과는 달리 만성질환의 유병률 증대 등으로 인한 보험금 지급 증가와 빅테크 기업들과의 경쟁으로 어려움을 겪고 있는 보험사들은 디지털 헬스케어와 기존 보험과의 융합 서비스를 필연적으로 도입해야 한다. 2012~2017년 글로벌 보험사의 디지털 헬스케어 기업에 대한 인수합병과 지분투자는 전체 투자의 절반을 육박했다. 보험사들은 고객 건강을 증진하여 보험금 지급을 절감하고 고객의 건강 이력을 확보하여 보험상품 설계의 효율화를 기하기 위한 이유에서 고객의 의료 데이터를 활용하고 싶어한다. 가장 적극적인 회사 중 하나가 유럽 최대 보험사인 악사AXA로 의료 데이터

**디지털 헬스케어 도입 후 헬스케어 생태계의 확장[131]**

획득과 원격의료기술 분야를 중심으로 투자하고 있다. 의료 데이터 수집 및 분석 분야에서 스마트폰과 연동되는 휴대용 음주 측정기 업체인 플루미Floome와 원격의료를 지원하는 소프트웨어 분야에서 카이론헬스Chiron Health를 인수했다. 2018년에는 시카고의 원스톱 보험 가입 및 의료비 관리 기업인 마에스트로헬스Maestro Health를 인수하는 등 2015~2018년까지 총 35건의 투자를 진행했다.[131]

# 2

# 빅테크가 디지털 헬스케어 산업에
# 뛰어들고 있다

　헬스케어 산업이 디지털화되면서 시장에 파괴적 혁신을 가져올 주체는 기존 생태계의 참여자보다 새로운 참여자가 될 가능성이 크다. 헬스케어 산업의 경쟁 척도도 빅데이터와 인공지능 등의 IT 기술이 되면서 경쟁우위를 가진 글로벌 IT 기업인 빅테크가 디지털 헬스케어 산업에 본격적으로 참여하였다. 이들은 ABC(인공지능AI, 빅데이터Bigdata, 클라우드Cloud) 역량을 기반으로 IT와 바이오의 융합을 통한 디지털 헬스케어 플랫폼을 확보하고 그에 기반한 사업 전략을 추진하고 있다. 대표적으로 글로벌 IT 기업인 구글, 애플, 아마존, 마이크로소프트, 페이스북, 삼성 등이며, 국내에는 네이버, 카카오와 같은 포털, SKT, KT, LGT 등의 통신사업자, 그리고 보험사 등이 있다. 2016년 한 해만 해도 구글의 모회사 알파벳은 140억 달러, 아마존은 160억 달러, 애플과 페이스북도 이와 유사한 수준의 금액을 헬스케어 연구와 사업에 투자한 것으로 알려져 있다.

## 중국 핑안굿닥터 생태계 개념도[132]

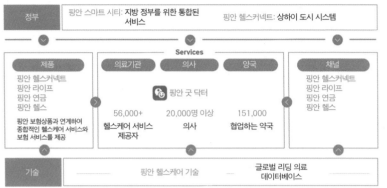

자율적 생태계: 핑안 그룹의 헬스케어 생태계

| 정부 | 핑안 스마트 시티: 지방 정부를 위한 통합된 서비스 | 핑안 헬스커넥트: 상하이 도시 시스템 |

Services

| 제품 | 의료기관 | 의사 | 약국 | 채널 |

핑안 헬스커넥트
핑안 라이프
핑안 연금
핑안 헬스

핑안 보험상품과 연계하여 종합적인 헬스케어 서비스와 보험 서비스를 제공

핑안 굿 닥터

56,000+
헬스케어 서비스
제공자

20,000명 이상
의사

151,000
협업하는 약국

핑안 헬스커넥트
핑안 라이프
핑안 연금
핑안 헬스

| 기술 | 핑안 헬스케어 기술 | 글로벌 리딩 의료 데이터베이스 |

디지털 치료제 기업은 디지털 헬스케어 플랫폼의 변화를 고려한 전략을 구사해야 한다. 다음은 중국에서 4억 명 이상의 사용자를 보유한 원격진료 업체이자 디지털 헬스케어 플랫폼 업체인 핑안굿닥터Ping An Good Doctor의 생태계 개념도다. 개념도에는 생태계의 5가지 구성 요소가 있다. ① 법적, 제도적 장벽이자 변화의 동력인 정부, ② 데이터 기반 제품, ③ 내부 및 제휴 역량 관점의 물류, 의사, 약국, ④ 지불자와 연계된 채널, ⑤ 기반 기술을 설명하고 있다.

구글의 디지털 헬스케어 생태계 전략은 무엇일까? 건강정보 플랫폼을 구축하고 개발자들이 헬스케어 앱을 개발하도록 장려하여 구글 중심의 헬스케어 생태계를 구성하고 장기적으로는 혁신 치료법과 디지털 치료제 개발까지 확장하는 전략이다. 구글의 디지털 헬스케어 사업 전략은 다음과 같이 4가지 방식으로 추진되고 있다.

① 구글 헬스 사업부는 구글핏Google Fit 등 모바일 앱을 이용한 서

비스 플랫폼 사업을 진행하고 있다.

② 베릴리Verily, 칼리코Calico 등 바이오 자회사를 통해 새로운 의료 기술의 상용화를 추진하고 있다.

③ 23앤드미23andMe, 핏빗Fitbit 등 헬스케어 스타트업에 대한 투자와 인수를 통해 기술 내부화와 사업 영역 확장을 추진하고 있다.

④ 구글 브레인Google Brain 프로젝트를 통해 다양한 산업에 적용될 인공지능 앱을 개발하고 있으며 그 결과물을 디지털 헬스케어에 활용할 것이다.

칼리코는 2013년 인간 장수와 관련된 기초 연구를 수행하기 위해 만든 알파벳의 자회사인데 아직까지 외부에 알려진 것이 별로 없다. 2015년 설립한 베릴리는 싱가포르 국부펀드 테마섹홀딩스Temasek Holdings의 투자를 유치한 생명공학 기업으로 바이오 센서, 의학 로봇 등 하드웨어부터 인공지능, 증강현실, 가상현실을 결합한 수술법과 당뇨병, 암, 우울증 등의 치료제 등 다양한 의학 연구와 상용기술 개발을 하고 있다. 글락소스미스클라인GSK과 공동으로 '생체 전류 의학 Bioelectric Medicine' 기술을 적용하여 체내에 이식된 미니 컴퓨터를 통해 신경 경로에 전기신호를 발생시키는 전자약도 공동 연구하고 있다. 베릴리는 건강 데이터 통합 플랫폼에서 임상 데이터, 유전체 데이터, 라이프로그 데이터를 통합하여 건강상태를 모니터링하고, 사전에 정의된 질병 예측 모델에 기반하여 질병을 조기 발견하고 적절한 치료법을 제시한다. 그러기 위해 일상생활에서 비정상 맥박이나 심장 박동을 센서로 모니터링하는 스터디워치를 개발하여 미국식품의약국의 사전인증 파일럿 프로그램에 의해 빠른 승인을 받았다.

구글은 인공지능 스타트업인 딥마인드DeepMind를 인수한 후 의료 서비스를 위한 딥마인드헬스DeepMind Health를 설립하고 영국 국민보건서비스NHS로부터 약 160만 명의 환자 정보를 제공받아 병력과 검사 결과를 분석하여 질병 발병을 예측하고 진단하는 프로그램을 개발하였다. 이를 통해 안과질환, 급성 신장병, 급성질환 등을 예측하는 프로그램을 개발하였다. 2018년에는 딥마인드헬스를 구글헬스에 편입하면서 헬스케어 사업부를 재정비하고 미국의 대형 병원 어센션Ascension 그룹과 '나이팅게일Nightingale'이라는 비공개 프로젝트를 시작했다. 그 결과로 새로운 헬스케어 플랫폼인 구글 핏을 출시하고 소프트웨어 개발 키트SDK, Software Development Kit를 공개하면서 나이키, 샤오미 등 타사 앱으로부터 사용자의 건강정보를 수집하고 있다. 2019년부터는 전자건강기록EHR의 데이터를 활용하여 구글 플랫폼의 건강 관련 검색 기능을 개선하는 연구를 진행 중이라고 밝혔다.

애플은 개인과 의료서비스 공급자들이 원하는 헬스케어 서비스 플랫폼을 만들어서 제공하고 있다. 현재 ① 아이폰과 애플워치로 데이터를 수집한다. ② 헬스Health 앱, 헬스키트Health Kit와 같은 데이터 플랫폼에 저장한다. ③ 질병 연구를 위한 리서치키트Research Kit와 환자 관리를 위한 케어키트Care Kit와 같은 소프트웨어 개발 키트SDK를 연구자와 의료진에게 제공하여 앱 개발 생태계를 구축하고 있다. 다음 단계로 원격의료, 인공지능 기반 가상 코칭, 대화형 챗봇 등 서비스를 제공할 것이다. 생태계에 참여한 플레이어 중 셀스코프Cellscope는 아이폰에 장착하여 귓속 상태를 확인하는 검이경을 개발했고 버터플라이 네트워크Butterfly Network는 휴대용 초음파 검사기기를 개발했다.

2014년 헬스키트 출시 후 아이폰에서 수집한 활동량, 심박수, 몸무게, 혈압, 혈당 등을 존스 홉킨스 병원 등을 포함한 약 200개 병원과 2018년까지 연동하였고 미국의 주요 전자의무기록EMR 업체와도 협력하고 있다. 미국식품의약국 승인을 받아 헬스케어 웨어러블 기기로 발전한 애플워치는 2019년 스위스 시계 전체 판매량보다 많은 판매량을 달성할 만큼 고객 저변을 확대했다. 리서치 키트를 이용하여 노바티스는 다발성 경화증, 화이자는 루프스 증상, 글락소스미스클라인은 류머티즘 관절염을 연구하고 있다. 케어키트는 실시간 환자모니터링 플랫폼으로 수술 후 환자의 복약시간, 드레싱 주기, 운동, 식단 등을 관리하고 공유할 수 있다. 그리고 지난 5년간 인공지능 스타트업과 디지털 헬스케어에 적극적으로 투자하고 있다. 2016년에는 개인 건강 및 진료 기록을 공유할 수 있는 플랫폼 기업인 글림프스Gliimpse를 2억 달러에 인수했다. 2017년에는 심박수, 호흡, 코골이 등을 측정하여 수면패턴을 분석해주는 슬립트랙커Sleep Tracker를 개발한 핀란드 베딧트Beddit를 인수했고 2019년에는 천식 환자모니터링 앱을 개발한 튜오헬스Tueo Health를 인수했다.

아마존은 2018년 JP모건, 버크셔해서웨이Berkshire Hathaway와 헬스케어 기업인 헤븐Heaven을 합작 설립했고 처방 의약품을 우편 배송하는 기업인 필팩PillPack을 10억 달러에 인수했다. 미국 의약품 시장은 제약사에서 환자까지 적어도 3단계 이상의 유통기관이 개입하여 해당 유통기관당 차익이 붙는 복잡한 유통구조를 가지고 있다. 이러한 유통구조 속에서 약국혜택관리기업PBM, Pharmacy Benefit Manager은 보험사에는 보험급여가 지원되는 약품을 제안하고 제약사와는 가격협상을 협상을 통해 마진을 남긴다. 그래서 약국혜택관리기업은 의사와 약사가 효율적으로 약을 처방하도록 약품별 효능과 가격 정보를 제공하고 추천하는 역할을 수행하지만 의약품 소매가를 올리는 주범으로 지목된다. 아마존은 의약품의 유통구조를 단순화하기 위해 약국 혜택관리기업을 새롭게 구성하여 약가를 낮추고 새로운 유통구조로 배송기간을 단축하는 등 처방약 소매시장을 바꾸려고 하고 있다.

아마존은 필팩을 인수하며 미국 50개 주에서 사용 가능한 약국 면허와 의약품 공급망을 얻었다. 2023년 「의약품 공급체인 보안법DSCSA, Drug Supply Chain Security Act」이 실행되어 의약품이 생산자로부터 고객까지 전달되는 유통구조가 투명하게 공개되어야 한다. 아마존은 새로운 유통구조를 제공하여 바뀌는 정부의 법제도를 지원하는 약품 풀필먼트Fulfillment의 아웃소싱 사업을 제약사 대상으로 추진할 수도 있다. 이미 의약품 도매업과 소매업 라이선스를 확보한 아마존은 제약사를 대상으로 「의약품 공급체인 보안법」의 요구조건을 맞추는 풀필먼트 아웃소싱 사업을 진행하기에 유리한 위치에 있다. 또한 생명공학 기업에게 클라우드 서비스 시장점유율 세계 1위인 아마존 웹서비스AWS를 제공하고 있으며 인공지능 스피커 알렉사Alexa를 가정용 건강관리 기기로 활용하는 서비스도 제공하고 있다. 2020년 9월 스마트밴드인 헤일로Halo를 런칭하여 체성분, 목소리, 3D바디스캐닝을 통해 데이터를 수집하고 분석하여 건강관리서비스를 제공하고 있다.

마이크로소프트는 헬스케어 산업 참여자에게 데이터 관리와 분석 도구를 제공하고 있다. 데이터 전문 스타트업에 투자하고 헬스케어 기업과 사업 제휴도 추진하고 있다. 노바티스와 인공지능을 활용하여 신약을 개발하고 보험사 휴마나Humana에 클라우드 플랫폼과 인

## 글로벌 IT기업의 디지털 헬스케어 추진 현황

| 구분·<br>회사 | 서비스명 | 특징 | 비고 |
|---|---|---|---|
| 애플 | 헬스킷<br>(건강정보<br>플랫폼)<br>피트니스<br>+(구독형) | 애플워치 시장점유율 29.3%로 1위(2020년 1분기 IDC), 애플워치 기반 홈트레이닝 결합 구독모델 피트니스+ 2020년 9월 출시<br>헬스킷(2014년 출시) 기반 심전도 정보를 병원과 공유하여 질병 예측 및 우울증 연구 | 애플워치:<br>심전도(ECG), 혈중산소포화도, 혈압, 운동량, 수면시간, 낙상 감지 |
| 아마존 | | 2020년 8월 웨어러블 손목밴드 '헤일로'+ 건강구독관리 서비스 출시<br>(미국심장협회, 메이요클리닉 제휴)<br>2018년 JP모건, 버크셔 헤서웨어와 합작한 헬스케어 '헤이븐' 설립 및 온라인 약국 필팩 인수하여 아마존 파마시 서비스: 처방전을 전송하면 실물약을 배송<br>2019년 건강관리 앱 아마존 케어 및 원격진료 기반 처방전 서비스<br>알렉사〉헤일로〉인공지능 기반 예측 및 배송〉물류창고〉고객분석〉약품배송 | 헤일로:<br>체성분, 목소리, 3D 바디스캐닝 |
| 구글 | | 2019년 11월 핏빗 인수(21억 달러 투자, 북미 2위 사업자, 애플38%, 핏빗 24%)<br>베릴리: 2015년 설립, 수술용 로봇, 원격진료, 헬스케어 데이터 분석 등 전방위 프로젝트 추진, 1) J&J, 사노피 등 글로벌 제약사와 연구 진행, 2) 알콘과 협업을 통한 당 측정 스마트 렌즈 개발, 3) 리프트랩스와의 파킨슨병 환자를 위한 스푼 개발, 4) GSK와 전자약 개발, 5) 사노피와의 당뇨 진단·치료법 개발, 6) 스탠퍼드대학교, 듀크대학교 베이스라인 프로젝트(4년간 1만 명) 추진<br>칼리코: 2013년 9월 설립, 노화 방지, 인류수명 연장 등 생명공학 연구, 유전자 조작을 통해 노화 자체를 막으려는 접근, 1) 애브비와 노화연구 15억 달러 공동 투자, 2) C4테라퓨틱스와 5년간 협력 계약<br>구글벤처스: 미래 먹거리 탐색, 헬스케어 투자 비중 2015년 36%, 67개 기업 투자<br>딥마인드: 2014년 1월 5억 달러에 인수, 인공지능을 이용한 질병 오탐·미탐율 감소 | 핏빗:<br>피부온도, 심박변이도 |

공지능 기술을 제공한다. 클라우드 플랫폼 애저Azure를 통해 환자 의료 기록을 분석하거나 영상분석에 인공지능을 도입하여 의사의 판독을 돕고 증강현실 글래스인 홀로렌즈Hololens를 이용하여 수술 교육을 하는 등 헬스케어 산업의 디지털 전환을 지원하고 있다. 2017년 헬스케어 넥스트Healthcare Next라는 사업부를 만들고 마이크로소프트 지노믹스Microsoft Genomics와 연계하여 유전체 데이터를 활용한 병원용 인공지능 기반 가상 의료 비서 및 병원용 챗봇을 출시했다. 또한 유전자를 분석하고 질병의 원인을 밝혀 치료법을 개발하는 인공지능 소프트웨어를 개발하고 있다. 예를 들면 인공지능이 수천만 편의 의학 논문을 읽고 이해한 인공지능 소프트웨어에 의사가 단백질과 약품명을 입력하면 환자의 상태에 적합한 치료제 조합을 제안하는 방식이다.

# 3

# 헬스케어 산업에 유니콘 기업들이
# 등장하고 있다

헬스케어 유니콘 기업들이 다수 등장했다. 그중 대표적인 기업이 2020년 리봉고헬스Livongo Health를 합병한 텔라닥Teladoc이다. 텔라닥은 2002년 설립된 미국 최초이자 최대 원격의료서비스 기업이다. 2019년 가입자는 3,670만 명으로 매출은 전년 대비 32% 상승한 5.5억 달러를 기록했고 2021년 가입자는 7,600만 명으로 2022년 매출은 26억 달러가 예상된다.[133]

의사가 부족하고 의료 접근성이 낮은 미국에서는 원격의료 수요가 높고 정부의 정책 지원도 이어져 시장이 폭발적으로 성장하고 있다. 텔라닥은 24시간, 365일 서비스되며 인터넷, 화상통화, 전화, 채팅을 통해 의사를 연결하여 진료를 받게 해준다. 환자 만족도가 95%를 넘는데 미국 원격의료 기업 중 가장 높은 수준이다. 텔라닥은 직원들에게 의료보험을 제공하는 기업을 고객으로 유치하여 사용자수에 기반한 정기구독료를 받는다. 2020년 기준 4,000여 개의 기업고객을 확보하였으며 의료비를 절감할 수 있기 때문에 원격의료를 채택하는 기업은 계속 늘고 있다. 또한 20여 개의 보험사, 대형 병원을 고객으로 확보하여 기업고객(지불자)이 납부하는 사용자 수에 기반한 정기구독료 수익과 실제 진료가 발생하면 환자 개인(지불자)이 납부하는 추가적인 진료비 수익이 발생된다. 2014년에는 미국 내 22% 기업만이 직원들에게 원격의료 혜택을 부여했는데 2019년에는 그 비중이 71%로 증가했다.

텔라닥은 매년 새로운 회사를 인수합병하여 덩치를 키워나가며 2020년에는 리봉고헬스를 합병했다. 리봉고헬스는 가정에서 개인이 자가로 당뇨 관리를 할 수 있는 서비스를 제공한다. 환자가 혈당 측정기로 혈당 수치를 측정하면 회사 데이터베이스에 자동 업로드되어 분석되고 환자에게 당뇨 관리 가이드가 제공된다. 이용료는 월 68달러 수준으로 아마존, 마이크로소프트, 코카콜라 등 의료보험을 제공하는 기업이 지불하며 사용자는 20만 명이 넘는다. 2019년에 2018년 대비 두 배가 넘는 1.7억 달러의 매출을 올렸다. 2021년 미국 연방정부 공무원 4만 5,000명이 가입자로 추가될 예정이다. 시카고 병원은 리봉고헬스가 당뇨 관련 비용의 17%, 전체 의료 비용의 11%, 응급실 내원 비율의 21%를 감소하는 등의 효과를 가져왔다고 밝혔다. 미국 전체 의료비의 70% 이상이 만성질환 관련 의료비다. 리봉고헬스 서비스가 의료비 절감 효과를 내자 인기가 급증하고 있다. 미국 성인의 60% 이상은 하나의 만성질환이 있고 40% 이상은 2가지 이상의 만성질환이 있다. 리봉고헬스는 원격의료 기업과 제휴를 맺고 서비스 다각화를 시도하고 있으며 고혈압, 비만, 정신질환으로 사업 영역을 확장하고 있다.

중국의 핑안그룹Ping An Group의 자회사인 핑안굿닥터Ping An Good Doctor는 3억 명의 가입자와 6,300만 명의 월 사용자를 보유하였으며 2018년 75억 달러 가치로 홍콩 증시 상장에 성공했다. 14억 인구의 중국시장에서 3억 명의 가입자를 대상으로 원격의료서비스를 제공하는 기업으로서 그 가치를 인정받았다고 평가된다. 디지털 헬스케어 관련 기업이 증권시장에 상장하는 시점의 기업가치를 산정해 보면, 2013년에 제약사 및 생명공학 기업에 클라우드 컴퓨팅 서비스를 제공하는 비바시스템Veeva Systems이 44억 달러였고 2015년에 구글에 인수된 웨어러블 스마트밴드 제조사 핏빗이 41억 달러였다. 그후 2018년까지는 10억~20억 달러 사이의 인수합병과 기업공개가 다수 이어졌고 2019년에는 총 6개 회사가 상장했다. 그중 역사적으로 4~5위 규모에 해당하는 거대한 기업공개가 이루어졌다. 만성질환 관리서비스를 제공하는 리봉고헬스가 25억 달러, 유전체 분석을 통해 암, 면역학, 신경학 연구를 수행하는 텐엑스지노믹스10X Genomics가 36억 달러에 각각 상장했다.

# 4

# 보험사의 디지털 헬스케어
# 전략은 무엇인가

　빅테크와 디지털 헬스케어 플랫폼의 주도권을 다투는 측면에서 보험사의 디지털 헬스케어 전략을 분석해보자. 국내의 경우 통신사, 스마트폰 제조사, 포털에 비해 건강과 질병에 대한 이해가 상대적으로 높은 대형 손해보험사와 생명보험사가 독자적인 디지털 헬스케어 서비스를 출시하였다.

　삼성화재는 '애니핏'이라는 건강관리서비스를 제공하고 있다. 현재 애니핏2.0은 걷기, 달리기 등 주요 운동을 대상으로 목표를 달성하는 경우 포인트를 제공하고 콘텐츠 전문 업체와 협업하여 골다공증 케어, 건강위험 분석, 건강검진 예약, 스트레스나 우울증 등 마음 건강을 확인할 수 있는 서비스를 제공하고 있다. 골다공증 케어는 골다공증이 발생할 가능성이 높은 위험군에게 골절을 방지할 수 있는 맞춤형 건강정보를 제공하고, 건강위험 분석은 수검자의 건강검진 데이터를 이용하여 의학적 생체 나이와 질병에 대한 위험도 분석을

## 국내 보험사의 디지털 헬스케어 서비스 추진 현황[134]

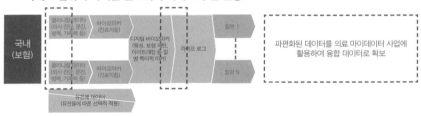

| 구분·회사 | 서비스명 | 특징 | 비고 |
|---|---|---|---|
| 삼성화재 | 건강증진 서비스 '애니핏' | 걷기, 달리기 등 운동 기반 목표달성 포인트를 통합 건강관리로 확장 → 전문업체와의 협업을 통해 ① 골다공증 케어-건강정보, ② 건강위험 분석-생체나이+질병위험도, ③ 건강검진 예약, ④ 마음건강 체크-스트레스, 우울증 자가 진단 등 4가지 서비스군 이용 가능 | 운동달성 적립 포인트는 애니포인트몰에서 사용 가능(보험료 결제 가능) |
| 교보생명 | 건강증진, 건강예측 헬스케어 서비스 '케어' | 건강증진 서비스 (목표걸음 〉 축하 스템프 〉 포인트 전환) 이벤트 사용)<br><br>건강예측 서비스: 심뇌혈관질환 등 10여 개 질환위험도 예측 및 맞춤형 건강관리 방안 제시 → 향후 식단 및 만성질환 관리로 확대<br><br>멘탈케어 서비스 '마음건강', '컬러테라피', '명상', '스마일' 서비스 | 협력병원(40개) 진료기록 조회 후 보험금 청구 지원 |
| 신한라이프 | 헬스케어 플랫폼 '하우핏' | 비대면 퍼스널 트레이닝: 미러링 시스템으로 TV에서 헬스트레이너와 운동, 동작인식, 인플루언서 라이브 클래스로 운동 코칭 및 실시간 피드백 → 구독형 모델로 사용 | KT와 협력(올레 TV 플랫폼 탑재 예정) |
| AIA 생명 | 헬스앤웰니스 플랫폼 'AIA 바이탈리티' | 2018년 도입한 과학기반 행동 변화 프로그램: 건강한 생활습관 목표제시 〉 보험료 할인 및 일상속 혜택, 구독경제 모델 (5,500원) 〉 걷기, 건강식 섭취, 정기 건강검진 등에 따라 최대 20% 할인 제공, 스마트폰 등 데이터 수집 허용 시 | 보험 연계 갤럭시 워치 등 파트너사 제품 및 서비스 이용 가능 |

통해 개인별 건강 위험도를 제공한다. 운동 목표를 달성하는 경우 포인트를 적립해주고, 적립된 포인트는 삼성화재 애니포인트몰에서 현금처럼 사용할 수 있다. 또한 보험료를 결제할 수 있어 실질적으로 보험료가 줄어든다.

교보생명의 '케어' 앱은 건강증진 활동 지원, 건강 예측, 보험금 청구 등의 서비스를 제공하고 있다. 고객이 신청한 목표 걸음수의 달성도에 따라 건강스탬프를 발급하고 이를 포인트로 전환하여 이벤트 등에 사용할 수 있다. 교보생명과 분당서울대병원이 공동으로 개발한 건강 예측 서비스도 제공한다. 자체적으로 개발한 건강 예측 알고리즘을 이용하여 심뇌혈관질환, 암, 치매 등 10여 개 질환에 대한 위험도를 예측하고, 이에 기반한 맞춤형 건강관리서비스를 제공한다. 식단과 만성질환 관리서비스도 연계하여 제공한다. 그리고 서비스 가입자가 지난 10년간 교보생명 헬스케어 의원 및 국민건강보험공단에서 진행한 건강검진 결과도 조회할 수 있다. 이를 통해 어떤 건강검진 수치가 위험한지, 변화 추이가 어떠한지를 볼 수 있다. 한국신용정보원 시스템과 연동하여 교보생명 외에도 타 보험사의 보험 가입 내용을 볼 수 있다. 또한 40여 개 병원과 연동하여 전자의무기록을 공유하여 복잡한 절차가 생략된 간편 보험금 청구 서비스를 제공한다. 이 외에도 마음건강, 컬러테라피, 명상 등 멘탈케어 서비스도 제공한다.

신한생명과 오렌지라이프가 통합하여 출범한 신한라이프는 비대면으로 퍼스널 트레이닝이 가능한 헬스케어 플랫폼인 '하우핏'을 제공하고 있다. 하우핏은 미러링 시스템을 이용하여 헬스 트레이너와 운동을 한다. 스마트폰 카메라로 사용자의 영상을 촬영하면 플랫폼 내 동작인식센서가 사용자의 움직임을 파악해 운동을 제대로 하는지 확인한다. 제대로 운동하지 않으면 횟수가 집계되지 않고 헬스 트레이너로부터 즉시 피드백을 받는다. 하우핏 이용자는 헬스 트레이너 중에서 유명한 인플루언서가 진행하는 실시간 수업에 참여하여 정확한 운동 코칭과 리얼타임 피드백을 받아 운동 효과를 높일 수 있다. 또한 참여자 간 유대감 형성과 경쟁을 위한 실시간 랭킹 시스템 등을 제공한다. 하우핏은 구독형 모델로 보험 계약자나 일반인이 월 이용료를 내면 헬스 트레이너와 수익을 공유하고 건강증진 노력 정도에 따른 보험료 할인 등 혜택을 제공한다. KT와 협업하여 올레 TV에 하우핏을 탑재해 서비스할 예정이다.

AIA생명은 AIA바이탈리티를 오픈하여 과학 기반 행동 변화 프로그램을 서비스하고 있다. 생활습관의 변화를 통해 건강이 유지될 수 있도록 사용자가 제시한 목표를 확정하고 목표를 달성할 경우 보험료 할인과 추가적인 혜택을 제공한다. 월 5,500원의 구독 모델을 가지고 있지만 동적 가격 시스템인 '다이내믹 프라이싱Dynamic Pricing' 을 통해 고객의 건강증진 활동에 따라 보험료를 할인해준다. SK C&C와 SK텔레콤, 삼성전자 등 AIA바이탈리티의 주요 파트너와 함께 서비스를 제공한다. 예를 들어 보험상품을 가입하고 유지할 경우 삼성 갤럭시워치 등 주요 파트너사의 제품과 서비스를 결합하여 제공한다.

보험사의 건강증진형 보험상품과 연계된 헬스케어 서비스가 본격화되면서 헬스케어 자회사를 통한 핵심 서비스의 내부화와 오픈 이노베이션 기반 스타트업에 대한 투자 또는 인수합병이 병행될 것으로 보인다. 건강증진 활동을 측정하여 보험료를 할인해주는 단순한 방식에서 디지털 치료제를 활용하여 유병자 보험 가입자를 대상으로 질병의 발병 위험도를 완화함으로써 보험금 지급 금액을 줄이는 전략이 예상된다. 검증된 의학적 근거를 가진 해당 디지털 치료제는 보험사에게 인기가 있을 것이다.

# 5

# 디지털 치료제의 유통은
# 어떻게 될 것인가

국내 디지털 치료제의 유통채널은 원격진료 등에 대한 법제도적인 규제 속에서 의료기관 및 디지털 헬스케어 플랫폼과 연계한 유통채널이 만들어질 것으로 보인다. 유통채널별 주요 유형은 다음과 같다.

① 대면 상담In-person Consultations: 기존 방식처럼 의사를 대면하고 종이로 처방전을 받아 온오프라인 약국에 제출하는 방식이다. 좀 더 진화한다면 의사가 디지털 치료제를 다운로드할 수 있는 URL(전자 처방전 형태)을 전송하여 해당 URL을 통해 디지털 치료제 앱을 다운로드하는 방식이다.

② 원격진료 파트너십Telehealth Partnerships: 우리나라는 법적으로 금지되어 있다. 코로나19로 인해 한시적으로 원격진료가 제한적으로 가능한 구조다. 미국, 유럽, 중국 등 주요 국가는 원격진료가 본격화되면서 암웰Amwell과 텔라닥과 같은 원격진료서비

스에서 의사가 원격진료를 통해 처방을 제공하면 페어테라퓨틱스의 리셋-O 같은 디지털 치료제 앱을 다운로드하여 사용할 수 있다.

③ 디지털 클리닉Digital Clinics: 예를 들어 힘스앤허스Hims & Hers, 로Ro, 세레브럴Cerebral과 같이 1차의료를 제공하는 원격진료서비스로 원격진료, 환자관리, 약 배송을 원스톱으로 제공하는 유형이다. 디지털 클리닉의 원격진료 사이트에서 처방을 받아 디지털 치료제 앱을 다운로드하여 복용하는 서비스 구조다.

④ 디지털 케어Digital Care, 만성질환 관리Chronic Care 플랫폼: 디지털 클리닉과 유사하지만 원격진료와 약 처방뿐만 아니라 온라인 코칭, 의사 상담, 환자 간 커뮤니티, 디지털 치료제 앱 등 다양한 서비스를 제공하는 플랫폼이다. 해당 플랫폼과 관련된 디지털 치료제를 입점시켜 판매한다.

⑤ 소매 약국Retail Pharmacies: 소매 약국의 약사들이 디지털 치료제에 대해 쉽게 복약 지도를 하도록 서비스 구조를 만들어 제공한다.

⑥ 일반의약품OTC: 디지털 치료제를 처방의약품PDT이 아니라 의사의 처방없이 약국에서 구매할 수 있도록 일반의약품OTC으로 서비스를 제공하는 방식이다.[135]

향후 원격진료가 도입되고 디지털 치료제가 허가된다면 다양한 방식으로 서비스가 도입될 수 있다. 오프라인 병원에서 의사가 발급하는 처방전을 연계된 온라인 약국에 제공하여 온라인 약국에서 디지털 치료제 앱을 다운로드하는 방식, 오프라인 약국이 운영하는 웹사이트에 의사가 발행한 전자 처방전을 제출하고 디지털 치료제 앱을 다운로드하는 방식, 처방전 없이 일반의약품으로 디지털 치료제 앱을 다운로드하는 방식 등이다. 원격진료가 가능해지면 해당 원격진료 플랫폼과 연계된 디지털 치료제 유통채널이 반드시 필요하다. 또한 비의료기기 방식인 웰니스형 디지털 치료제의 경우 디지털 헬스케어 플랫폼과 제휴하여 유통될 것이다.

디지털 치료제 기업은 제품 개발 단계부터 웰니스, 일반의약품, 처방의약품 등 어떤 인허가 과정을 거쳐 디지털 치료제를 서비스를 할 것인지를 결정하고, 이에 따른 유통채널 확보 전략을 추진해야 한다. 스마트폰 제조사, 스마트워치(스마트밴드) 제조사, 통신사, 포털 등이 라이프로그 데이터나 디지털 바이오마커 데이터를 기반으로 생활습관 중재Life-style Intervention 콘텐츠 서비스를 제공할 것이다. 이러한 빅테크 사업자가 생활습관 중재 콘텐츠 플랫폼 기반 유소견자를 대상으로 하는 서비스를 추진할 수 있을지, 과연 그러한 서비스가 법제도적으로 가능한지에 대한 검토가 필요하다. 가능하다면 그러한 플랫폼이 개별 디지털 치료제 기업이 원하는 생태계인지를 판단해야 한다. 처방의약품 기반 디지털 치료제 기업은 원격의료서비스를 제공하는 플랫폼과 제휴 전략을 추진할 것인가? 일반의약품 기반 온오프라인 약국 협업 전략을 추진할 것인가? 웰니스 기반 보험사 등의 디지털 헬스케어 플랫폼과 연계 서비스를 제공할 것인가? 이러한 전략에 따라 디지털 치료제와 플랫폼 간의 연계 구조를 어떻게 가져갈 것인지를 결정해야 한다.

이러한 전략을 결정하는 기준은 ① 제품이 표적하는 질병과 해당 질병의 발병 단계별 특성(발병 시점, 유병률, 질병의 진행 과정에서 가역

**디지털 헬스케어 플랫폼의 주요 플레이어별 전략**

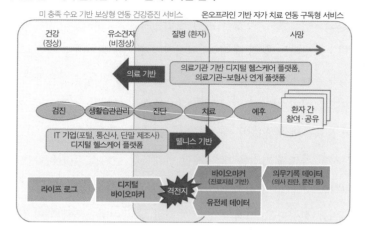

성과 골든타임 구간 등), ② 제품의 신뢰성을 입증할 수 있는 의학적 근
거의 수준과 규모(연구개발 기간 · 비용 · 위험, 진단 AUC, 치료 유효성, 안
전성 등), ③ 초기 단계에 제휴 가능한 디지털 치료제 제품군과 디지
털 헬스케어 플랫폼의 유형(단일 플랫폼, 다면 플랫폼, 다중 플랫폼 등)을
고려하여 추진하여야 한다.

통신사, 단말기 제조사, 포털 등의 빅테크가 주도하는 정상인 또는
유소견자 대상 웰니스 기반 디지털 헬스케어 플랫폼과 의료기관과
보험사가 주도하는 유소견자 또는 환자 대상 메디컬 기반 디지털 헬
스케어 플랫폼은 결국 유소견자 시장에서 본격적인 경쟁을 할 것이
다. 이는 준비된 디지털 치료제 기업에게 선택 가능한 비즈니스 기회
를 부여할 것이다.

# 6

# 데이터 3법과 마이 헬스웨이는
# 어떤 변화를 가져오는가

2020년 2월 4일에 데이터 경제 활성화를 위한 「개인정보보호법」 「정보통신망 이용촉진 및 정보보호 등에 관한 법률」「신용정보의 이용 및 보호에 관한 법률」에 대한 개정안이 2020년 8월 5일 시행되었다. 이 세 가지 법을 데이터 3법이라 칭한다. 데이터 3법은 개인정보의 개념을 명확히 하여 혼란을 줄였고, 데이터를 안전하게 활용하기 위한 방법과 기준 등을 새롭게 마련하였고, 관련 법률의 유사 중복 규정은 「개인정보보호법」으로 일원화하였다.

2017년 스위스 국제경영대학원의 자료에 의하면, 국내 기업의 빅데이터 이용률은 7.5%에 불과하고 빅데이터의 활용과 분석 수준은 전 세계 63개국 중 56위에 그치는 등 우리나라의 데이터 활용 수준은 낮은 편이다. 바이오 의료 분야에서는 한 개인이 일생 동안 1,100 테라바이트TB 이상의 헬스케어 데이터를 만들어낸다. 이 데이터는 행태적, 사회경제적, 환경적 요소로 구성된 외생 데이터(1,100 TB), 유전

**개인정보, 가명정보, 익명정보에 대한 구분[136]**

| 구분 | 개념 | 활용가능 범위 |
|------|------|---------------|
| 개인<br>정보 | 개인을 알아볼 수 있는 정보, 다른 정보와 쉽게 결합해 알아볼 수 있는 정보 | 수집목적과 합리적으로 연관된 범위 내에서 정보주체 동의 없이 개인정보 추가 이용·제공 가능 |
| 가명<br>정보 | 추가정보의 사용 없이는 특정 개인을 알아볼 수 없게 조치한 정보 | 다음 목적에 동의 없이 활용 가능:<br>① 통계작성,<br>② 과학적 연구<br>③ 공익적 기록 보존 등 |
| 익명<br>정보 | 다른 정보를 사용하여도 더 이상 개인을 알아볼 수 없게 조치한 정보 | 개인정보가 아니기 때문에 제한 없이 자유롭게 활용 |

체 데이터(6TB), 임상 데이터(0.4TB) 등이 있다.

개정된 내용을 보면, 「개인정보보호법」은 개정 전에는 개인정보에 관한 개념만 있었으나 법 개정으로 개인정보 외에 가명정보, 익명정보 개념이 도입되었다. 또한 개인정보가 익명화된 경우 「개인정보보호법」을 적용하지 않음을 명확히 하였다.

「정보통신망 이용촉진 및 정보보호 등에 관한 법률」상 개인정보 규정은 「개인정보보호법」으로 이관됨을 전제로 삭제하였고, 「신용정보의 이용 및 보호에 관한 법률」상의 개인신용정보는 가명정보로 처리해 금융 분야의 빅데이터로 활용하는 등의 근거를 마련하였다. 다음은 개인정보 활용의 예시다.

다음은 개인정보 식별자를 제외하여 가명 정보로 만든 예시다. 해당 가명정보만으로는 개인 식별이 불가능하다. 단 암호화된 핸드폰 번호를 복호화하면 개인 식별이 가능하므로 익명정보가 아니라 가명정보에 해당된다.

익명정보는 개인 식별이 완전히 불가능한 상태의 정보다. 즉 복호

**개인정보 예시**

| 이름 | 생년월일 | 핸드폰 | 직장전화 | 자택전화 |
|---|---|---|---|---|
| 홍길동 | 1973년 10월 1일 | 010-1234-5678 | 01-123-0987 | 02-345-6789 |
| **주소** | **직업** | **가족** | **예금 평균잔액** | **대출액** |
| 서울 강남구 테헤란로 100 101동 101호 | 의사 | 배우자 아들1 딸1 | 7,456,346원 | 46,473,572원 |

**가명정보 예시**

| 이름 | 생년월일 | 핸드폰 | 직장전화 | 자택전화 |
|---|---|---|---|---|
| – *삭제 | – *삭제 | qwerty12 *암호화 | – *삭제 | – *삭제 |
| **주소** | **직업** | **가족** | **예금 평균잔액** | **대출액** |
| 서울 강남구 *범주화 | – *삭제 | 배우자 아들1 딸1 | 7,456,346원 | 46,473,572원 |

화될 수 있는 식별자 자체가 없는 경우다. 가명정보는 통계 작성, 과학적 연구, 공익적 기록 보존의 3가지 목적으로 이용하고 제공할 수 있으며 전문기관에서 기업 간 데이터 결합을 할 수 있도록 정보집합물의 결합 근거를 마련하였다. 이 외에 개인정보 처리자의 책임성 강화와 개인정보 보호 추진체계의 효율화를 명문화하였다.

보건복지부와 개인정보보호위원회는 보건의료산업에 가명정보를 어떻게 적용할 것인가에 대한 '보건의료 데이터 활용 가이드라인'을 2020년 9월 5일에 공개하였다. 이 가이드라인을 통해 보건의료 데이터의 가명 처리기준, 방법, 절차 등을 제시하여 가명 처리 후 관련 정보의 오남용을 방지하고 현장의 혼란을 최소화하였다. 개인정보 처리자는 '가명정보 처리 가이드라인'에서 제시하는 대로 개인정

**가명 처리 방법에 대한 예시[138]**

| 원 개인정보 | | 가명정보 |
|---|---|---|
| | ① 안전한 가명처리<br>방법이 있을 경우 | 가명정보 |
| | ② 안전한 가명처리<br>방법이 없을 경우 | 안전한 가명처리방법<br>개발 시까지 유보<br>(동의에 의해서만 가능) |

보를 처리하여야 하며,[137] 기본 원칙을 따라 처리하되 건강정보와 관련해서는 보건의료 데이터 활용 가이드라인이 우선 적용된다. 가명 처리 방법은 안전한 가명 처리가 불명확한 경우 본인 동의는 필수다. 예를 들면 인체 내부 영상인 초음파 사진은 가명정보로 사용이 가능하다고 명시되었으나 개인 식별이 기술적으로 가능할 수 있는 음성 정보는 판단을 유보하고 가명정보로 제공 시 본인 동의가 필수인 항목으로 규정하고 있다.

주요 유형별 가명 처리 방법은 식별자가 있는 경우 개인을 식별할 수 있으므로 삭제 또는 일련번호로 대체하여야 하며 인적사항 중 주소, 생년월일 등은 부분 삭제하여 식별력을 감소시킨다. 검사 결과 측정 수치 및 의료인이 관찰하고 입력하는 정보, 알고리즘 생산 정보 등도 원칙적으로는 별도 조치 없이 활용할 수 있다. 의도적 결합을 제외하고는 개인 식별이 불가능한 경우인 체외 및 체내 영상도 삭제하거나 모자이크 등 가명 처리를 한 후 활용할 수 있다. 유전체 데이터는 널리 알려진 질병에 관한 유전자 변이 유무 또는 변이 유형 등의 일부 유형을 제외하고는 개인의 동의를 받아 활용할 수 있다. 인종 또는 민족에 관한 유전체 데이터의 경우도 별도 조치 없이 활용할 수 있다.

가명 처리 및 활용 절차는 내외부 요청이 발생하면 기관 자체의 데이터 심의위원회를 만들고 해당 위원회의 심의를 거쳐 가명 처리

## 보건의료 데이터 가명 처리 및 활용 절차 개요[139]

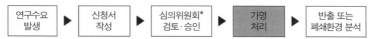

* (심의위원회) 기관 내외부의 가명정보 활용 및 제공 여부, 가명처리 적정성 등 심의

## 보건의료 데이터 결합 및 활용 절차 개요

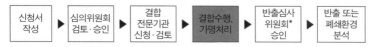

* (반출심사위원회) 결합 전문기관 내 설치되어 처리 목적 및 재식별 가능성 등을 심사

후 제공하거나 활용하게 된다.

가명정보 결합 및 활용 절차 중 서로 다른 기관 간 데이터를 결합하려면 인가된 결합 전문기관을 통해 데이터를 결합 후 반출 심사를 거쳐 제공하거나 활용할 수 있다.

가명정보의 3가지 이용목적 중 과학적 연구에 산업적 연구가 포함된다. 산업적 연구에는 새로운 기술, 제품, 서비스의 연구개발 또는 개선 등이 포함되어 있어 해당 목적을 가진 기업에게 가명 정보를 제공할 수 있다. 즉 병원 등 의료기관에서 보유한 의료 데이터를 디지털 치료제를 개발하는 민간기업에게 가명 정보 방식으로 제공할 수 있다. 물론 가명 정보 제공에 대해 해당 의료기관의 데이터 심의위원회에서 승인해야 한다. 과학적 연구에 대한 입증 책임은 가명정보를 처리할 자가 해야 되고 원 개인정보 치리자가 가명정보 활용 여부를 최종적으로 결정해야 된다. 원 개인정보 처리자는 가명정보를 제공받는 자에 대한 제한을 둘 수는 없으나 제공받는 자가 과학적 연구를 하지 않고 다른 목적으로 이용할 가능성에 대해 파악할 수는 있다. 관련 법령의 이 부분은 애매하지만 원 개인정보 처리자의 책임을 규정하면서 가명정보를 제공받는 자에 대한 통제를 강조하고 있다.

데이터 3법 개정 후 가명정보 기반 보건의료 데이터에 대한 공유가 가능해지면서 보건복지부는 보건의료 데이터 공유 활성화를 위한 '마이 헬스웨이' 서비스를 진행하고 있다. 마이 헬스웨이란 개인이 자신의 건강정보를 본인이 원하는 곳에 모아서 개인의 건강정보를 원하는 대상에게 데이터를 제공하고 직접 활용할 수 있도록 지원하는 국가 주도 시스템이다. 데이터 보유 기관에서 데이터 활용 기관으로 개인이 동의한 개인의 건강정보가 흘러가는 고속도로 역할을 마이 헬스웨이가 수행한다. 2021년 2월 24일 보건복지부가 '마이 헬스웨이(의료 분야 마이데이터) 도입 방안'을 발표하여 마이 헬스웨이 플랫폼을 활용한 의료 분야 마이데이터 생태계를 조성하겠다고 했다. 진료 기록, 의사 처방 등의 의료기관 진료 정보와 맥박, 혈당 등 개인의 건강정보, 건강보험 내역 등 공공기관이 보유한 다양한 의료 데이터를 개인의 동의를 전제로 조회, 저장, 제공할 수 있도록 하고 정보의 소유자인 개인이 필요한 활용 기관에 제공하여 진료와 건강 관리서비스 등을 받을 수 있도록 지원한다. 이 플랫폼은 개인의 건강 정보 유출을 방지하기 위해 인증 식별 체계를 기반으로 보안을 강화하여 데이터 안전성을 확보하였다고 한다.

정부는 마이 헬스웨이의 성공적인 추진을 위해 4대 분야 12개 핵심 과제를 정해 긴밀하게 민관 협력 체계하에서 추진하겠다고 발표하였다. 발표 내용은 다음과 같다.

"첫 번째, 건강정보 수집체계 마련을 위해 ① 데이터 유형별 수집 항목을 정의하고, ② 플랫폼이 제공하는 데이터를 표준화하고, ③ 데이터 제공 기관의 참여 유인을 마련하겠다. 두 번째, 마이 헬스웨이

**마이 헬스웨이 플랫폼 구성안[140]**

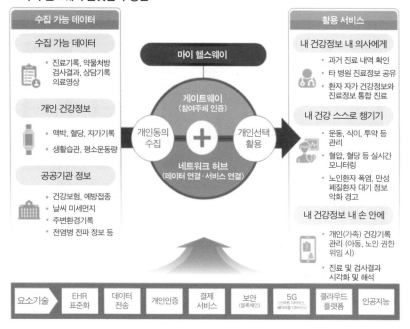

플랫폼 구축을 위해 ① 플랫폼 공통 인프라 구축을 하고, ② 사용자 인증 동의 체계를 구현하고, ③ 데이터 연계 네트워크를 구축하겠다. 세 번째, 개인 주도 건강정보 활용 지원을 위해 ① 나의 건강기록 앱을 개발하고, ② 활용 서비스 연계 관리 방안을 마련하고, ③ 연구개발을 통한 서비스 개발을 지원하겠다. 네 번째, 의료 분야 마이데이터 도입 기반을 마련하기 위해 ① 생태계 활성화를 위한 법제도를 개선하고, ② 민관 협업을 위한 거버넌스를 구축, ③ 대국민 소통 전략을 마련하겠다."

디지털 치료제 기업은 개념검증, 연구임상, 탐색임상 등을 위해 대규모의 임상 데이터, 디지털 바이오마커 데이터, 라이프로그 데이터

**디지털 헬스케어 플랫폼에 연계된 의료 데이터 흐름**

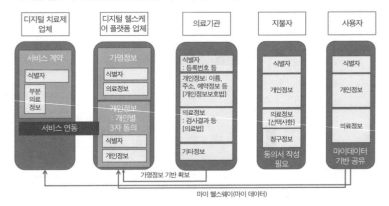

등이 필요하다. 이를 위한 의료기관과 연계하여 가명정보 방식의 데이터 확보, 마이 헬스웨이 등을 통한 본인 동의하의 데이터 확보를 통해 빠른 속도의 개념검증과 연구임상을 완료하고 웰니스 또는 메디컬 영역의 서비스 전략을 추진할 수 있다.

디지털 치료제 기업과 디지털 헬스케어 플랫폼 기업은 의료기관으로부터 가명정보 기반 보건의료 데이터를 확보할 수 있다. 가명정보 기반 보건의료 데이터는 주로 중재치료 모델 개발을 위한 연구용 데이터로 활용된다. 디지털 헬스케어 서비스를 표적고객에게 마케팅하기 위해서는 별도의 개인정보 수집 이용 및 마케팅 활용 동의가 필요하다. 예를 들어 병원 또는 공단으로부터 비만, 당뇨, 문진 등 의료 데이터를 가명정보 방식으로 받아서 당뇨병 발병 단계별 생활습관 처방을 인지행동치료 방식으로 적용한 디지털 치료제를 만들 수는 있다. 하지만 당뇨병 발병 단계별 맞춤형 서비스를 해당 고객에게 제안하기 위해서는 별개로 마케팅 활용 동의를 받은 가입자를 모아야 한다. 마이 헬스웨이 등을 이용한 마이 데이터 서비스를 활용하여

# 인공지능 학습용 데이터를 제공하는 AI허브의 헬스케어 데이터 유형[141]

**헬스케어 간암 진단 의료 영상** — 안심존(온라인) — 이미지 — 2020
**헬스케어 갑상선암 진단 의료 영상** — 안심존(온라인) — 이미지 비디오 — 2020
**헬스케어 건강관리를 위한 음식 이미지** — 이미지 — 2020

**헬스케어 구강 질환 진단 의료 영상** — 안심존(온라인) — 이미지 — 2020
**헬스케어 구강악 2D·3D 이미지** — 안심존(온라인) — 이미지 3D — 2020
**헬스케어 뇌혈관 질환 진단 의료 영상** — 안심존(오프라인) — 이미지 — 2020

**헬스케어 담낭암 진단 의료 영상** — 안심존(온라인) — 이미지 — 2020
**헬스케어 대장암 진단 의료 영상** — 안심존(온라인) — 이미지 비디오 — 2020
**헬스케어 모발이식 및 두피확대 이미지** — 안심존(오프라인) — 이미지 — 2020

**헬스케어 비대면 진료를 위한 의료진 및 환자 음성** — 오디오 — 2020
**헬스케어 사람 인체/자세 3D** — 이미지 3D — 2020
**헬스케어 수면질 평가 및 수면장애 진단 이미지** — 안심존(오프라인) — 센서 — 2020

**헬스케어 신경계 질환 의료 영상** — 안심존(온라인) — 이미지 — 2020
**헬스케어 신장암 진단 의료 영상** — 안심존(온라인) — 이미지 비디오 — 2020
**헬스케어 열화상 체온정보** — 이미지 — 2020

**헬스케어 위암 진단 의료 영상** — 안심존(온라인) — 이미지 비디오 — 2020
**헬스케어 유방암 진단 의료 영상** — 안심존(온라인) — 이미지 비디오 — 2020
**헬스케어 유형별 두피 이미지** — 2020

**헬스케어 인지기능 장애 진단 음성/대화** — 안심존(오프라인) — 오디오 — 2020
**헬스케어 자궁 경부암·자궁 경부 상피 내종양 의료 …** — 안심존(온라인) — 이미지 — 2020
**헬스케어 재활 운동 센서 모션 이미지** — 안심존(오프라인) — 비디오 센서 — 2020

**헬스케어 전립선암 진단 의료 영상** — 안심존(온라인) — 이미지 비디오 — 2020
**헬스케어 질병진단 이미지(안저)** — 안심존(오프라인) — 이미지 — 2018, 2019
**헬스케어 질병진단 이미지(유방암)** — 안심존(오프라인) — 이미지 — 2019

**헬스케어 질병진단(부비동, 유방조직)** — 안심존(온라인) — 이미지 — 2020
**헬스케어 췌장암 진단 의료 영상** — 안심존(온라인) — 이미지 — 2020
**헬스케어 치과 질환 진단 의료 영상** — 안심존(온라인) — 이미지 — 2020

**헬스케어 치매 고위험군 웨어러블 라이프로그** — 안심존(온라인) — 텍스트 센서 — 2020
**헬스케어 치매 진단 의료 영상** — 안심존(오프라인) — 이미지 — 2020
**헬스케어 치매진단 뇌파영상** — 안심존(온라인) — 이미지 — 2020

**헬스케어 폐암 예후 예측용 영상** — 안심존(온라인) — 이미지 — 2020
**헬스케어 폐암 진단 의료 영상** — 안심존(온라인) — 이미지 비디오 — 2020
**헬스케어 피부 질환 진단 의료 이미지** — 안심존(오프라인) — 이미지 비디오 — 2020

**헬스케어 피트니스 자세 이미지** — 이미지 — 2020
**헬스케어 한국인 지방 및 근육량** — 안심존(온라인) — 이미지 — 2020

보험사는 유병자 대상 건강증진형 보험상품을 판매하고, 마케팅 활용 동의 및 사후관리에 대한 동의를 받은 유병자 보험 가입자를 대상으로 유병자 보험의 발병 단계별 디지털 치료제를 서비스할 수 있다. 이를 통해 건강증진 활동을 유도하고 궁극적으로 보험금 지급액을 낮추는 전략을 추진할 수 있다. 이런 환경하에서는 디지털 치료제 기업은 디지털 헬스케어 플랫폼 서비스를 진행하려는 빅테크, 보험사 등과 제휴를 추진해야 한다.

디지털 치료제 기업을 위한 연구 데이터로 한국지능정보사회진흥원이 2017년부터 인공지능 학습용 데이터 구축사업의 하나로 인공지능 기술, 서비스 개발에 필수적인 인공지능 데이터, 소프트웨어, 컴퓨터 자원, 소재 정보 등을 구축하여 원스톱 형태로 제공하고 있다. 이 데이터를 제공하는 AI허브 사이트에는 다양한 인공지능 학습용 데이터가 있는데 그중 헬스케어 데이터가 익명정보 형태로 제공된다. 의료영상, 음성, 자세 3D데이터, 이미지, 라이프로그 등 다양한 데이터를 연구자 또는 디지털 치료제 기업을 대상으로 제공하고 있다.

마이데이터는 개인이 본인 데이터의 범위와 가치를 인지하고 적극적으로 본인 정보에 대한 결정권을 행사하는 제도이다. 마이데이터에 대한 개인의 변화가 가속화되면서 데이터 3법의 개정과 함께 금융 분야부터 우선 적용되었다. 대표적인 기업으로 2012년 설립한 뱅크샐러드는 고객의 데이터를 분석하여 마이 데이터 관점의 통합 자산관리 서비스를 제공한다. 뱅크샐러드는 마이데이터를 5개 영역으로 분류하였다.

## 마이데이터 맵

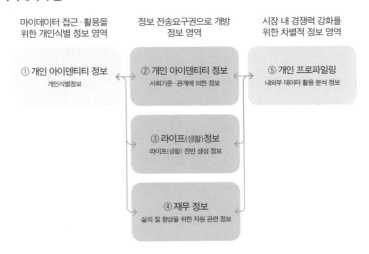

영역 1: 개인 아이덴티티 정보로 개인을 고유하게 식별할 수 있는 정보다. 이 정보는 다양한 마이데이터에 접근, 활용하기 위한 개인식별정보로 매우 중요하다. 다양한 암호 기술이 적용되어야 하는 분야다.

영역 2: 사회적 관점의 개인정보다. 즉 개인의 생활 속에서 사회기준과 관계에 의해 생성되고 부여되는 정보다. 대표적으로 국세청에서 보유한 세무 정보, 국민건강보험공단이 보유한 의무기록정보 등이 있다.

영역 3: 생활 정보다. 개인이 생활하면서 인생 전반에 걸쳐 생성되는 모든 정보로 정보 범위가 넓고 다양한 속성을 가지고 있다.

영역 4: 재무 정보로 돈과 재산에 관련된 정보다. 개인이 삶을 영위함에서 지출되는 금액과 유입되는 자산은 중요한 의미를 가지고 있다.

영역 5: 앞서 언급한 개인 아이덴티티 정보, 사회적 정보, 생활 정보, 재무 정보를 특정 서비스의 목적에 따라 분석, 결합 등을 하여 의미 있는 정보로 만든 것이다. 2차적으로 생성된 의미 있는 정보를 개인 프로파일링 정보로 정의하였다. 개인 프로파일링 정보는 개인이 주체적으로 생성한 것이 아니라 제3자에 의해 생성된다. 생성 주체가 회사라면 마이데이터 시장 내에서 경쟁력 확보를 위한 차별적 정보로 지적재산권의 범위가 될 수 있다.

뱅크샐러드가 마이데이터 기반 은행, 보험, 증권 등 금융 서비스 플랫폼 간 연동을 통해 통합적 자산관리서비스를 제공한다면 디지털 헬스케어 회사는 마이데이터 기반 건강검진기관, 상급 종합병원 등 의료기관, 실손보험 등 보험사 등의 의료서비스 플랫폼 간 연동을 통해 통합적 의료서비스 또는 헬스케어 서비스를 제공할 수 있다. 이처럼 마이데이터 기반 플랫폼 간 연동이 플랫폼 참여자의 미충족 수요를 해결하기 위해 본격화될 것이다.

# 7

# 의료 플랫폼의 네트워크 효과
# 극대화 전략을 짜라

수요와 공급을 연결하는 플랫폼 비즈니스의 성공 요소로 네트워크 효과가 있다. 네트워크 효과란 네트워크를 통해 연결되는 참여자수가 늘어나면 늘어날수록 참여자에게 많은 가치가 돌아가고 플랫폼의 가치도 상승하는 개념이다. 플랫폼은 단순히 참여자수가 플랫폼의 가치를 만드는 브로드캐스트Broadcast 모델에서 맷커프의 법칙Metcalf's Law 이 적용된 P2P 모델로 발전했다. 맷커프는 네트워크가 확장될 때 구축 비용은 이용자 수에 선형으로 비례해 증가하지만, 네트워크의 가치는 참여자수가 증가할수록 비선형적으로 증가하며 이에 따라 더 많은 연결을 만들어낸다고 주장했다. 즉 V(value, 가치)=N(node, 참여자) 의 제곱이 되는 것이다. 예를 들면 참여자가 5명에서 10명으로 증가하면 비용은 5가 증가하지만, 연결은 $(10 \times 10) - (5 \times 5) = 75$가 증가한다. 주로 전자상거래 플랫폼에 적용되는 효과다.

이에 반해 소셜네트워크 서비스SNS를 제공하는 페이스북이나 인

## 플랫폼의 네트워크 효과 유형[142]

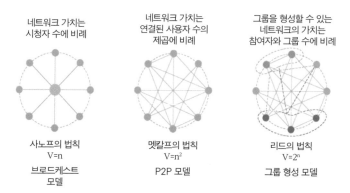

네트워크 가치는
시청자 수에 비례

사노프의 법칙
V=n
브로드케스트
모델

네트워크 가치는
연결된 사용자 수의
제곱에 비례

멧칼프의 법칙
$V=n^2$
P2P 모델

그룹을 형성할 수 있는
네트워크의 가치는
참여자와 그룹 수에 비례

리드의 법칙
$V=2^n$
그룹 형성 모델

스타그램 등에 적용되는 리드의 법칙Reed's Law은 네트워크의 가치
(V)는 노드(N, 참여자)의 2의 N승에 비례한다. 따라서 N의 2승인 맷
커프의 법칙 그래프보다 리드의 법칙 그래프가 훨씬 가파른 곡선을
그리게 된다. 즉 개별 참여자 간 그룹을 형성하는 플랫폼 메커니즘이
보다 빠른 정보의 유통과 새로운 참여자를 확보하게 만든다.

　과연 디지털 헬스케어 플랫폼은 맷커프의 법칙인가, 리드의 법칙
인가? 철인 3종Triathlon이나 마라톤을 즐기는 사람들은 가민Garmin이
란 스포츠 전문 시계를 차고 운동량을 측정한다. 그리고 가민과 연동
된 스트라바Strava 앱을 통해 자신의 운동 기록을 지인과 공유한다.
스트라바는 운동 분야의 페이스북이라고 보면 될 것 같다. 자신의 운
동 기록을 지인과 공유하면서 소통하기도 하고 랭킹을 통한 경쟁도
가능하다. 즉 헬스케어의 관리 방법 중 하나인 운동만 하더라도 리드
의 법칙이 적용 가능하다. 디지털 헬스케어 플랫폼은 의료서비스의
공급자, 지불자, 이용자, 연계된 타 산업 이해관계자(보험사, 통신사, 국
가기관 등) 등 다양한 참여자가 소통하는 플랫폼이다. 따라서 참여자

**다면 플랫폼과 다중 플랫폼의 예시[143]**

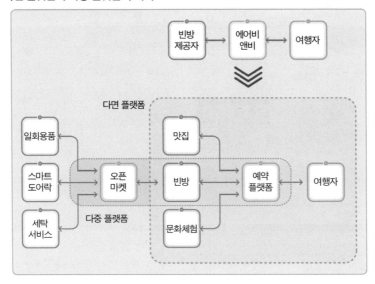

의 특성을 반영하여 맷커프의 법칙과 리드의 법칙이 혼용된 하이브리드 다면 플랫폼Hybrid & Multi-sided Platform 형태로 만들어져야 한다. 하이브리드는 맷커프의 법칙과 리드의 법칙의 결합이다.

초기 플랫폼에는 2가지 유형의 참여자가 존재하여 양면 시장Two-sided Market이라고 불렸다. 전자상거래 플랫폼의 경우, 수요 측 참여자와 공급 측 참여자를 상대로 한 매치메이커Match Maker로서 검색, 전시, 추천, 리뷰, 프로모션, 결제, 물류, 사후관리 등의 서비스를 제공하는 양면 시장 플랫폼이었다. 플랫폼에 3가지 이상의 고객 유형이 존재할 경우에는 다면 시장Multi-sided Market이라고 부른다. 에어비앤비는 공급 측 참여자가 빈방뿐만 아니라 맛집과 문화체험 등으로 확장되면서 3가지 유형 이상의 공급 측 참여자가 있는 다면 플랫폼이 되었다. 디지털 헬스케어 산업은 헬스케어 시장의 참여자 유형이 다

## 4가지 플랫폼 형태[144]

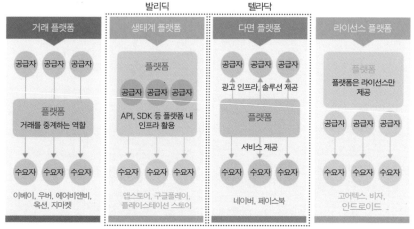

Source : The Center for Global Enterprise (2016). The Rise of the Platform Enterprise.
Hagiu, A. (2014). Strategic decisions for multisided platforms. MIT Sloan Management Review.
Gawer, A., & Cusumano, M. A. (2014). Industry platforms and ecosystem innovation. Journal of product innovation management, 31(3), 417-433..
삼정KPMG 경제연구원 재구성

양하기 때문에 다면 플랫폼이 되어야 하며 참여자의 미충족 수요에 따라 맷커프 법칙과 리드의 법칙이 선택적으로 작동될 수 있다.

삼면시장3 sided market 이상인 다면 플랫폼 외에도 플랫폼의 공급자가 수요자가 되어 플랫폼간 연결고리를 만드는 다중 플랫폼Multi Platform이 있으며 뱅크샐러드처럼 플랫폼(뱅크샐러드)과 플랫폼(은행, 증권, 보험 등)이 연동되는 크로스 플랫폼 서비스도 본격화되었다. 플랫폼 사업자들이 단일 플랫폼의 한계를 극복하기 위해 다면 플랫폼, 다중 플랫폼, 크로스 플랫폼 등 새로운 서비스를 출시하여 경쟁하고 있다. 크로스 플랫폼은 개별 플랫폼이 가진 자원을 전자인증을 통해 사용자 관점에서 통합적인 서비스를 제공하여 연결된 플랫폼의 자원을 손쉽게 이용할 수 있다. 디지털 헬스케어 플랫폼도 크로스 플랫폼 기반의 멤버십 서비스를 마이데이터를 제공하는 개인에 대해 보상과 연계하여 제공하여야 한다. 이는 블록체인 기반 토큰 방식으로 확대 발전할 가능성이 크다.

삼정 KPMG에서는 서비스 플랫폼 유형을 다음과 같이 4가지로 구분하고 있다.

① 거래 플랫폼: 판매자와 고객을 연결하는 역할을 한다. 이베이, 우버, 11번가 등 전자상거래 서비스 사례에서 보듯이 플랫폼에 입점한 다수의 판매자와 서비스 제공자가 수요자에게 제품과 서비스를 제공한다. 플랫폼은 주로 거래 수수료를 취하는 수익 모델을 가지고 공급자와 수요자의 매칭을 어떻게 효과적으로 이루어내는가가 플랫폼의 성패를 좌우한다.

② 생태계 플랫폼: 플랫폼이 제공하는 애플리케이션 프로그래밍 인터페이스API, Application Programming Interface, 소프트웨어 개발 키트SDK 등의 인프라를 공급자가 활용해 제품이나 서비스를 만들어 수요자에게 제공하는 것으로 애플 앱스토어, 구글 플레이, 플레이스테이션 스토어 등이 해당된다.

③ 다면 플랫폼: 수요자와 공급자에게 서로 다른 가치를 제공함으로써 만들어지는 양면 플랫폼을 기본적 구조로 반영하여 공급자 집단과 수요자 집단이 추가로 연결될 때마다 면의 수가 늘어나게 된다.

④ 라이선스 플랫폼: 플랫폼의 소유자는 라이선스만 제공하고 이를 활용해 공급자가 제품과 서비스를 수요자에게 판매한다. 고어텍스, 비자 등이 이에 해당된다.

미래의 플랫폼은 하나의 플랫폼 유형만 가지는 것이 아니라 2가지 이상의 유형을 동시에 가질 수도 있다. 디지털 헬스케어 플랫폼을 기획할 때 생태계 참여자를 어떤 유형으로 나누는지, 각 참여자에 대한 미충족 수요를 어떻게 정의하는지, 참여자 간에 가치를 교환하게 할 것인지가 매우 중요하다.

- 디지털 치료제 기업의 핵심 성공 전략

  ① 의료 관련 법제도의 변화에 반 박자 빠르게 대응하기

  ② 만성질환, 정신질환 등의 디지털 바이오마커 기술을 내부화하기

  ③ 메디컬 메타버스 기술 따라잡기

  ④ 건강증진형 보험상품·디지털 보험사 등 보험산업의 변화를 가
     치사슬에 반영하기

  ⑤ 초기 시장의 지불자인 기업의 미충족 수요 충족하기

  ⑥ 나만의 순응도 모델을 특허화하기

  ⑦ 빅테크 주도 헬스케어 플랫폼과 제휴하기 등

- 디지털 치료제 기업의 데이터 확보 전략

  : 가명 정보 기반 보건의료 데이터는 서비스 모델 개발을 위한 연
    구 데이터로 활용할 수 있으므로 의료기관을 통한 질병 특이적
    가명 정보 확보가 필요하다.

  : 디지털 치료서비스를 위한 맞춤형 제안을 표적고객에게 하기 위
    해 마이 헬스웨이 등을 이용한 마이데이터 관점의 고객 동의가
    필요하다.

  : 디지털 치료제 기업은 디지털 헬스케어 플랫폼 서비스를 진행
    하는 빅테크, 보험사 등과 데이터 관점의 제휴 전략을 가져가야
    한다.

- 디지털 치료제 기업은 어떤 전장에서 누구와 경쟁할까

  : 통신사, 단말 제조사, 포탈 등 빅테크가 주도하는 정상인 및 유소
    견자 대상 웰니스 기반 디지털 헬스케어 플랫폼 서비스

  : 의료기관과 보험사가 주도하는 유소견자 및 환자 대상 메디컬 기
    반 디지털 헬스케어 플랫폼 서비스

  : 상기 2가지 서비스는 유소견자 시장에서 부딪쳐 경쟁할 것이고
    준비된 디지털 치료제 기업에게는 선택 가능한 많은 비즈니스 기
    회를 부여할 것이다.

# 10장

# 보험, 수가, 지불자 모두를
# 이해해야 한다

# 1

# 의료보험에는 국가보험과
# 민영보험이 있다

많은 국가가 질병이 발생하게 되면 의료보험제도와 복지제도를
통해 치료 비용과 줄어든 소득 등을 보전해주는 제도를 운영한다. 이
러한 건강보험을 운영하는 형태는 국가보건의료서비스NHS, 사회보
험, 민영건강보험 등 3가지로 구분한다. 국가보건의료서비스 방식은
조세 수입 등을 재원으로 국가가 직접 운영하는 것으로 덴마크, 스웨
덴, 영국, 이탈리아, 캐나다 등 10여 개 국가가 이에 해당된다. 사회
보험 방식은 가입자가 납입한 보험료와 정부의 재정 지원을 통해 운
영하는 방식으로 우리나라를 비롯해 독일, 프랑스, 일본 등 20여 개
국가가 이에 해당된다. 스위스나 네덜란드는 사회보험 방식을 적용
하되 민간보험사에 운영을 위탁한다. 미국은 민영건강보험을 자발적
으로 가입하도록 하고 있으나 고연령층과 사회 극빈층에 대해서는
사회보험 방식을 적용한다.

국가보건의료서비스 방식의 국가는 공공병원이 상대적으로 많으

며, 공무원 중 보건사회복지 분야에 근무하는 인력이 많아 보건의료 제도를 통제함에 있어 효율적이다. 우리나라는 공공병원의 비율이 경제협력개발기구OECD 국가 중 상대적으로 낮고 의료 인력이 부족하여 보건의료제도를 효율적으로 통제하기가 어려운 상황이다.[145]

건강보험은 직접적 손실인 의료비를 보장하는 현물급여와 간접적 손실인 상실소득을 보장하는 현금급여로 구성된다. 또한 진료 목적의 의료서비스에 대해서도 건강보험을 적용하는 급여와 신의료기술이나 대체의학 등 건강보험을 적용하지 않는 비급여가 있다. 미용 등 진료 외 목적의 서비스에 대해서는 대부분 국가가 건강보험을 적용하지 않는다. 독일, 이탈리아 등 일부 국가에서는 간병 수당도 건강보험에서 보장한다. 법정 본인부담제도는 의료비의 일부를 환자가 부담하도록 하는 제도로 의료 오남용을 억제하는 효과가 있다. 2019년 우리나라 건강보험 총진료비 103조 3,000억 원 중 비급여 의료비는 16조 6,000억 원(16.1%)이며 10년간 연평균 비급여 본인부담 증가율은 10.7%로 급여비 증가율 8.2%보다 빠른 증가 추세를 보이고 있다. 2020년 건강보험 진료비는 86조 7,139억 원으로 전년 대비 0.7% 증가하였고 급여비는 65조 2,916억 원으로 전년 대비 0.6% 증가하였다.[146] 이 중 현금급여와 건강검진비를 포함할 경우 보험급여비는 71조 1,652억 원으로 증가한다.

국내 건강보험 적용 인구는 2020년 기준 5,134만 명이며 직장 가입자는 3,715만 명, 지역 가입자는 1,420만 명으로 직장 가입자 비율은 72.4%다.[147] 요양기관수는 9만 6,742개로 의료기관 7만 3,437개(75.9%), 약국 2만 3,305개(24.1%)로 구성되어 있다. 의료기관은 유형별로 의원은 3만 3,115개소(45.1%), 치과는 1만 8,496개소

(25.2%), 한방은 1만 4,874개소(20.3%) 순이다.

　건강보험의 재정 현황은 2020년 보험료 부과액이 63조 1,114억 원으로 전년 대비 6.7% 증가하였고, 이중 직장 보험료가 54조 194억 원으로 총 부과액의 85.6%이며, 지역 보험료가 9조 921억 원으로 총 부과액의 14.4%다. 건강보험 세대당 월평균 보험료는 11만 4,069원이며, 1인당 월평균 보험료는 5만 9,218원이다.

　2020년 건강보험 급여비 내 65세 이상 노인 진료비는 37조 6,135억 원으로 전체 진료비의 40% 이상을 차지했다. 이는 2016년과 비교하면 1.5배가 증가한 것이다. 하지만 65세 이상 노인인구는 790만 명으로 전체 대상자의 15.4%에 불과했다.

　일반적으로 급여란 국민건강보험법에 근거하여 국민이 낸 건강보험료를 기반으로 국민건강보험공단으로부터 의료비 지원을 받는 항목이다. 비급여란 급여와 반대로 국민건강보험공단의 의료비를 지원받을 수 없어 각 개인이 부담하는 의료비 항목을 말한다. 즉 급여, 비급여란 가입한 건강보험에서 해당 의료비가 지원되는지에 따라 구분되는 항목이다. 이에 반해 수가란 환자가 의료기관에 내는 본인부담금과 국민건강보험공단에서 의료기관에 지급하는 급여의 합계액이다. 즉 국민건강보험공단과 환자가 의료서비스 제공자인 의사나 약사 등에게 제공하는 비용을 말한다. 즉 개인의 관점에서는 급여, 비급여가 중요한 부분이고 디지털 치료제 기업의 관점에서는 급여, 비급여 전략에 기반한 수가가 중요한 부분이라고 볼 수 있다.

　건강보험 시장은 국가가 주도하는 국민건강보험과 이를 보완하기 위해 민간이 주도하는 민영건강보험 시장으로 구분된다. 민영건강보험 중 실손보험의 경우 국민의 75%인 3,900만 명이 가입하여 일

**건강보험 보장 구조[148]**

| 구분 | 진료목적 | | | | | 진료 외 목적 |
|---|---|---|---|---|---|---|
| 현물 급여<br>(의료비)<br>: 직접손실(직접비용) | 건강보험 급여 | | | | 건강보험 비급여 | 미용성형<br>고급안경 등 |
| | 일부 본인부담 | | | 전액 본인<br>부담 | 신의료기술<br>대체의학 등 | |
| | 국가부담금 | 본인부<br>담금 | | | | |
| 현금 급여<br>(소득보상)<br>: 간접손실(간접비용) | 상병 수당<br>간병비<br>소득상실보전 | | 출산 수당 | | | |

국민건강보험　　실손보험

상생활에 필수적인 보험이 되었다. "2021년 6월 말 4세대 실손보험 정부 개편안을 보면 자신의 의료 이용량에 따른 보험료 부담 구조를 반영하여 실손보험상품 구조를 급여(주 계약)과 비급여(특약)로 분리하면서 필수 치료인 급여에 대해서는 보장을 확대하되, 환자의 선택 사항인 비급여에 대해서는 의료 이용에 따라 보험료가 할인되고 할증되도록 구성하였다. 여기에서 급여와 비급여는 국민건강보험과는 별개로 실손보험 가입자에게 보험사가 지급하는 방식에 따른 항목이다.

1999년 실손보험이 처음 설계되고 판매된 이후 20년간 실손보험은 3,900만 명의 국민이 가입한 제2의 건강보험으로 15개 보험사(손보사 10개, 생보사 5개)가 판매 중이며 보험료, 보장범위 등 보험상품 구조에 따라 정부에서는 1세대(1999년), 2세대(2009년), 3세대(2017년), 4세대(2021년)로 구분하였다. 2020년 실손보험 '발생 손해액(보

**국민건강보험 및 민영건강보험의 차이점**[149]

| 구분 | 국민건강보험 | 민영건강보험 |
|---|---|---|
| 가입대상 | 전 국민 의무가입 (법적 수급권) | 소비자가 자율 가입 (계약적 수급권) |
| 위험 인수자 | 국민건강보험공단 | 민영보험회사 |
| 보험료 | 소득비례율 | 개인위험요율 |
| 급여 수준 | 균등 급여 | 보험료 납부액에 따른 차등 급여 |
| 인수거절 | 불가능 | 가능 |
| 지급체계 | 제 3자(의료기관) 지급 | 상환제 |
| 보장 내용 | 모든 질병 대상 국민건강보험 급여 | 보험약관에서 정한 질병 대상 국민건강보험 비급여 및 본인부담금 부분 보장 |
| 의료공급자(병원, 약국 등) 통제 | 의료수가 책정으로 급여부분에 대한 의료비 통제 | 의료공급자에 대한 통제 역할이 존재하지 않음 |

험금 지급액)'은 10조 1,017억 원으로 2019년 9조 4,638억 원에 비해 약 5,400억 원가량 늘어났다. 가입자가 낸 보험료에서 사업운영비를 빼고 보험금 지급재원으로 사용하는 '위험 보험료'는 2019년 7조 321억 원 대비 2020년 7조 7,409억 원으로 증가하였지만 보험금 지급에는 부족해서 2020년 보험 손익은 2조 3,695억 원의 손실을 기록했다."

국민건강보험에서는 직접비용인 의료비의 일부에 대한 보장을 제공하지만 민영건강보험은 보험상품에 따라 다양한 보장을 제공한다. 그중 상병의 경우 질병과 우연한 사고로 인한 상해 또는 부상을 밀하는데 경미한 상병이 발생되면 단순 통원 치료나 요양으로 완쾌되며 소득 능력의 상실을 초래하지는 않는다. 하지만 중증 상병이 발생하면 장기간의 입원과 통원이 필요하며 영구 장애를 초래하기도 하여 다양한 경제적 손실이 수반된다.

**민영건강보험의 유형별 보장 내용[150]**

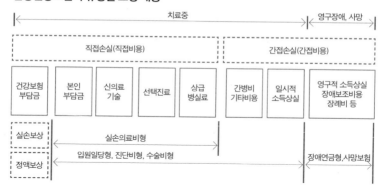

의사의 진료비, 약제비, 병실료 등 직접비용인 의료비도 건강보험이 적용되는 부분과 적용되지 않는 비급여 부분이 있으며 간병비나 가족의 부대비용 같은 간접비용이 발생할 수도 있다. 국민건강보험공단에서 발표한 2020년 건강보험 환자 진료비 실태조사에 의하면 국민건강보험의 보장률은 65.3%에 불과하다. 따라서 국민건강보험을 포함한 사회보장제도로만 필요한 비용을 충당할 수 없기 때문에 실손보험과 같은 민영건강보험이 다양한 형태로 보완하고 있다.

# 2

# 민영보험 기업들은 어떻게
# 변화하고 있는가

보험과 IT를 결합한 서비스를 말하는 인슈어테크InsurTech는 보험의 디지털화를 가속화하여 보험의 청약부터 보험금 지급까지 전체 프로세스를 빅데이터 기반으로 자동화하고 있다. 대표적인 예로 구글은 2015년 건강보험을 판매하는 오스카헬스Oscar Health에 3,250만 달러를 투자했다. 오스카헬스는 손목 웨어러블 기기 미스핏MisFit을 통해 보험가입자의 라이프로그와 보험료를 연계한 마케팅을 하고 있다. 손목 웨어러블 기기를 통해 수집한 보행수가 목표치를 달성하면 하루 1달러에 월 최대 20달러의 보험료 할인 혜택을 제공한다.

중국의 빅테크인 알리바바, 텐센트도 중국의 보험 선두 업체인 핑안보험과 온라인 전용 보험사인 중안보험사를 공동 출자하여 설립하고 혈당을 체크하는 건강보험상품인 '탕샤오페이'를 출시하였다. 중안보험사는 2015년 세계 핀테크 톱 100위 중 1위에 올라섰다. 미국의 최대 건강 보험사 애트나는 애플과 제휴하여 애플워치 사용자를 대상으로 보험료 할인 서비스를 제공하고 있고 운전습관 연계 보험으로 유명한 프로그레시브Progressive는 2011년부터 '스냅샷Snap-shot'이란 온보드 진단기OBD[151] 장치로 운전자의 급정거, 주행거리, 주행시간 등을 분석하여 보험료를 할인해주고 있다.

이렇게 보험사가 디지털 기술을 적용하여 보험사의 효율성 향상을 넘어서 혁신적인 상품과 서비스를 제공하는 것은 보험 산업의 전통적인 사업 영역을 탈피해 융합적 산업으로 가는 것이다. 전통적인 보험사가 아닌, 레모네이드Lemonade, 메트로마일Metromile, 보맵Bomapp, 토스Toss 등 파괴적 혁신자들은 새로운 상품과 서비스를 제공하면서 보험 시장에 진입하였다. 디지털 보험사와 소액 단기 보험사의 설립, 실손 의료비의 전산화, 보험사의 본질적 업무 위탁, 비대면 인증서비스의 활성화, 모집 채널의 디지털화 등에 관한 법과 규제의 변화는 기존 보험 서비스를 전면적으로 변화시킬 동인을 제공하고 있다.

보험사의 업무 프로세스는 ① 상품 설계 및 개발, ② 요율 산출 및 언더라이팅, ③ 마케팅 및 판매, ④ 위험관리 및 부가서비스, ⑤ 계약관리 및 보험금 지급관리로 나눌 수 있다. 민영보험사는 건강관리 트렌드와 연계한 새로운 보험상품을 각 업무 프로세스의 변화와 연계하여 만들고 있다. 대표적인 예가 건강증진형 보험상품이다. 고령자와 만성질환자의 증가 등에 대비하고 제4차 산업혁명과 연계한 혁신적 보험상품 개발을 위해 2017년 12월 금융위와 금감원은 건강관리 노력에 따라 보험료 할인 등 혜택을 제공하는 「건강증진형 보험상품 개발 판매 가이드라인」을 마련하였다.

2018년 4월부터 생명보험과 손해보험 4개사가 건강증진형 보험상품을 출시하고 판매하였다. 주로 암 보험 또는 당뇨 보험에 운동 등 건강관리 기능이 부가된 상품으로 운동량을 측정하거나 식단, 혈당 체크 등이 추가된 건강관리를 통해 질병을 예방하는 보험상품이었다. 스마트워치나 웨어러블 기기와 연동된 스마트폰 앱을 이용하여 진행한 건강관리 노력을 객관적이고 정량적으로 측정하고 기준치를 달성하면 보험료를 할인해주거나 환급해주는 서비스다. 기존 상품은 보험료의 1% 내외의 할인을 제공하였으나 건강증진형 보험 상품은 보험료를 최대 10% 할인해주거나 50만 원까지 환급하는 등 고객 혜택이 대폭 확대되었다.

기존에는 보험 가입이 어려웠던 당뇨환자 등 유병자를 대상으로 헬스케어 서비스가 강화된 전용 보험상품이 출시되어 보험사고 발생 자체를 예방하는 관리형 보험으로 진화되고 있다. 2019년 7월 금융위, 복지부, 금감원은 건강관리의 연계를 확대하기 위한 「건강증진형 보험상품·서비스 활성화 방안」을 발표하였다. "주요 내용은 첫 번째, 보험사의 건강관리서비스업에 대한 진출을 허용하였다. 두 번째, 건강증진 효과를 통계적으로 입증할 수 있는 건강관리기기를 보험 가입자에게 제공하는 것을 허용하였다. 세 번째, 건강관리서비스 제공을 위한 보험사의 건강정보의 수집·활용범위를 명확화하였다."[152] 이에 의거해 후속조치로 2019년 12월 금융위는 「건강증진형 보험 상품 개발·판매 가이드라인」 개정을 통해 보험 위험 감소효과가 입증된 건강관리기기 지급을 허용하고, 건강관리 노력에 대한 통계 수집 및 집적 기간을 최장 15년으로 확대하고, 자회사를 통한 보험계약자, 피보험자 대상 헬스케어 서비스 제공을 허용하였다.

고객은 적극적인 건강관리를 통해 건강 수명을 연장하고 의료비

**보험 산업 내 보험과 헬스케어의 융합 과정**

| | |
|---|---|
| 2017년 12월<br>금융위, 금감원 | **건강증진형 보험상품 개발·판매 가이드라인 제정**<br>- 2018년 4월 건강증진형 보험상품 생.손보 4개사 판매 개시 |
| 2019년 7월<br>금융위, 복지부, 금감원 | **건강증진형 보험상품 서비스 활성화 방안 발표**<br>- 보험회사의 건강관리서비스업 진출 지원 및 부수업무 허용<br>- 건강증진효과 통계적 입증을 위한 건강관리기기 제공 허용<br>- 보험회사의 건강정보 수집, 활용범위 명확화 |
| 2019년 12월<br>금융위, 금감원 | **건강증진형 보험상품 개발·판매 가이드라인 개정**<br>- 건강관리기기 지급허용<br>- 통계수집 최장 15년 확대<br>- 자회사 기반 헬스케어 제공 허용 |
| 2021년 2월<br>금융위, 복지부<br>기재부, 산업부<br>헬스케어, 보험업계 | **보험업권 헬스케어 활성화 TF 추진**<br>- 개인화, 고객관리, 융합 방향성 디지털 헬스케어 서비스 확대<br>- 해외 보험사의 헬스케어 산업 진출 방식 도입<br>- 헬스케어 플랫폼을 통한 건강데이터와 금융데이터 융합 |

와 보험료 등 비용을 절감할 수 있을 것으로 기대된다. 보험사는 질병, 사망 등 보험사고 위험을 관리하는 한편 헬스케어 서비스 결합을 통해 보험상품을 다양화할 수 있을 것이다. 국가는 고부가가치 산업인 헬스케어 산업을 활성화하고 국가 의료비 부담을 절감할 수 있을 것으로 보인다.

보험 위험 감소 효과가 객관적이고 통계적으로 검증된 건강관리기기는 보험 가입 시 먼저 제공할 수 있도록 허용되었다. 제공되는 기기는 판촉 용도로 활용하여 모집 질서를 문란하게 하는 것을 방지하기 위해 기기의 가액은 20만 원 또는 1차연도 부가보험료의 50% 중 적은 금액으로 제한되었다. 즉 당뇨 보험 등 유병자 보험상품 가입 시 보험계약자에게 혈당측정기 등 건강증진을 위한 기기를 제공할 수 있다. 또한 보험가입자가 혈당관리를 열심히 하여 가입자에게 지급되는 보험금이 얼마나 감소하는지에 관한 분석을 하기 위해 최장 15년간 부가보험료의 한도 내에서 혈당관리 노력에 따른 보험 인센티브를 지급할 수 있다. 또한 보험사가 금융위의 승인을 받아 헬스케어 회사를 자회사(지분율 15% 이상 투자)로 둘 수 있도록 허용하였다. 이러한 건강증진형 보험상품과 관련된 변화는 디지털 바이오마커 기술을 적용한 디지털 치료제와 연계하여 만성질환 예방 및 정신건강 증진이라는 미충족 수요를 충족하기 위해 빠른 속도로 발전할 것이다.

이렇게 헬스케어 산업과 보험 산업은 빠른 속도로 융합되면서 발전하고 있으며, 해외의 선도적인 보험사는 헬스케어 기업과 전략적 제휴, 인수합병 등을 통해 헬스케어 기술력과 전문인력을 확보함으로써 독자적인 보험, 헬스케어 융합 생태계를 구축하고 있다.

글로벌 보험사 중 미국의 유나이티드헬스그룹United Health Group의 옵텀Optum은 헬스케어 서비스를 전담하는 자회사를 설립하고 헬스케어 플랫폼 '랠리Rally'를 통해 웰니스 프로그램인 운동, 수면, 만성질환 관리와 케어 솔루션(의료비용, 입원 및 내원 예약, 스케줄 등의 관리 서비스) 등을 제공한다. 또한 환자 돌봄 플랫폼을 제공하는 비비파이헬스Vivify Health와 근골격계질환 관리서비스를 제공하는 가이아헬스Kaia Health, 환자 증상 공유 커뮤니티 서비스를 제공하는 페이션트라이크미Patientslikeme 등 새로운 헬스케어 서비스 기업과 제휴하여 독자적인 생태계를 확장하고 있다.

유럽에서는 제네랄리Generali 보험사가 기업이 지불자인 기업보험에 가입한 임직원에게 스마트폰, 웨어러블 기기 등을 이용하여 체중, 당뇨, 금연 등을 관리하는 CIAO 앱 서비스를 제공하고 있다. CIAO 앱을 이용하는 사용자가 러닝거리를 22% 늘리거나 1일 칼로리 소모를 15% 높일 경우 이직률과 병가 감소 등에 효과가 있다는 분석 결과를 발표하였다. 미국의 애트나Aetna 보험사는 진료기록 표준화 서비스를 제공하는 메디시티Medicity, 건강 데이터 분석서비스를 제공하는 액티브헬스Active Health와 제휴하여 의료 데이터 기반 차별적인 보험서비스를 제공하며 애플과 제휴하여 애플워치 기반 건강증진 서비스인 어테인Attain을 제공하고 있다.

이러한 보험사의 헬스케어 서비스는 미국, 중국, 일본 등에서 보험사, 정보통신기술 기업 등을 중심으로 활성화되고 있다. 남아프리카공화국의 디스커버리Discovery에서 시작한 바이탈리티Vitality 헬스케어 프로그램은 전 세계 24개국 보험사에서 운영하고 있다. 이 프로그램은 보험가입자의 건강상태를 체크하고, 그에 따른 건강 개선 프로그램을 제공하고, 건강증진 성과에 따라 보상을 한다. 중국의 텐센트는 중안보험사와 연계하여 당뇨환자 맞춤형 보험상품을 제공하며, 일본의 다이이치생명은 고령자를 대상으로 치매 예방, 안부 확인 서비스를 제공한다.

글로벌 사례 중 눔Noom은 사람이 개입하는 코칭과 개입하지 않는 챗봇을 통해 식단, 운동, 수면 등을 관리하는 서비스를 제공한다. 눔의 발표 자료에 따르면, 글로벌 누적 이용자 수 4,800만 명을 돌파하였으며 이용자의 78%가 감량에 성공하였다고 한다. 유럽의 보험사인 악사AXA는 보험가입자의 건강관리 활동에 대해 리워드 포인트를 지급하여 건강 및 운동용품, 레저 및 여행상품, 디지털 건강기기 등을 리워드 포인트로 구매할 수 있는 헬스케어 쇼핑몰을 운영하고 있다. 평안보험의 헬로런Hello Run은 운동, 혈압, 혈당, 체중 등을 기반으로 계산한 건강 점수를 이용하여 고객에게 무료 보험서비스를 제공하면서 고객 접점과 네트워크를 확대하고 강화하고 있다. 이러한 서비스의 배경에는 지속적인 의료 데이터를 확보하는 창구를 마련하는 동시에 보험서비스와 연계된 추가적인 비즈니스 모델(예를 들면 쇼핑몰 등)을 만드는 데 있다.

보험 산업과 헬스케어 산업이 융합하는 과정에서 건강 데이터와 금융 데이터의 융합을 위한 데이터 요구가 확대되면서 「개인정보보호법」 개정안에 맞춰 헬스케어 플랫폼을 이용한 건강 데이터와 금융 데이터를 융합하는 방안을 검토하고 있다. 금융위원회는 공공부문 건강 및 의료 데이터를 활용한 고령자와 유병자 전용 보험상품을 개발하고, 나아가 건강 나이 기반 보험상품 개발 등을 추진하고 있다. 건강증진형 보험상품 가입 시 제공되는 건강관리기기가 보험사고 위험률을 감소시키고, 보험계약자의 건강증진 등에 미치는 효과를 측정할 수 있는지 객관적이고 정량적으로 파악해야 한다. 융합 데이터에 대한 보험업계의 요구와는 상반된 의료계 입장과 의료 데이터에 대한 소유권을 보유한 사용자의 입장이 반영된 생태계 활성화 전략이 추진되어야 한다.

이러한 변화를 디지털 치료제 측면에서 분석하면, 대표적인 건강증진 활동인 운동, 식이, 수면, 명상, 사회적 활동 등이 객관적, 정량적, 연속적인 데이터로 측정, 수집, 분석되어 실시간으로 피드백이 이루어질 수 있다는 것이다. 음성, 안구 움직임, 보행, 스마트폰 조작 등 다양한 디지털 바이오마커 또는 혈압, 당화혈색소, BMI, 체지방율 등 기존 바이오마커를 대상으로 자가측정 방식을 통해 데이터가 수집되고, 스마트폰의 앱 등을 통해 클라우드 기반 데이터를 전송하고 분석하는 것이 가능할 것이다. 생활습관 중재치료가 반영된 디지털

## 생활습관 중재치료 모델을 적용한 만성질환 관리서비스

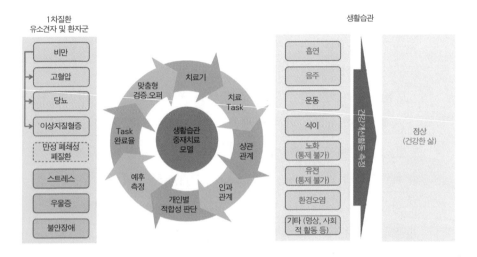

치료제는 인지행동치료와 융합하여 만성질환과 정신질환 관리에 우선으로 적용될 것이다. 또는 중추신경계질환과 퇴행성 뇌질환 등을 대상으로 가상현실, 증강현실, 확장현실 기술을 활용한 오감 기반 자극이나 피드백을 반영한 서비스도 빠른 속도로 출시될 것으로 보인다. 이러한 새로운 시장의 형성을 위해 보험사의 자회사인 헬스케어 회사와 디지털 치료제 회사는 상호 간 강약점을 보완한 전략적 제휴 기반 디지털 헬스케어 서비스를 진행할 것이다.

# 3

# 디지털 치료제의 수가체계는
# 어떻게 되는가

　디지털 치료제가 개발되면 의료기술 건강보험 등재 절차를 진행하게 된다. 의료기술 건강보험 등재 절차 1단계로 임상시험 등을 통해 식약처 허가를 받은 후 2단계로 요양급여 대상 또는 비급여 대상 여부를 확인하게 된다. 기존 급여 여부 확인 절차와 동일하다. 이는 기존 급여에 적용할 것인지, 새로운 급여를 위한 신의료기술평가 과정을 진행할 것인지를 건강보험심사평가원(심평원)에 확인하는 단계다. 발표된 급여 고시 현황을 파악하고 심평원의 전문평가위원회를 통해 급여 대상 유무를 확인한다.

　2단계에서 요양급여 대상 또는 비급여 대상 여부 확인 후 3단계에서 신의료기술로 판단되면 한국보건의료연구원(보의연)의 분야별 소위원회와 신의료기술평가위원회에서 해당 기술의 안전성과 유효성을 평가하여 신의료기술평가 결과를 보건복지부 장관이 고시한다.

　4단계에서는 신의료기술의 안전성과 유효성 평가 결과 승인된 의

**의료기술 건강보험 등재 절차[153]**

| | 보험등재 전 절차 | | 보험등재 절차 | |
|---|---|---|---|---|
| 1단계 | 2단계 | 3단계 | 4단계 | 5단계 |
| 허가<br>(식약처) | 요양급여대상,<br>비급여 대상여부<br>확인 (심평원) | 신의료기술평가<br>(보의연) | 요양급여여부<br>평가<br>(심평원) | 요양급여 고시<br>(복지부) |
| 의료기기<br>안전성, 유효성<br>검사 | 신의료기술평가<br>신청대상여부<br>검토<br>(전문평가위원회<br>소위원회) | 신의료기술의<br>안전성,유효성<br>평가<br>(신의료기술<br>평가위원회) | 경제성 및 급여<br>적정성 평가<br>(전문평가위원회) | 건강보험정책심의<br>위원회 심의 |
| 제품<br>허가, 신고 | 신의료기술<br><br>기존기술<br>(해당수가코드 적용) | 안전성, 유효성<br>승인기술<br><br>혁신의료기술<br>(별도 트랙)<br><br>미승인 기술<br>(연구단계) | 급여<br>선별급여<br>비급여 | 고시 |
| (60일 소요) | (30일 소요) | (250일 소요) | (70일 소요) | (30일 소요) |

료기술에 대해 요양급여 대상 여부를 심평원에 신청하면 급여 여부를 결정한다. 심평원의 전문평가위원회는 의학적 타당성, 의료적 중대성, 치료효과성 등의 임상적 유효성, 비용효과성, 환자의 비용 부담 정도, 사회적 편익, 건강보험 재정 상황 등을 고려하여 요양급여 대상 여부와 상대 가치 점수를 평가한다. 요양급여 여부 평가가 완료되면 5단계에서 건강보험정책심의위원회(건정심)의 심의와 의결을 거쳐 보건복지부 장관이 요양급여를 고시한다.

디지털 치료제는 인공지능 기술 기반 단독 소프트웨어로서 의료기기SaMD와 유사한 인허가 절차를 진행할 것으로 보이며 이후 급여 결정 방식도 유사할 것으로 예상된다. 식품의약품안전처에서 2020년 8월 발표한 「디지털 치료기기 허가·심사 가이드라인」은 의학적 장애나 질병을 예방, 관리, 치료하기 위해 환자에게 근거 기반의 치료적 개입을 제공하는 디지털 치료기기의 제조·수입, 허가·인증, 기술문서 등의 심사와 임상시험 계획 승인 등에 적용한다.

디지털 치료제 개발과 인허가를 위해서는 이러한 가이드라인을 기반으로 제품 설계와 임상시험, 인허가 등을 준비해야 한다. 디지털 치료제의 경우 2022년 7월 기준 국내에는 인허가 사례가 없다. 미래에 많은 인허가 사례가 생겨 본질적 동등성 기반 인허가를 신청할 수 있을 시기까지는 임상적 유효성을 평가하기 위해 탐색임상시험과 확증임상시험을 진행해야 한다. 탐색임상시험은 의료기기의 초기 안전성과 유효성 정보 수집, 후속 임상시험의 설계, 평가항목, 평가방법의 근거 제공 등의 목적으로 실시된다. 소수 피험자를 대상으로 비교적 단기간에 실시되는 초기 임상시험으로 연구자 임상을 통해 SCI급 논문 등 충분한 의학적 근거를 확보할 수 있다면 식약처와 협의하여 선택적으로 생략할 수도 있다.

이에 비해 확증임상시험은 임상시험용 의료기기의 구체적 사용목적에 대한 안전성 및 유효성의 확증적 근거를 수집하기 위해 실시되며 통계적으로 유의한 수의 피험자를 대상으로 실시되는 임상시험이다. 2020년 10월 식품의약품안전처에서 발표한 「디지털 치료기기 허가·심사 가이드라인」을 참조하면, 임상시험은 ① 전향적 임상시험이 필요하고, ② 작용 원리에 대한 근거 자료가 없을 경우 탐색임상시험이 필요하며, ③ 실사용증거를 통해 지속적인 유효성 근거를 마련해야 한다고 설명하고 있다.

국내에서는 디지털 치료제도 의료기기 인가 후 급여를 받을 때까지 비급여로 서비스되겠지만 신의료기술평가를 통해 신규 요양급여를 받을 수 있다. 이 경우 「혁신적 의료기술의 요양급여 여부 평가

### 기존 급여 여부 확인 과정에서 신의료기술 평가 대상 판단기준[154]

| 분류 | 성격 | 예시 | 판단 |
|------|------|------|------|
| 카테고리 A | 판독활동 보조<br>• 의사의 업무 프로세스 개선<br>• 전체 소요시간 및 인력 감소 등 | • 1차 스크리닝 또는 재판독 기능<br>• 초점이 맞지 않는 영역 감지, 색상 표준화, 3차원 조직형태 스캔을 통한 선명한 이미지 구현<br>• 병리학자가 검토할 주요영역 표시 | 기존 급여 |
| 카테고리 B | 일반적 역할 범위 내 부수적인 진단(보조) 정보 제공 | • 일관적이고 정확성 있게 정량화 가능<br>• 신경내분비 종양이나 위장관 기질 종양 등 진단에 필수적인 세포 유사 분열수 계산과 같은 수치계산 및 유사 분열 위치 감지 | 기존 급여 |
| 카테고리 C | 일반적 역할 범위 내 핵심적인 진단(보조) 정보 제공 | • 기존 현미경 등을 이용한 진단과 비교한 일치도 향상 및 판독의 간 판독결과 일치도 향상(C1)<br>• 확진 검사의 특성상 경계 확인이 어려운 부분을 감소시킴으로써 추가검사 감소(C2)<br>• 명백한 진단 정확도 및 진단능력 향상(C2)~(예시) 치료와 예후판정에 결정적 영향을 미치는 종양의 분화등급(예 : 전립선암, 유방암 등)의 판정 정확도 및 재현성 향상 | 기존 급여 |
| 카테고리 D | 일반적 역할 범위 외 새로운 정보 제공 | • 병리검사에서 기존에는 인간의 판독 능력으로 확인이 불가능했던 새로운 병리정보 창출<br>• 기존의 예후예측 방법을 넘어 기저질환 등 환자정보와 계량적 판독 정보(조직 구성 세포, 세포의 바이오마커 발현량 등)를 연계하여 더욱 세분화된 예후 예측 및 환자에게 적용할 수 있는 구체적 진료 방향 제시 | 신의료 기술 평가 대상 |
| 카테고리 E | 기존 고가 의료행위 대체 | • 추가 검사를 시행할 필요가 없고, 기존에 운영되는 고가의 검사를 완전 대체하여 저비용으로 시행 가능 | 신의료 기술 평가 대상 |

※ C2의 경우 필요 시 기존 수가 항목 등을 재분류하여 편입시키거나 개선효과에 대한 추가 심층평가가 필요하다고 판단될 경우 신의료기술 평가 대상으로 고려할 수 있음

가이드라인(인공지능 기반 병리학 분야 의료기술)」을 참조하여 신의료기술평가 대상이 되는지를 유추할 수 있다. 상기 예시들은 '의료영상에 대해 인공지능 기술을 적용한 의료기기에 대한 급여 여부를 평가하는 가이드라인'과 2019년 8월 발표된 디지털 병리영상에 대해 인공지능 기술을 적용한 의료기기에 대한 급여 여부 가이드라인'을 참

**기존 급여 확인 및 신의료기술 평가 후 요양급여비용 보상 형태**

| 분류 | 세부내용 | 포함 예시 | 비고 |
|---|---|---|---|
| 레벨1 | - 판독활동 보조를 통한 업무효율 증가로 의료기관의 부가적 이익창출 또는 간접 비용 감소가 가능한 기술 | 카테고리 A<br>카테고리 B | 별도보상 미해당 |
| 레벨2 | - 기존 행위와 비교하여 유사한 수준의 진단 능력을 보이거나, 일부 능력은 개선이 있으나 전체적으로 기존 행위 유사 수준 | 카테고리 C1 | 별도보상 미해당 |
| 레벨3 | - 기존 행위 대비 명백한 진단능력 향상<br>- 새로운 진단적 가치 창출 또는 일반적 역할 범위와 새로운 정보 제공 | 카테고리 C2<br>카테고리 D | 별도보상 고려 |
| 레벨4 | - 레벨3에 더해 비용효과성을 입증한 경우 | 카테고리 C2<br>카테고리 D<br>카테고리 E | 별도보상 고려 |

※ 레벨3 이상은 근거 수준 '다 등급' 이상이 바람직함('나 등급' 사례별 인정)

조하였다. 일반적 역할 범위 외 새로운 정보 제공(카테고리 D), 기존 고가 의료행위 대체(카테고리 E)에 해당하는 유효성을 확보하는 경우 신의료기술평가 대상이 될 수 있다. 일반적 역할 범위 내 주요 진단(보조) 정보를 제공하는 경우(카테고리 C) 중 명백한 진단 정확도 및 진단 능력 향상의 경우(카테고리 C2)는 심층평가를 통해 신의료기술평가 대상이 될 수도 있다

디지털 치료제의 용도를 크게 예방, 관리, 치료 목적으로 분류한다면 치료의 경우 명백히 기존 고가 의료행위를 대체하는 측면에서 신의료기술평가를 통한 요양급여의 별도 보상을 고려할 수 있을 것이다. 정부도 디지털 치료제의 중요성을 파악하고 유럽 등 타 국가 사례를 기반으로 별도 보상 형태의 요양급여를 제공할 수 있는 정책 연구를 지속적으로 진행하고 있다. 2022년 이후에는 국내에도 적용 사례가 나올 것으로 예상된다.

# 4

# 디지털 치료제의 실사용증거와
# 성과가 기반이 된다

의료기기 제조사는 의료기기 시판 전 제품에 대한 안전성과 유효성을 확보하여야 하며 필요한 경우 시판 후에도 안전성과 유효성에 대한 지속적인 검증을 요구받는다. 의료기기 시판 전 충분한 안전성을 확보했더라도 실제 의료 환경에서 사용 시 예상하지 못했던 안전성 문제 등이 발생할 수 있기 때문이다.

실제 의료 환경에서 의료기기 사용과 관련한 의료 데이터를 실사용데이터RWD, Real World Data라고 하는데 주로 많은 사용자로부터 수집된다. 실사용데이터를 분석하여 도출된 증거를 실사용증거RWE, Real World Evidence라고 한다. 실사용증거는 의료기기 사전 및 사후 관련한 안전성과 유효성의 입증 등에 사용할 수 있다. 이에 따라 기간과 비용이 단축되며 기존 임상시험이 가진 문제점을 해결할 수 있을 것으로 판단된다. 실사용데이터와 실사용증거는 의료 환경에서 임상 설계나 수행 능력을 향상하고, 혁신적이고 새로운 진단 및 치료방법

의 개발에 응용되고, 시판 후 안전성이나 부작용에 대한 모니터링 등
에 활용할 수 있다.[155]

- 실사용데이터: 의료기기의 안전성과 유효성을 입증하기 위한 확
  증임상시험을 위해 수집되는 데이터를 제외한 비중재적 방법에
  의해 일상적으로 수집되는 데이터를 의미한다. 이러한 데이터
  는 실제 임상 현장에서 진료나 처방 등을 통해 의료기기를 사용
  함으로써 얻게 되는 실제 진료 기반 데이터(전자의무기록EMR, 전
  자건강기록EHR 등), 행정 및 건강보험 청구 데이터, 일상생활에서
  수집되는 개인 라이프로그(개인 기록, 생체신호 등) 및 레지스트리
  Registry 데이터 등을 포함한다.
- 실사용증거: 다양한 실사용데이터를 가공하고 분석하여 도출된
  의료기기에 대한 임상적 증거 등을 의미한다. 실사용데이터를
  분석하여 의료기기의 사용과 관련한 잠재적 이익 또는 위험성
  에 관한 임상적 증거 등을 확보할 수 있다. 또한 임상 문헌 등의
  결과를 분석하여 생성된 증거도 실사용증거로서 활용할 수 있
  다. 기존 전통적인 의료기기 임상시험은 잘 설계되고 통제된 임
  상 환경에서 실시한다. 이러한 시도는 의료기기의 안전성과 유
  효성에 대한 과학적 증거를 제시할 수는 있어도 실제 임상 환경
  에서 다양하게 변화하는 특성을 반영하는 데 어려움이 있고, 임
  상시험을 위해 큰 비용과 시간을 투입해야 하는 문제점이 있다.
  이러한 문제를 고려하여 실제 환경에서 수집된 풍부한 데이터
  를 후향적 연구Retrospective Study 등을 통해 분석한 증거를 의료
  기기의 안전성과 유효성을 위한 증거로 이용하기 위한 노력이

진행되고 있다.

　실사용데이터를 실사용증거로 만들기 위해서는 실사용데이터가 증거화를 위한 충분한 타당성과 신뢰성을 확보하고 있고 이를 입증할 수 있는지가 중요한 사항이다. 실사용데이터에 포함된 의료기기에 대한 정보뿐만 아니라 데이터가 가진 데이터 품질, 수집 및 분석 방법, 데이터 분석을 수행한 인력의 역량 등을 입증할 수 있는 객관적인 사항이 반드시 제시되어야 한다. 실사용증거는 의료기기 최초 허가(인증) 이후 적응증을 구체적으로 변경하거나 사용방법 또는 사용 시 주의사항을 변경할 필요가 있는 경우 이러한 사항을 지원하거나 규제하기 위해 이용될 수 있다.

　의료기기의 안전성과 유효성을 입증하기 위한 목적으로 실사용데이터를 새로 생성하고자 하는 행위는 「의료기기법」 제10조에 의해 의료기기 임상시험계획 승인 대상이 될 수 있으므로 대상 여부에 대해 규제기관과 사전 상담을 할 것을 권고한다. 임상시험계획 승인 대상은 허가받지 않은 제품이나 허가받은 기존 제품의 새로운 사용 목적 추가 등의 안전성과 유효성을 입증하기 위해 실사용데이터를 생성하고자 하는 경우가 해당된다. 임상시험계획 승인 비대상은 허가받은 의료기기를 허가범위 내에서 사용하면서 실사용데이터를 수집하고자 하는 경우가 해당된다.

　미국의 페어테라퓨틱스의 디지털 치료제인 리셋-O의 실사용증거 기반 경제성 분석 논문을 살펴보자. 2021년 초에 『약물경제학과 성과 연구에 대한 전문가 리뷰Expert Review of Pharmacoeconomics & Outcomes Research』에 발표된 「리셋-O를 이용한 오피오이드 중독 치료

결과에 따른 실 세계의 의료 자원 이용의 감소 효과Real-world reduc-
tion in healthcare resource utilization following treatment of opioid use disorder
with reSET-O, a novel prescription digital therapeutic」에서 2018년 10월 1
일부터 2019년 10월 31일까지 청구 데이터 기반 후향적 연구를 리
셋-O 사용 전 6개월과 사용 후 6개월로 구분하여 기간별 의료서비
스 이용과 관련된 직접비용 및 간접비용에 대해 분석하였다. 이 논
문에서는 351명을 대상으로 의료시설 이용, 약물 검사, 정신과 치료,
재활치료, 수술, 약 복용, 관련 영상 검사, 교통비, 응급시설 이용 등
의료와 관련하여 발생한 비용의 변화를 통계적으로 파악하였다. 그
결과 치료를 받기 전보다 치료 후 기간 동안 외래 진료 건수가 줄고,
약물 검사와 정신과 치료 등이 감소했다.

2021년 8월 『시장 접근과 건강 정책Journal of Market Access & Health
Policy』 저널에 발표된 「오피오이드 중독 치료를 위한 디지털 처방 치
료제의 비용효과 분석Cost-Effectiveness Analysis of a Prescription Digital
Therapeutic for the Treatment of Opioid Use Disorder」에서는 일반적인 치
료TAU, Treatment As Usual인 대면 진료와 긴급 대응 등의 서비스를 받
은 환자군과 리셋-O와 일반적인 치료를 병행한 환자군 간의 비용
효과를 분석하였다. 총 12주간의 공개된 청구 데이터를 기반으로
각 집단별 비용효과를 분석한 결과 디지털 치료제 병행 환자군은
0.00271의 질 보정 수명QALYs, Quality-Adjusted Life Years[156]이 증가하였
고 1,014달러의 비용 감소 효과를 얻었다. 이외에도 빅헬스Big Health
가 서비스하는 불면증 디지털 치료제인 슬리피오의 비용효과 분석
을 시뮬레이션한 논문도 있다.

이러한 청구 데이터 기반 대규모 연구는 디지털 치료제의 실제적

## 실사용증거 기반 디지털 치료제의 비용효과 분석 논문

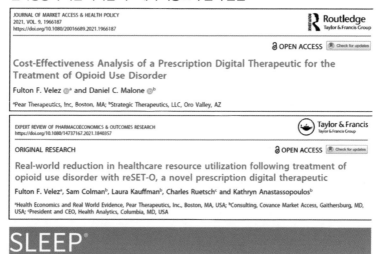

JOURNAL OF MARKET ACCESS & HEALTH POLICY
2021, VOL. 9, 1966187
https://doi.org/10.1080/20016689.2021.1966187

ᵃOPEN ACCESS

### Cost-Effectiveness Analysis of a Prescription Digital Therapeutic for the Treatment of Opioid Use Disorder

Fulton F. Velez [a] and Daniel C. Malone [b]

ᵃPear Therapeutics, Inc, Boston, MA; ᵇStrategic Therapeutics, LLC, Oro Valley, AZ

EXPERT REVIEW OF PHARMACOECONOMICS & OUTCOMES RESEARCH
https://doi.org/10.1080/14737167.2021.1840357

ORIGINAL RESEARCH

ᵃOPEN ACCESS

### Real-world reduction in healthcare resource utilization following treatment of opioid use disorder with reSET-O, a novel prescription digital therapeutic

Fulton F. Velezᵃ, Sam Colmanᵇ, Laura Kauffmanᵇ, Charles Ruetschᶜ and Kathryn Anastassopoulosᵇ

ᵃHealth Economics and Real World Evidence, Pear Therapeutics, Inc., Boston, MA, USA; ᵇConsulting, Covance Market Access, Gaithersburg, MD, USA; ᶜPresident and CEO, Health Analytics, Columbia, MD, USA

SLEEP®

Issues   More Content ▼   Subject ▼   Submit ▼   Purchase   About ▼   All SLEEP

### Cost-effectiveness of digital cognitive behavioral therapy (*Sleepio*) for insomnia: a Markov simulation model in the United States

Michael Darden, Colin A Espie, Jenna R Carl, Alasdair L Henry, Jennifer C Kanady, Andrew D Krystal, Christopher B Miller ✉

인 경제적 효과를 측정하고 중재치료의 성과를 파악하는 측면에서 중요하다. 실사용증거 기반 비용효과 분석은 향후 디지털 치료제의 급여 결정 근거가 된다. 리셋-O는 부프레놀핀과 같은 약물과의 병용요법이므로 아킬리사의 엔데버Rx 같은 단독요법의 실사용증거 기반 비용효과 평가와는 구분되어야 할 것이다.

# 5

# 디지털 치료제의 처방과 청구는
# 어떻게 진행되는가

    미국은 우리나라와 달리 제약사와 보험사를 연결하는 중개자로서 약국혜택관리기업PBM이 보험사 대신 제약사와 약값 등을 협의하고 보험약 처방 목록을 정하는 지위를 가지고 있다. 즉 환자, 보험사, 의료서비스 공급자 사이에서 의료비 대비 최적의 치료법과 의약품이 사용되도록 조율하는 역할을 한다.

    2019년 12월 미국 최대 약국혜택관리기업 중 하나인 익스프레스 스크립트Express Scripts는 디지털 헬스케어 서비스 15개를 보험 급여 대상 목록에 포함하였다. 당뇨병, 폐질환, 심혈관질환, 정신건강 4개의 카테고리에 원격환자모니터링과 디지털 서비스를 제공하는 리봉고헬스, 오마다, 프로펠라Propeller 등을 포함한 것이다. 또 다른 약국혜택관리기업인 CVS헬스CVS Health도 수면 관리 앱인 슬리피오를 만든 빅헬스를 자사 보험 급여 대상 목록에 추가했다. 즉 미국 최대 약국혜택관리기업이 디지털 헬스케어와 디지털 치료제의 효과를 인정하고 보험 급여 대상 목록에 등재했다는 것은 보험 급여 지급에 소극적인 민간보험사의 변화를 끌어냈다는 것을 의미한다.

약국혜택관리기업의 이러한 행보와 민간보험사의 수용으로 디지털 치료제의 급성장을 예측할 수 있다. 우리나라는 약국혜택관리기업 역할을 하는 중재자는 없지만 디지털 치료제가 제도권에 도입된다면 아래 그림 [디지털 치료제 처방 및 청구 프로세스 예시]와 같이 처방 및 청구가 진행될 가능성이 있다.

코로나로 인해 한시적으로 허용된 원격진료서비스가 추후 정식으로 도입된다면, 원격진료를 제공하는 온라인 의료기관과 기존 오프라인 의료기관의 의사들이 디지털 치료제를 처방하게 될 것이다. 온라인 또는 오프라인으로 처방전을 받은 환자가 온라인(또는 오프라인) 약국에 처방을 제출하면 온라인(또는 오프라인) 약국이 복약 지도와 함께 디지털 치료제를 다운로드할 수 있는 링크를 제공한다. 환자는 디지털 치료제 다운로드 플랫폼을 통해 디지털 치료제를 다운로드하여 이용하게 된다. 디지털 치료제 다운로드 플랫폼은 디지털

**디지털 치료제 처방 및 청구 프로세스 예시**

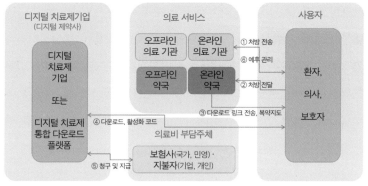

치료제 기업이 될 수도 있고 통합적인 다운로드 플랫폼 또는 온라인 약국의 다운로드 플랫폼이 될 수도 있다. 이 다운로드 플랫폼은 지불자인 국가의료보험, 민영의료보험, 사업장(기업), 개인에게 지불 요청인 청구를 하고 지불자가 지불하면 절차가 완료된다. 이 과정에서 치료 경과를 사용자인 환자, 의사, 보호자가 조회할 수 있도록 서비스가 제공될 것이다.

디지털 치료제 기업은 처방 및 청구 프로세스에서 다음과 같은 효율성 지표를 관리해야 한다.

① 해당 질병에 대한 환자 수 대비 디지털 치료제의 처방 건수 비율인 디지털 치료제 처방률(단독요법과 병용요법 구분)
② 디지털 치료제 처방 건수 대비 실제 다운로드하여 사용하는 비율인 사용률
③ 디지털 치료제 사용 건수 대비 치료를 완료하는 완료 건수의 비율인 완료율

①, ②는 법과 제도를 고려한 마케팅 전략에 대한 효율성 지표이고 ③은 디지털 치료제의 치료 순응도 모델의 효율성 지표다. 치료 순응도는 치료기간별 완료율, 치료 과업별 완료율, 치료 순응도를 높이기 위한 동기부여에 대한 유형별(긍정, 부성 등) 반응률 등 서비스 플랫폼과 환자 간 상호작용을 기반으로 설계되어야 한다.

- 디지털 치료제 기업은 급여, 비급여 전략이 중요하다.

  : 디지털 치료제를 통해 국민의 건강 수명이 연장되고 전체 의료 비용이 절감된다면, 그리고 보험사가 유소견자 보험상품을 데이터 기반으로 운영하여 실손보험의 손해율이 감소된다면 국가는 디지털 치료제 산업을 활성화해야 한다.

  : 디지털 치료제가 현재의 표준 치료와 비교하여 동등한 임상 효과와 보건의료 시스템적 편익이 있고 자원 소모가 적다면 급여를 적용해야 한다.

  : 건강보험의 예산을 절감하고 실제적인 환자의 편익과 접근성을 높이는 측면에서 디지털 치료제에 대한 별도 급여체계를 적극적으로 도입해야 한다.

- 보험사, 디지털 헬스케어 회사(빅테크, 빅파마), 디지털 치료제 회사는 상호 간 강약점을 보완하는 제휴 기반 서비스를 제공할 것이다.

  : 생활습관 중재치료, 인지행동치료, 오감 기반 자극(가상현실, 증강현실, 확장현실) 기반 피드백 기술을 반영한 디지털 치료제가 보험상품과 연계하여 출시될 것이다.

  : 디지털 치료제 전략에 있어 의료기기와 비의료기기라는 제도적 구분을 어떻게 선택할 것인가는 중요한 의사결정 요소가 된다.

- 디지털 치료제의 강점인 실사용증거 기반 지속적 성장 전략을

추진해야 한다.

: 시판 후 환자의 피드백과 안전성이나 부작용에 대한 모니터링 등 디지털 기반 실사용증거를 확보하여 혁신적 성능 향상에 활용한다.

: 디지털 치료제의 서비스 프로세스별 효율성 지표를 관리하여 치료 순응도 모델을 진입장벽화해야 한다.

# 디지털 치료제를 넘어

# 1

# 만성질환과 비의료서비스에
# 어떻게 활용할 것인가

　만성질환은 매년 전 세계 사망원인의 70%를 차지한다. 세계보건
기구WHO는 '만성질환에 대한 글로벌 실행계획 2013~2020'을 수립
하여 만성질환으로 인한 조기 사망률을 25% 감소시킨다는 목표를
설정하고 실행하고 있다. 우리나라는 2018년 기준 만성질환으로 인
한 사망률은 전체 사망의 83.7%를 차지하며 사망 원인 상위 10위 중
7개가 만성질환에 해당된다.[157] 또한 노인 10명 중 9명(89.5%)이 한
가지 이상의 만성질환을 앓고 있다. 65세 이상 환자수와 진료비가
다른 연령에 비해 큰 폭으로 상승하여 고령화에 따른 만성질환 부담
이 증가할 것으로 보인다. 2017년 기준 65세 이상 노인 인구 13.4%
가 전체 국민 의료비의 약 40%를 차지하였고 2019년 노인 진료비는
35조 8,000억 원으로 전체 진료비의 41.6%를 차지했다.[158] 65세 이
상 고령자는 2019년 14.9%, 2025년 20.3%, 2067년 46.5%가 될 것
으로 예상되며, 노인 진료비는 2018년 31조 원에서 2060년 337조

원으로 10배 이상 증가할 것으로 전망된다.

만성질환은 초기의 경우 식이, 운동, 수면 등 생활습관에 따라 건강상태가 크게 달라지기 때문에 잘 관리하는 것이 중요하다. 현재의 1차의료체계와 관련된 급여 제도는 급성질환 및 환자를 중심으로 수립되어 예방 관점의 자가관리가 중요한 만성질환에는 효율적이지 않다. 정부는 만성질환 관리를 위한 많은 시범 사업을 진행하였고 케어코디네이터Care Coordinator 제도를 기반으로 한 '일차의료 만성질환관리 시범사업'을 진행하고 있다. 만성질환 관련 시범사업은 2007년 9월 대구광역시에서 '고혈압, 당뇨병 등록 관리 사업'을 시범사업으로 시작하였고, 2012년 4월 '의원급 만성질환관리제'를 시범사업으로 진행하였고, 2014년 3월 '지역사회 일차의료 시범사업'을 통해 만성질환자에 대한 포괄적 예방관리를 위한 1차의료 활성화 및 자가관리 지원을 추진하였다. 2016년 9월부터 '만성질환에 대한 수가 시범사업'을 시작하였다가 '지역사회 일차의료 시범사업'과 통합되어 '일차의료 만성질환관리 시범사업'으로 추진되었다.

'일차의료 만성질환관리 시범사업'은 의료기관이 환자에 대한 포괄적인 평가를 통해 개인별 케어 플랜을 수립하며 환자에 대한 진료, 교육과 상담, 모니터링 등의 서비스를 제공한다. 특히 케어코디네이터를 고용하여 환자관리서비스를 제공한다는 것이 핵심이다. 의료기관은 '의사 직접 서비스' 모형과 '의원 내 케어코디네이터 운영' 모형 중 하나를 선택하여 참여할 수 있다. 케어 코디네이터 모형을 도입한 1차의료기관은 시범사업 참여 의료기관의 17%에 불과하였다.

2019년 5월 보건복지부에서는 『비의료 건강관리서비스 가이드라인 및 사례집』을 고시하였다. 의료법상 의료행위와 민간의 건강관리

## 주요 만성질환별 케어 플랜 예시[159]

| 비만 환자에게는 | ① 체지방 감소: 예) 3개월 후까지 체지방을 -%로 줄이는 것을 목표로 설정해볼까요?<br>② 식사 습관 교정: 예) 간식을 주 1회 이하로 줄이는 것을 목표로 설정해볼까요?<br>③ 허리둘레나 체중의 개선: 예) 3개월 후까지 -kg을 감량해 보는 것을 목표로 설정해볼까요? |
|---|---|
| 고혈압 환자에게는 | ① 혈압 수치의 개선: 예) 3개월 후까지 수축기 혈압을 -mmHg로 개선하는 것을 목표로 설정해볼까요?<br>② 식사 습관 교정: 예) 싱겁게 음식 먹기를 건강 목표로 설정해볼까요?<br>③ 허리둘레나 체중의 개선: 예) 3개월 후까지 -kg을 감량해 보는 것을 목표로 설정해볼까요? |
| 당뇨 환자에게는 | ① 혈당 수치의 개선: 예) 3개월 후까지 당화혈색소를 -%로 개선하는 것을 목표로 설정해볼까요?<br>② 식사 습관 교정: 예) 간식을 주 1회 이하로 줄이는 것을 목표로 설정해볼까요?<br>③ 허리둘레나 체중의 개선: 예) 3개월 후까지 허리둘레를 -인치를 줄여보는 것을 목표로 설정해볼까요? |

서비스를 구분하기 위한 기준을 예시로 명확하게 하였다. 만성질환 초기 단계에서는 생활습관 개선을 통해 정상으로 회복할 수 있다. 해당 가이드라인에 의하면 이러한 생활습관 개선을 위한 건강증진 활동, 질환의 예방, 관리 활동에 대해 목표 설정 및 관리서비스를 제공하는 것은 비의료적 상담 및 조언에 해당된다. 이는 운동, 식습관, 수면, 명상, 사회적 활동 등 일상적 건강관리 활동뿐만 아니라 의사의 기존 처방에 따른 활동을 환자가 잘 이행하는지를 확인하고 동기부여하는 것도 포함된다.

『비의료 건강관리서비스 가이드라인 및 시례집』에서는 '건강의 유지·증진과 질병의 사전예방·악화 방지를 목적으로, 유해한 생활습관을 개선하고 올바른 건강관리를 유도하기 위해 제공자의 판단이 개입된(의료적 판단 제외) 상담·교육·훈련·실천 프로그램의 작성 및 유관 서비스를 제공하는 행위'는 비의료 건강관리서비스로 정의하였

## 비의료 건강관리서비스의 개념[160]

○ (정의) 건강의 유지·증진과 질병의 사전 예방·악화 방지를 목적으로 위해한 생활습관을 개선하고 올바른 건강관리를 유도하기 위해

  – 제공자의 판단이 개입(의료적 판단 제외)된 상담·교육·훈련·실천 프로그램 작성 및 유관 서비스를 제공하는 행위

○ (제공방식) 이용자와 제공자 간 대면 서비스, 앱 등을 활용한 비대면 서비스, 앱의 자동화된 알고리즘에 기반한 서비스 모두 가능

다. 이러한 서비스의 제공 방식은 "이용자와 제공자 간 대면 서비스, 앱 등을 활용한 비대면 서비스, 앱의 자동화된 알고리즘에 기반한 서비스 모두 가능"하다.

따라서 만성질환을 타킷으로 한 디지털 치료제도 제공자의 의료적 판단이 없다면 의료기기 인허가를 받지 않은 웰니스 서비스 방식으로 제공할 수 있다. 물론 해당 서비스를 식약처 인허가를 받아 소프트웨어 의료기기SaMD로 서비스할 수도 있다. 이는 시장의 경쟁 환경과 가격 정책, 보유 기술과 진입장벽, 글로벌 진출 등 다양한 요인을 고려하여 생활습관 개선용 건강증진 서비스를 웰니스로 서비스할 것인지, 식약처 인허가를 받아 의료기기로 서비스할 것인지를 정해야 한다.

만성질환자에 대한 비의료적 상담 및 조언은 만성질환에 대한 관리 목적으로 행해져야 하며 치료를 직접적 목적으로 하는 상담 및 조

**비의료서비스로 가능한 비만 관리서비스 예시[161]**

| 구분 | 가능한 행위 | 불가능한 행위 |
|---|---|---|
| 비만도 측정 | • BMI 지수의 계산<br>• 체성분 분석기를 활용한 체내성분을 분석<br>• 적정 목표체중의 제시(공인된 정보에 따른 표준체중 기준) | • 의료적 검사·처방·처치·시술·수술 및 이와 관련한 의료적 상담·조언에 해당하는 행위<br>• 지방용해술, 위밴드 수술 등 의료적인 시행과 직접적으로 관련된 행위 |
| 운동 서비스 | • 일일 적정 운동목표량 설정<br>• 운동별 소모칼로리 분석<br>• 운동 방법 교습<br>• 기간별 운동일지 기록<br>• 운동 독려 알림메시지 전송 | |
| 식단 서비스 | • 일일 적정 섭취목표량 설정<br>• 식품별 칼로리 분석<br>• 식단 구상 및 판매<br>• 기간별 섭취칼로리 기록<br>• 체중감량에 좋은 식품에 대한 정보 안내 및 전송 | |

언은 '의료행위'성이 높으므로 의료기관에서 제공하여야 한다. 하지만 특정 질환의 치료를 위해 행하더라도 비의료기관이 의료인의 판단, 지도, 감독, 의뢰하에 행하는 경우 예외적으로 허용된다. 예외적 허용 사례의 경우 "① 의료적 판단의 전제된 공신력 있는 기준이 존재하는 경우, ② 질환 보유자의 특성을 고려하여 의료인이 특정 방법의 운동, 영양 등의 프로그램을 의뢰한 경우(서면, 전자적 방식 등 무관), ③ 의사와 환자 간 진료 내용에 따른 처방(약 복용 등)이 존재하는 경우 해당 처방을 관리, 점검하는 행위는 비의료기관에서 가능"하다.

이러한 측면에서 만성질환을 대상으로 한 인지행동치료 기반 생활습관 개선용 디지털 치료제를 ① 비의료적인 건강관리서비스(웰니스)로 진행하는 방안, ② 의사의 판단하에 비의료적인 건강관리서비스(웰니스)로 진행하는 방안, ③ 식약처 허가하에 일반의약품OTC 또는 처방의약품PDT으로 의료체계 내에서 서비스하는 방안 중 하나를 선택할 수 있다.

# 2

# 만성질환 대상 파이프라인 선정을
# 어떻게 해야 하는가

만성질환은 인류의 생활양식 변화와 더불어 유병률이 급증하고 있다. 만성질환 중에서 생활습관 중재치료를 적용 시 치료효과가 입증된 당뇨병에 대해 분석해보자. "미국 질병통제예방센터는 1996~2001년 당뇨 위험군을 대상으로 집중적인 생활습관 개선 프로그램인 당뇨병 예방 프로그램DPP, Diabetes Prevention Program을 하였다. 이러한 건강관리서비스가 중장기적으로 당뇨 발병률을 유의하게 낮추는 것으로 밝혀졌다. 임상시험이 종료된 2002년의 연구에 따르면 집중적인 생활습관 개선 프로그램에 참여한 그룹은 그렇지 않은 그룹에 비해 당뇨 발병률이 58% 낮게 나타났다. 임상시험 종료 시점으로부터 15년 후 결과를 추적한 연구에 따르면 참여 그룹의 당뇨 발병률이 27% 낮게 관측되었다." 그 외에도 "2013년에 실시된 Y-USA DPP, 2015년 실시된 당뇨 예방 인식 프로그램DPRP, Diabetes Prevention Recognition Program 등을 통해 체중 감량, 식단 조절 등이 당뇨 예방에 효과적임을 입증했다. 미국 의료보장제도 책임 기관인 CMS(Center for Medicare and Medicaid)는 1년 이상 당뇨 예방 프로그램을 이수한 사람들이 약 2,650달러의 의료비를 절감했다는 연구를 발표하기도 했다." 이런 연구 결과를 기반으로 질병통제예방센터는 2017년 당뇨병 예방 프로그램을 서비스하는 업체를 승인하고 의료수가를 책정하였다. 2018년 4월부터 당뇨병 예방 프로그램에 대한 수가를 업체에 지불하고 정부 차원의 당뇨병 예방 사업을 시행하고 있다. 또한 직접적 목표인 체중 감량과 오프라인 코칭 및 온라인 당뇨병 예방 프로그램을 시행하고 있다. 당뇨병 예방 프로그램을 구성하는 핵심 요소는 정식 교육을 받은 라이프스타일 코치, CDC 인증 커리큘럼(16주), 1년간 지속되는 그룹을 통한 지원이다. 전체 1년 프로그램은 인증 커리큘럼 16주(4개월), 16주 이후의 36주(9개월)로 총 13개월로 구성되어 있다.

우리나라는 당뇨 및 당뇨 합병증과 관련된 총 의료비가 전체 의료비의 19.2%를 차지한다. 홍석철의 연구에 의하면 "미국 질병통제예방센터에서 실시한 당뇨병 예방 프로그램을 당뇨 위험군에 적용하여 시뮬레이션을 수행한 결과 당뇨환자가 연간 17% 줄어들 것으로 기대되며, 의료비 절감과 건강 개선에 따른 소득 개선 편익도 상당할 것으로 예상되었다."[162] 시뮬레이션은 당뇨 위험군의 기준(BMI 24 이상, 공복혈당 95~125mg/dl)에 해당되는 우리나라 성인 인구 780만 명을 대상으로 시행했다. 당뇨병 예방 프로그램 도입 후 30년에 걸친 당뇨 발병률은 도입할 경우와 그렇지 않을 경우를 비교해서 연간 17%의 당뇨환자가 줄 것으로 예상했다. 의료비 및 소득 개선 효과는 프로그램 도입 5년 후 6,270억 원, 15년 후 1조 1,000억 원에 달할

**텔라닥의 2020년 기업활동 자료 내 리봉고의 서비스 성과[164]**

Empowers Members and Strengthens Relationships[1]

| 당뇨 | 고혈압 | 체중관리 | 행동 건강 |
|---|---|---|---|
| **0.8pts**<br>당화혈색소가<br>0.8pts 감소 | **10mmHg**<br>수축기 혈압<br>10mmHg 감소 | **7.3%**<br>평균 체중<br>7.3% 감소 | **55%**<br>DASS 지수<br>55% 향상 |

주) DASS(Depression Anxiety Stress Scale) : 우울증, 불안, 스트레스 척도

것으로 추정하였다.

미국에서 당뇨병에 대해 성공적인 온라인 서비스를 제공하는 리봉고의 사례를 들어보자. 리봉고의 2020년 9월 기업활동 자료를 보면 서비스 이용에 따른 치료효과를 제시하였다. 당뇨병의 당화혈색소HbA1C 수치를 0.8포인트 낮추었고, 수축기 혈압Systolic BP을 10수은주밀리미터 낮추었다. 또한 당뇨병의 원인이 되는 비만에 대해 체중이 7.3% 감소되었고 우울증, 불안, 스트레스 척도DASS 기준으로 55%의 향상 효과를 보였다고 한다. 이러한 만성질환에 대한 원격관리서비스는 순응도 모델 기반 과업에 대한 개입을 제공하여 가입자의 자가관리 능력을 향상해야 한다. 리봉고는 서비스 결과를 데이터로 제시하여 고객의 신뢰도와 만족도를 높임으로써 재가입률을 94% 이상 달성했다. 이렇게 높은 서비스 재가입률과 당뇨병, 비만, 고혈압, 정신질환 등 만성질환의 합병률에 적합한 맞춤형 크로스세일Cross Sale[163]은 이익률을 극대화한다. 순응도 모델 기반 과업 완료율 관리는 원인pros이고 구독 모델 기반 재가입률은 결과cons다. 이러한 리봉고의 우수한 사업적 성과를 디지털 치료제 기업은 벤치마킹하여야 한다.

### 이상지질혈증과 타 만성질환 간의 합병률[165]

이상지질혈증, 당뇨, 고혈압을 치료받는 환자
(2016년 기준)

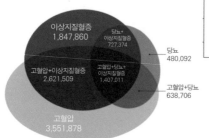

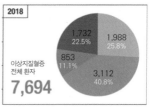

이상지질혈증
전체 환자
**7,694**

1,732 22.5%
1,988 25.8%
853 11.1%
3,112 40.8%

■ 이상지질혈증 하나만 있음
■ 이상지질혈증 + 고혈압
■ 이상지질혈증 + 당뇨
■ 이상지질혈증 + 고혈압 + 당뇨

그렇다면 만성질환 환자에 대해 크로스세일이 가능한 시장 분석
을 해보자. 만성질환 중 이상지질혈증에 대한 2018년과 2020년 국
내 사실 보고서를 보면 이상지질혈증, 당뇨, 고혈압이 합병되어 치
료를 받는 사람들의 통계가 나온다. 예를 들면 2018년 기준 이상지
질혈증만 가진 환자는 25.8%에 불과하고 이상지질혈증과 고혈압을
가진 환자는 40.6%, 이상지질혈증, 고혈압, 당뇨를 같이 가진 환자
는 22.5%, 이상지질혈증과 당뇨를 같이 가진 환자는 11.1%다. 이렇
게 만성질환은 합병률이 높으며 대부분 만성질환의 원인이 되는 기
초 질환은 비만이다. 리봉고는 원격 당뇨 관리서비스로 출발했지만
비만 관리, 고혈압 관리 등을 구독형 서비스로 크로스세일을 하여 가
입자를 극대화하고 있다. 정신질환도 알코올 중독, 우울증, 불안장애,
자살 충동 등은 만성질환처럼 겹쳐 있어 유사한 방식의 크로스세일
이 가능하다. 즉 디지털 치료제의 파이프라인 설계 시 기업이 보유한
경쟁우위 기반 최초 타깃 질병을 정한 후에 가입자 기반 크로스세일
을 통해 확장하는 전략을 추진해야 한다.

**전체시장(TAM), 유효시장(SAM), 목표시장(SOM)[166]**

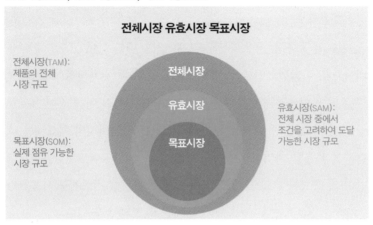

디지털 치료제를 최초 기획하는 단계에서는 보유한 디지털 치료제 기술, 보유 코호트의 타깃 질병 연관 데이터, 의료 현장에 종사하는 의료진의 미충족 수요 등이 중요하다. 예를 들면 뇌졸중 환자의 발병 이후 급성기의 골든타임 구간에서 운동 재활치료와 언어 재활치료 등을 도와주는 오프라인 중심의 의료보험 시스템은 환자가 재활치료를 적극적으로 이용하기 어렵다. 이렇게 뇌졸중 환자의 재활치료에 대해 환자와 의료진의 미충족 수요가 있으므로 이를 해결하는 디지털 치료제를 기획할 수 있다.

출발점에서는 기업이 보유한 역량(내부적 요소)을 기반으로 디지털 치료제가 타깃팅하는 질병의 시장(외부적 요소)을 고려하여 우선순위를 결정하여야 한다.

시장 규모 측면에서는 유병률과 유병률 기준 나이가 중요하다. 예를 들면 고혈압의 경우 만 30세 이상 기준으로 유병률이 28.3%(2018년 기준)이며 만성폐쇄성폐질환의 경우 만 40세 이상 유병률이

17.8%(2018년 기준)다. 이를 통해 전체시장TAM, Total Addressable Market, 유효시장SAM, Service Available Market, 목표시장SOM, Service Obtainable Market 등 시장 규모를 산정할 수 있다. 예를 들어 고혈압 환자를 대상으로 한다면, 30세 이상 인구의 28.3%가 전체시장(TAM)이고, 그중 해당 의료기관이 보유한 환자가 25만 명이면 이 시장이 유효시장(SAM)이고, 그중 고혈압 관리 및 치료를 위한 디지털 치료제를 개발하여 사용할 가입자 수는 목표시장(SOM)이다. 즉 고혈압 환자 25만 명의 유효시장(SAM) 중 10%가 개발한 디지털 치료제를 사용한다면 2.5만 명을 달성할 목표시장(SOM)으로 정의할 수 있다.

이러한 방식으로 시장을 분석하고 목표시장을 정의할 수 있다. 그리고 해당 질병의 인지율과 치료율, 조절률도 중요한 시장 분석의 지표가 된다. 고혈압은 환자 기준 인지율, 치료율, 조절률이 65.0% 〉 61.1% 〉 45.4%로 당뇨의 67.8% 〉 62.5% 〉 30.5%에 비해 높은 조절률을 보인다. 즉 치료를 받는 비율은 당뇨가 조금 높지만 치료를 통해 적정하게 관리되는 조절률은 고혈압이 15%가량 높다. 치료 순응도 향상과 생활습관 개선을 통한 치료가 상대적으로 당뇨가 어렵기 때문이라고 판단된다. 이러한 치료율과 조절률의 차이를 메워 환자의 미충족 수요를 해결하는 디지털 치료제가 있다면 성공할 가능성이 크다. 이미 해당 시장을 대상으로 미국의 리봉고, 오마다 등 당뇨 관리서비스 회사가 시장을 충분히 키우고 있다. 국내에도 당뇨병을 표적으로 많은 디지털 헬스케어 방식의 웰니스 서비스가 출시되어 있거나 출시를 준비하고 있다.

그리고 파이프라인의 우선순위를 정함에서 질병의 특성과 기술의 발전 단계를 반영해야 한다.

**파이프라인 우선순위 기준 예시- 만성질환 대상**

파이프라인 수립 기준 (질병관리청, 국민건강통계, 2020 만성질환 현황과 이슈)

| 구분 | | 비만 | 고혈압 | 당뇨 | 이상지질혈증 | 만성 폐쇄형 폐질환 | 비고 |
|---|---|---|---|---|---|---|---|
| 시장 | 시장 규모 (유병률) 시장 성장률 (10년 전후) | 2007년 31.7% 2018년 34.6% (19세 이상) 고 | 2007년 24.5% 2018년 28.3% (30세 이상) 고 | 2007년 9.5% 2018년 10.4% 전당뇨 2018년 19.8% (30세 이상) 중 | 2007년 10.7% 2018년 21.4% (30세 이상) 고 | 2007년 9.5% 2018년 17.8% (40세 이상) | 시장 매력도 |
| | 시장 규모 (유병률) 시장 성장률 (10년 전후) | | 33.3%(유병) 30.9%(미인지) 65.0%(인지) 61.1%(치료) 45.4%(조절) | 12.4%(유병) 28.5%(미인지) 67.8%(인지) 62.5%(치료) 30.5%(조절) | 28.8%(유병) 39.9%(미인지) 55.0%(인지) 44.9%(치료) 38.3%(조절) | 11.4%(유병) 97.5%(미인지) | 유병률: 고)이)당 인지율: 당)고)이 치료율: 당)고)이 조절율: 고)이)당 |
| 기술 | 기술발전단계 질병 마커의 명확성 디지털화 가능성 | 고 (BMI, 허리둘레) | 고 (혈압) | 고 (당화혈색소) | 중 (TG, HDL, LDL) | | 질병의 가역성 (유소견자 단계) → 추가적인 의학적 연구 필요 |
| | 치료 유효성 중재, 자극 치료 효과 입증 | 중 (운동 > 식이) | 중 (운동 ≫ 식이) | 중 (운동 ≫ 식이) 유산소 유산소+근력운동 | 저 (운동 ≫ 식이) | | |
| | 타이밍 질병 가역성과 유소 견자 단계 골든타임 | 중 | 중 | 고 | 중 | N/A | |
| 사업 | 경쟁 강도/우위 | 저/고 | 저/고 | 고/고 | 저/고 | | 전략적 적합성 -구독형 모델 재구매율 -보험사 제휴 전략 |
| | 서비스 부가가치 (메디컬 버전 기준) | 중 | 중 | 고 | 고 | | |
| | KMI 시너지 | 중 | 중 | 중 | 고 | | |

첫째, 타깃 질병의 임상진료지침상 바이오마커가 명확하고 디지털화 가능성이 얼마나 높은가를 판단해야 한다. 예를 들면 당뇨병 진단을 위해 검사하는 당화혈색소는 임상진료지침에 이미 반영된 바이오마커이면서 환자의 자가 채혈을 통한 원격모니터링으로 디지털 서비스가 진행된 바이오마커다. 자가 채혈로 당화혈색소 검사 결과를 원격으로 전송할 수 있다면 연속적, 객관적, 정량적인 디지털 바이오마커의 장점을 활용하여 라이프로그 데이터와의 상관관계 분석을 통해 치료 순응도 모델을 만들 수 있다. 당화혈색소의 변화를 인공지능이 인지하여 환자의 생활습관 개선을 위한 계기를 인지행동 치료로 제공할 수 있다. 이에 비해 알츠하이머 치매는 근거 기반 의

학에서 가설로 인정된 베타 아밀로이드라는 원인 단백질 바이오마커를 뇌척수액CSF이나 의료영상장비Amyloid PET로만 측정할 수 있다. 당화혈색소처럼 가정 내에서 베타 아밀로이드 단백질의 농도를 자가 검사할 수 없다. 2018년 혈액 기반으로 올리고머 베타 아밀로이드 농도를 측정하는 검사키트가 의료기기로 출시되었지만 자가 측정을 하기 위한 기기의 개발이나 기존 임상진료지침에서 인정하는 알츠하이머 치매의 바이오마커로 확정되기까지는 많은 시간과 근거가 필요할 것이다.

둘째, 치료의 유효성을 어떻게 입증할 것인가. 디지털 치료제 기업은 개념검증 단계부터 치료의 유효성을 입증하려고 할 것이다. 하지만 생활습관 중재치료, 오감 자극 치료, 혼합 치료 등 다양한 치료 방식과 기존 약물치료와의 병용요법 또는 단독요법 등 치료 유형에 따른 치료의 유효성을 입증하는 것이 중요하다. 즉 대체기술과 보완기술에 대한 비교 우위 측면에서 어떤 치료 방식과 치료 유형을 선택해서 인허가 시 치료의 유효성을 어떻게 입증할 것인가를 결정해야 한다.

셋째, 디지털 치료제의 수요자인 유소견자와 환자의 절실한 정도와 질병의 가역적 특성을 어떻게 매칭할 것인가도 중요하다. 질병의 진행 단계에 따라 가역성이 보장되는 구간이 골든타임이다. 예를 들면 당뇨병의 전 단계인 전당뇨는 공복혈당 100~125, 당화혈색소 5.7~6.4 구간을 말한다. 전당뇨 단계에서는 운동, 식이 조절 등 생활습관 개선을 통해 정상적인 건강으로 회복할 수 있다. 하지만 전당뇨에서 당뇨병으로 진행되어 기간이 오래 경과되면 혈관의 염증 등으로 인한 장기의 손상으로 정상적인 건강으로 다시 회복되기가 어렵다. 이러한 만성질환의 진행 단계별 가역성과 골든타임에 기반한 인지행동치료를 수요자에게 제공하고 수요자의 정보 수용 방식에 따른 디지털 치료제의 치료 순응도 모델을 개발하여 치료의 유효성을 확보해야 한다.

그 외 사업적 관점에서 시장 내에서 경쟁사업자 간 경쟁 구도와 경쟁 강도, 데이터 및 기술의 지적재산권 기반 독점력 확보, 웰니스 및 의료기기 인허가 방식에 따른 각각의 부가가치 예측과 기존 사업과의 시너지 효과 등을 고려하여야 한다.

# 3

# 왜 발병 전 생활습관 중재치료가 중요한가

만성질환 발병 전 단계는 국가의료보험 체계하에서는 주로 비급여로 적용되며 병원에서는 환자 이전 단계로 간주한다. 하지만 이 단계는 정상이 아닌 질병이 진행되는 단계로 건강검진 시장에서는 유소견에 의한 지속적인 관리와 추적 관찰이 필요한 시기다. 이 단계는 주로 질병의 가소성이 적용되는 구간으로 운동, 식이 조절, 수면 조절, 명상, 사회적 활동 등 생활습관 중재치료에 의해 정상적인 건강 상태로 회복될 수 있다. 이러한 만성질환을 대상으로 생활습관 중재치료를 디지털 치료 방식으로 어떻게 적용할 수 있을지를 알아보자.

2021년 헬스케어 이노베이션 포럼에서 마이크로소프트의 부사장이자 헬스케어 담당 중역인 데이비드 류David C. Rhew가 발표한 '디지털 헬스 산업의 글로벌 트렌드와 기회'에서 다음과 같이 '건강에 대한 연속적 관리Care Continuum' 프로세스는 4단계를 거친다.

1단계 목표 설정: 현재의 건강상태를 측정하고 평가하며, 건강에

**연속적 건강관리 프로세스[167]**

① 목표 설정

건강상태 측정
건강에 대한 사회적
영향과 결정요소 평가
목표 설정

화상 상담
디지털 앱

가상 관리 최적화

원격 미팅

진도 평가

② 목표 달성노력

계획의 조정

③ 목표 조정

새로운 목표 설정

④ 꾸준한 향상

지속적인
원격 지원

성공을 축하

대한 사회적 영향 및 결정 인자에 대한 평가와 목표를 설정한다.
2단계 목표를 향한 진행: 디지털 앱 등을 통한 온라인 컨설팅, 전문적인 건강관리, 관리 결과에 대한 지속적인 평가를 통해 목표를 향한 진행 단계를 관리한다.
3단계 목표의 조정: 계획을 조정하여 최적화하며 필요 시 새로운 목표를 설정하고, 온라인 환경을 통한 지속적인 조력자를 지원한다.
4단계 지속적인 향상: 지속적인 개선을 통해 건강이라는 목표를 달성한다.

이러한 만성질환에 대한 관리는 기존 오프라인 중심 건강검진 등 의료서비스에서 새로운 온라인 중심 디지털 헬스케어 서비스로 진화하고 있다. 또한 원격의료가 전면 도입되기 전까지는 법제도의 제약 내에서 온라인과 오프라인 연동되는 비즈니스 모델이 활성화될 것으로 보인다. 디지털 치료제도 온라인과 오프라인을 동시에 지원할 수 있는 방식도 고려되어야 한다. 비만, 고혈압, 당뇨 등 만성질환과 우울증, 불안장애 등 정신질환에 대해 건강검진, 자가진단 등을 통해 유소견자 등 경계군이 발견되면 이에 대한 생활습관 중재치료를 진행해야 한다. 발병 전 단계이므로 약물치료보다 생활습관 중재치료를 통해 정상적인 건강 단계로 회복하는 것이 중요하다. 이 단계에서 인지행동치료 기법이 반영된 치료 순응도 모델 기반 디지털 치료제를 개발하는 전략이 중요하다.

# 4

# 발병 전 생활습관 중재치료는
# 어떻게 하는가

　한국산업안전보건공단에서는 근로자의 작업 관련 뇌심혈관질환 예방을 위해 사업주와 근로자 및 담당의사가 지켜야 할 사항인 「직장에서의 뇌·심혈관질환 예방을 위한 발병위험도평가 및 사후관리 지침」을 발표했다. 지침에서 정한 "뇌·심혈관질환이란 심장, 심혈관 및 뇌혈관계통에서 발생한 질환으로, 심근경색증, 뇌졸중(뇌경색, 지주막하출혈, 뇌실질내출혈), 해리성 대동맥류(대동맥박리) 등을 말한다." 이러한 뇌심혈관질환은 원인이 되는 기초 질환인 고혈압, 이상지질혈증, 당뇨병 등을 관리함으로써 예방할 수 있다. 또한 기초 질환인 상기 만성질환은 금연, 영양 지도, 운동, 절수 능의 생활습관 개선 프로그램을 통해 관리할 수 있다. 이 지침에서는 "사업주가 뇌심혈관질환 발병위험요인이 없는 건강한 근로자를 포함하여 모든 근로자를 대상으로 뇌심혈관질환 발병 위험도 평가를 2년에 1회 이상 실시하도록 하고 있다."[168]

**뇌심혈관질환 발병 위험도 모델**

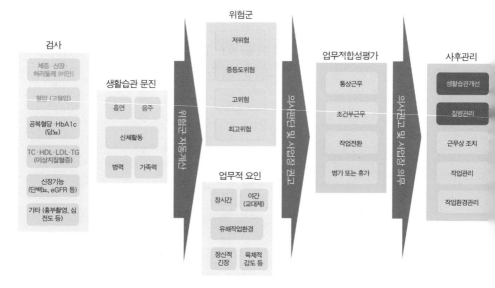

"또한 사업주는 사업장의 근로자들이 개선해야 할 보편적인 생활 습관을 파악하여 그 사업장에 필요한 주요 생활습관 개선 프로그램 (예: 금연 프로그램, 영양지도 프로그램, 운동 프로그램, 절주 프로그램 등)을 사업장에서 직접 운영하거나 외부기관의 지원을 받아 운영하도록 노력해야 한다. 또한 발병위험도에 따른 위험군(저위험군, 중등도위험 군, 고위험군, 최고위험군)을 분류하여 업무 적합성 평가를 통해 근무상 조치를 결정하도록 한다. 근무상 조치란 ① 통상 근무와 생활습관 개 선, ② 약물치료 또는 근무시간 제한 등의 노력과 함께 현재 부서에 서 근무하는 조건부 근무, ③ 건강상태가 좋아질 때까지 요양치료를 하는 병가 또는 휴직, ④ 현재 업무 특성상 뇌졸중이나 심근경색증이 발병 또는 악화될 수 있어 다른 부서로 직무 전환 조치가 필요한 작 업 전환 등으로 구분된다."

**뇌·심혈관질환 발병 위험도 평가 결과에 따른 고혈압 치료 전략**

KOSHA GUIDE
H - 200 - 2018

| 분류·혈압 수준 | 고혈압 전단계 수축기 130-139 또는 이완기 80-89 | 1기 고혈압 수축기 140-159 또는 이완기 90-99 | 2기 고혈압 수축기 160 이상 또는 이완기 100 이상 |
|---|---|---|---|
| 위험인자 0개 | 생활요법 | 생활요법 또는 약물 치료 | 생활요법 또는 약물 치료 |
| 당뇨병 이외의 위험인자 1-2개 | 생활요법 | 생활요법 또는 약물 치료 | 생활요법과 약물 치료 |
| 당뇨병 이외의 위험인자 ≥3개 또는 무증상 장기 손상 | 생활요법 | 생활요법과 약물 치료 | 생활요법과 약물 치료 |
| 당뇨병, 심뇌혈관질환 만성신장질환 | 생활요법 또는 약물 치료 | 생활요법과 약물 치료 | 생활요법과 약물 치료 |

\* 주의혈압과 정상혈압의 경우 고혈압 전단계 치료전략 따름

예를 들면 고혈압의 경우 수축기, 이완기의 혈압에 따라 전단계, 1기, 2기로 구분하고 위험인자의 숫자에 따라 질병의 심각도가 정해져 있어서 해당 심각도에 맞는 생활요법과 약물치료 등을 단독 또는 병행하여 실시하게 된다. 다음과 같이 위험인자가 적거나 고혈압의 심각도가 낮으면 약물치료 없이 생활요법만 하여도 된다. 조금 더 심각해지면 생활요법 또는 약물치료 중 하나를 선택하고, 더 심각해지면 생활요법과 약물지료를 병행해야 한다. 생활요법을 온라인으로 제공하는 것과 그다음 단계인 약물치료와 생활요법을 병행하여 제공하는 것은 디지털 치료로 향후 진행될 것으로 보인다.

뇌·심혈관질환 발병 위험도 평가를 위한 문진은 ① 흡연, 운동습관, 음주 등과 관련된 생활습관 문진, ② 뇌졸중, 협심증, 심근경색증

등 질병이 발병한 가족의 유무와 관련된 가족력 문진, ③ 당뇨병, 일과성뇌허혈발작, 뇌졸중, 협심증, 심근경색증 등의 병력 여부 및 고혈압, 당뇨병 등 약 복용 유무를 묻는 문진으로 구성된다. 임상검사 항목은 체중, 신장, 허리둘레, 혈압, 흉부 방사선, 식전 혈당, 신장기능검사(신사구체여과율eGFR, 요단백검사), 총콜레스테롤, HDL콜레스테롤, 트리글리세라이드 등 혈중 지질검사로 구성된다. 즉 뇌·심혈관질환의 기초 질환인 비만, 고혈압, 당뇨, 이상지질혈증에 대한 위험 요소가 있는지를 파악하는 것이다.

# 5

# 원격의료 규제는 어떤 방향으로
# 진행될 것인가

대다수 국가의 의료체계는 의료인이 환자를 직접 대면하고 의료 서비스를 제공하는 대면 진료를 기본으로 한다. 하지만 한정된 의료 자원으로 의료서비스가 제한적이거나 의료 접근성이 떨어지는 의료 취약 지역 등의 문제점을 해결하기 위해 정보통신기술을 활용해 의료인이 원격으로 의료서비스를 제공하는 원격의료가 발달하고 있다. 여기서 원격의료와 원격진료의 차이점을 간단히 짚어보자.

원격의료TeleHealth란 전화, 이메일, 채팅, 원격영상, 원격모니터링 등을 통해 의사가 환자에게 원격으로 의료서비스를 제공하는 것을 의미한다. 원격진료TeleMedicine는 원격의료보나 좁은 개념으로 의사가 원격으로 환자를 진료하는 것을 의미한다. 우리나라를 제외한 많은 국가에서 의사와 환자 간 원격진료를 제도적으로 허가하고 있다. 2020년부터 코로나19 바이러스 감염을 우려해 환자와 의료진 간, 환자 간의 물리적 접촉이 없는 원격진료가 본격화된 상황이다. 원격진료가 발전하면서 디지털 치료제 측면에서 동반 성장할 수 있는 생태계가 조성되고 있다.

코로나19가 미국 전역으로 확산된 2020년 4월 원격의료 기업 앨리헬스Allyhealth의 원격응급진료서비스는 직전 2주 대비 약 150% 증가했으며 텔라닥은 전월 동기 대비 약 100% 증가하여 하루 평균 2만 건의 원격진료서비스를 제공했다. 중국의 핑안굿닥터는 2020년 1월 신규 이용자와 방문자가 전월 대비 각각 900%, 800% 증가했다. 이렇게 급성기 전염병이 창궐하는 시점에서는 의료 시스템을 방어하기 위해서 국가는 원격진료서비스를 활성화할 수밖에 없다.

코로나19 이후 우리나라뿐만 아니라 다수 국가가 원격진료 활성화를 위해 규제를 완화하고 제도를 보완하였다. 미국은 2020년 3월 원격진료에 대한 메디케어Medicare 보장범위를 확대했으며 팬데믹 상황에 한해 「개인정보 준수 규제HIPAA, Health Insurance Portability and Accountability Act」 등 법규제를 완화하였다. 영국 국민보건서비스NHS 는 1차병원에 원격진료를 진행하도록 권유하였다. 일본은 기존 원격진료 대상을 재진환자에서 초진환자까지 확대하였다.

우리 정부도 코로나19 확산이 본격화되자 원격진료를 한시적으로 허용하였다. 2020년 2월 24일부터 의사가 의료적으로 안전하다고 판단하면 원격진료가 가능하다. 그 후 2021년 9월 5일까지 전화 처방 건수를 기준으로 276만 건의 원격진료가 시행되었다. 현재 위드 코로나 시대로 들어서면서 한시적으로 허용한 원격진료를 어떻게 할 것인지가 관건이다. 이와 관련해서 국회위원들이 의료법 개정안을 2021년 11월 국회에 제안한 상태다. 강병원 의원 등 10인이, 최혜영 의원 등 12인이 각각 의료법 일부개정법률안을 접수하였다. 두

## 원격진료 운영 프로세스[169]

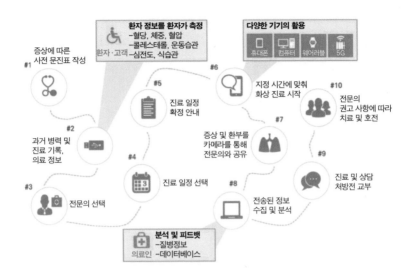

(출처: MLSDev, How Does Telemedicine Service Work, 삼정KPMG 경제연구원 재구성)

의안은 주체와 방식에 있어 상이한 부분이 있다. 강병원 의원이 대표 발의한 개정안은 의원급 의료기관(대형병원 불가)이 고혈압, 당뇨 등 보건복지부 장관이 인정한 질환자에 대해 재진에 한해서(초진 불가) 관찰, 상담 등의 원격모니터링에 한해 원격의료가 가능한 방식이다. 최혜영 의원이 대표 발의한 개정안은 의원급 의료기관(대형병원 불가)과 병원급 의료기관이 진료가 필요하다고 판단되는 환자에 대해 보건복지부령으로 정한 경우에는 가능하다는 예외소항을 누었고 고혈압, 당뇨 등 만성질환자와 정신질환자뿐만 아니라 산간 벽지 및 교정시설 수용자, 군인 등 대상자를 추가하였다. 기본적으로 재진환자이지만 일부 초진환자도 가능하며 원격모니터링에 의한 원격의료뿐만 아니라 상담과 교육, 진단과 처방이 가능한 원격의료서비스를 명

11장 디지털 치료제를 넘어  **325**

시하였다. 마지막으로 비대면 진료에서 문제 발생 시 의료인의 면책 조항을 명시하여 책임소재를 명확히 하였다.

# 6

# 왜 디지털 치료제에서 임상디자인이
# 중요한가

만성질환에 대해 모바일 앱 기반 서비스만을 제공하는 경우 생활
습관 변화나 지속적인 사용을 끌어내기 쉽지 않아 건강한 상태로 돌
아가기 어렵다. 그 때문에 사람이 개입하는 휴먼 코칭 서비스를 제공
하는 눔Noom과 같은 서비스가 주목을 받았다. 2018년 보험연구원의
보고서 「모바일 건강어플리케이션 이용 현황과 시사점」은 모바일 앱
만으로는 생활습관 변화가 어렵다고 분석했다. 하지만 모바일 앱이
과연 생활습관 변화를 위한 제대로 된 인지행동치료를 적용했는지
는 불분명하다. 또한 온라인 휴먼 코칭이 인공지능 기반 온라인 인지
행동치료보다 우월한 방법인지에 대해서는 논란의 여지가 있다.

서울대학교 조비룡 교수와 눔코리아가 한국보건산업진흥원의 지
원을 받아 2020년 8월부터 11월까지 진행한 '만성질환자 건강관리
앱 활용 모델 개발 및 실증사업'에서 1차의료기관을 방문한 만성질
환자를 대상으로 건강관리용 모바일 앱의 활용에 대한 적정성을 검

**'만성질환자 건강관리 앱 활용 모델 개발 및 실증사업'의 커리큘럼**

| 주차 | 커리큘럼 주제 | 주차별 코칭 프로토콜 |
|---|---|---|
| 1 | 오리엔테이션+목표 설정하기 | 사용자 스크리닝, 최종의 목표 확인하기 |
| 2 | 동기부여+목표 실정 후 관리하기 | |
| 3 | 식사를 건강하게 만드는 핵심 습관 | 2주차 이후부터 주별로 사용자의 미션 제안 후 수행 여부와 장애요소 체크 및 기록 피드백 제공+커리큘럼 코치 |
| 4 | 음식섭취에 영향을 미치는 외부 요인 | |
| 5 | 체중관리가 어려운 이유 | 1. 목표관리 코치 |
| 6 | 운동, 수면, 스트레스 관리 | ① 주 2회 이상 회원에게 메시지 발송 |
| 7 | 식단과 영양소에 대해 알아보기 | ② 회원에게 받은 메시지는 당일(근무시간)에 응답 |
| 8 | 왜곡된 생각 알아차리기와 마음챙김 | |
| 9 | 스트레스 관리와 마음챙김 실전 | 2. 그룹 코치 |
| 10 | 심리 꿀팁과 트리거 관리 | ① 매일 운동 미션 제공 |
| 11 | 강점 다지기와 관점 바꾸기 | ② 주 3~4회 영양, 심리 정보 관련 콘텐츠 제공 |
| 12 | 감정관리하는 방법 | |

토하였다. 눔 서비스를 실증 사업에 맞게 변형하여 환자의 모바일 앱에 대한 사용 전후의 생활습관 변화와 건강상태를 평가하여 건강증진 효과를 분석했다. 이를 통해 1차의료기관과 모바일 서비스 간의 온오프라인 역할 분담 방식 등을 고찰하여 향후 원격의료, 디지털 치료제 등의 제도를 위한 데이터를 확보하려는 시도였다.

1단계로 설문을 통한 건강 관련 삶의 질 평가(SF-12), 행동 변화 단계 평가(TTM 모델, 규칙적인 운동, 건강한 식사, 정기적인 건강검진, 금연과 절주), 정서 상태 평가(PHQ-2: Patient Health Questionnaire, GADS-2: Generalized Anxiety Disorder Scale), 스트레스 평가를 진행한다. 2단계로 눔이 보유한 식이, 운동, 체중 변화와 관련된 사용자 설문을 진행한다. 3단계로 건강검진 등을 통해 입수된 참여자의 혈액검사와 생체지표를 파악한다. 주된 항목은 당화혈색소, 공복혈당, 총콜레스테롤, LDL콜레스테롤, HDL콜레스테롤, 중성지방TG 등의 혈액검사 및 혈압검사 등으로 최초 등록 시에 측정하고 12주간 모바일 앱을 사용한 후 검사를 재실시한다.

모바일 앱의 프로그램에 대한 참여율, 완료율, 만족도를 참여자와 의료진을 대상으로 측정하여 프로그램 수행평가를 한다. 프로그램에 대한 효과 평가는 모바일 앱의 이용 전후를 분석하여 식이, 운동 등 행동 변화와 체중 감량 등의 차이를 분석한다. 눔은 국내 기준 300만 건의 다운로드를 기록하고 있으며 비만, 당뇨병, 고혈압 등을 대상으로 식이, 운동 기반 온라인 휴먼 코칭 서비스를 제공하고 있다. 식이의 경우 참여자가 직접 식단을 기록하는 방식으로 일대일 코칭과 그룹 코칭를 통해 식사 기록에 대한 피드백과 식단 관련 정보를 추가로 제공한다. 눔은 국가표준식품성분표(농진청)와 식약처, 대한영양사협회 자료와 국내외 식품회사 영양성분 자료를 데이터베이스로 5만여 건을 구축하여 피드백에 대한 근거 데이터로 활용한다. 운동은 일대일 코칭 시 쌍방향 대화를 분석하여 맞춤형 운동 영상을 추천하고 운동을 활용하는 방법을 제시한다. 코칭은 사용자가 앱에 기록한 내용을 바탕으로 대화 형태로 일대일 코칭을 진행하며 그 효과에 대한 근거를 논문으로 발표했다.[170]

2017년 4월 눔은 미국 질병통제예방센터CDC에서 운영하는 당뇨병 예방 프로그램DPP의 공식 인증을 모바일 앱 업체 최초로 획득하여 수가를 받을 수 있는 요건을 가지고 있지만 국내는 건강보험에 이러한 서비스에 대한 수가제도가 없는 상황이다.

12주간의 관리서비스를 통해 중재군은 1.29킬로그램, 대조군은 0.38킬로그램 체중이 감소했으며 통계적으로 유의한 차이(P=0.0004.

를 보였다. 이외에도 수면의 질, 우울감, 불안감 등 정서 상태 평가, 건강 관련 삶의 질 평가, 행동 변화 단계 평가, 스트레스 평가 등에 있어 일부 통계는 유의한 차이를 보였고, 일부 통계는 유의하지 않은 결과를 보였다.

디지털 치료제 중 이러한 인지행동치료를 반영한 경우 인허가를 위한 임상 디자인이 더 중요하다. 2017년 미국식품의약국 승인 후 2018년 11월부터 판매를 시작한 페어테라퓨틱스 리셋의 임상디자인을 살펴보자. 임상디자인은 물질사용장애SUD가 있는 환자를 대상으로 의사 처방 후 12주간 통상적 치료TAU를 제공한 그룹과 치료시간이 감소된 통상적 치료와 리셋을 병행한 그룹에 대해 치료효과와 순응도를 인허가를 위한 종말점Endpoint으로 설계하였다. 확증임상은 507명의 참가자 중 통상적 치료 그룹은 252명, 통상적 치료+리셋 그룹에 255명을 배정하였다. 하지만 미국식품의약국 승인을 위한 확증임상 전에 실시한 두 번의 무작위 대조 임상시험에서는 1,000여 명의 물질사용장애 환자를 대상으로 유효성과 안전성을 확보하였다.[171]

리셋, 리셋-O의 경우 의사의 처방에 따라 환자가 디지털 치료를 시작하게 되며 주된 치료 방식은 인지행동치료 방식으로 충동에 대한 자제를 중심으로 한 상황별 대처를 제공한다. 이러한 인지행동치료 결과는 처방을 낸 의사에게 대시보드 형태로 환자의 치료 순응도와 치료 관여도 등을 제공한다. 의사의 진단에 따라 실물 치료제와 연계된 병용요법의 효과를 측정한다. 2018년 미국식품의약국 허가를 받은 리셋-O의 적응증은 부프레노르핀과 같은 마약성 진통제 중독OUD으로 의사의 처방 후 12주간 인지 중재치료를 제공한다. 3개의 무작위 대조 임상시험을 통해 안전성과 유효성을 입증받고 2019년 1월부터 판매를 시작하였다.

## 페어테라퓨틱스사의 리셋 임상디자인

- FDA 승인문서 내용
  : 12주간 물질사용장애가 있는 두 그룹을 대상으로 통상치료와 통상치료 + 리셋치료를 병행한
  치료를 각각 적용 후 치료효과 확인
  - 그룹1(n=252) 통상치료 제공
  - 그룹2(n=255) 감소된 통상치료+리셋치료

```
                        ┌─────────────────────┐
                        │   그룹1: 252명        │
                        │ (통상치료, 4~6시간/주) │
                        └─────────────────────┘                1차 평가변수
  ┌──────────────┐                                              1. 9~12주 절제도 평가
  │ 507명 참여자   │          12 weeks                              그룹1의 위험비=2.22
  │(알코올 등 물질  │      9~12주차에 2주에 1회 소변검사                 그룹2의 위험비=3.17
  │ 사용장애)      │                                                : 통상치료 대비 치료효과의
  └──────────────┘                                                  통계적 의미 확보
                        ┌─────────────────────┐                2. 치료 순응도
                        │   그룹2: 255명        │                 : 2주 단위로 그룹별
                        │ (감소된 통상치료 2시간/주 │                   카플란-메이어법으로 평가
                        │   +리셋치료)          │
                        └─────────────────────┘
```

- **디지털 치료제의 주력 시장은 만성질환과 정신질환이다**
  : 자가진단과 자가치료 시장, 원격진료 시장이 성장하고 있다.
  : 생활양식의 변화로 인한 비만, 고령화, 스트레스가 증가하고 있다.
  : 목표질환의 초기 단계는 생활습관 개선을 통해 정상으로 회복 가능하다.

- **디지털 치료제 기업과 의료기관의 역할과 책임은 무엇인가**
  : 오프라인 의료기관의 역할과 책임은 치료 목적의 의료행위다.
  : 온라인 디지털 치료제 기업과 헬스케어 기업의 역할과 책임은 관리 목적의 상담과 조언이다.
  : 의사의 판단하에 진행하는 비의료적인 웰니스 서비스는 차별적인 경쟁력을 확보할 수 있다.
  : 원격진료는 디지털 치료제가 급성장할 수 있는 중요한 마중물이다.

- **만성질환 특징을 반영한 디지털 치료제를 만들어야 한다**
  : 인지행동치료, 생활습관 개선, 디지털 치료제 치료 순응도의 시너지를 만드는 황금비를 발견, 구현, 검증해야 한다.
  : 구독형 서비스의 재가입률 향상과 맞춤형 크로스세일을 통한 고수익 모델은 어떻게 만들어질까?
  : 디지털 치료제 치료 순응도 모델 기반 과업 완료율은 원인이며 구독형 서비스의 재가입률은 결과다.

# 맺음말

　코로나19는 의료계와 시민단체의 반발에 부딪혀 22년간 표류하던 '원격의료 규제' 장벽을 낮추었다. 코로나19 환자의 비대면 진료를 위해 정부는 2020년 2월부터 원격진료를 임시로 허용했으며 2020년 약 150만 건에서 2021년 약 219만 건으로 빠르게 증가했다. 미국 보건복지부의 2022년 3월 15일 보고서를 보면 2020년 3월에서 2021년 2월까지 2,800만 명의 메디케어 가입자가 원격진료서비스를 이용하였다. 이는 메디케어 총가입자수의 약 43%에 해당하며 2019년 대비 88배 증가한 수치다.

　디지털 치료제 기업인 페어테라퓨틱스는 2022년 4월부터 환자가 원격으로 의료기관의 의사를 통해 처방용 디지털 치료제PDT를 제공받을 수 있는 원격진료서비스를 시작했다. 이처럼 원격진료, 디지털 헬스케어, 디지털 치료제는 디지털 기술을 기반으로 서로 밀접한 관계를 맺고 있다. 사람의 정신과 육체라는 아날로그 세계를 대상으로 가상 세계의 디지털 기술이 상호 연결되어 건강을 관리해주는 것이다.

　디지털 치료제는 의학적 기전 기반 치료 기술과 정보통신기술을 융합한 치료제다. 국내에서는 2019년 디지털 치료제에 대한 식약처 품목코드 생성 및 인허가 가이드라인이 제공되었다. 2022년 8월 기준 약 10여 개 기업이 품목허가를 위한 임상시험을 진행하고 있다. 미국, 영국, 일본, 독일 등 주요국은 수년 전부터 의료의 디지털 전환이 국민에게 보편적이고 지속 가능한 의료서비스를 제공하는 데 필수임을 인식하고 정부 차원의 규제 완화와 지원 정책을 추진해왔다. 한국 국회에서는 '디지털 헬스케어 산업의 육성 및 지원에 관한 법률안'이 입법 진행 중이며 흩어져 있는 건강 관련 정보를 진료와 건강관리 등에 활용할 수 있는 의료 마이데이터 서비스도 마무리 단계에 들어갔다. 또한 정부가 디지털 치료제를 관리하는 '디지털 헬스 주상담의' 제도 도입을 공식화함으로써 디지털 치료제는 앞으로 더욱더 본격화될 전망이다.

한편 의료서비스와 연계한 메타버스의 가능성이 부상되면서 미국 식품의약국은 확장현실 기반 의료기기에 대한 환자의 접근을 보장하기 위해 규제과학 연구를 하고 있다.

이처럼 새로운 디지털 기술은 헬스케어와 의료서비스에 혁명적인 변화를 이끌고 있다. 이러한 변화에는 2가지 방향성이 있다. 첫 번째는 개인 입장에서의 변화다. 서비스 공급자와 수요자 간 정보의 비대칭이 가장 큰 산업인 헬스케어 산업과 의료산업이 정보의 공유, 활용성 확대, 소유 주체의 명확화 등을 통해 정보의 평등이 이루어지고 있다. 어려운 질병 용어나 의료 용어가 수요자의 눈높이에 맞게 가공되면서 일반 개인도 스스로 쉽게 건강을 관리할 수 있는 시대가 되었다. 이는 헬스케어 산업과 의료산업의 권력 이동을 뜻한다. 예방의학 관점의 자가관리와 자가치료가 디지털 기술과 융합되는 시점이 '헬스케어의 넷플릭스'가 등장하는 시점이 될 것이다. 넷플릭스 오리지널 시리즈인 「오징어 게임」처럼, 디지털 치료제인 '30대 여성 전당뇨 유소견자를 위한 근력 강화 12주 프로그램'이 '에밀리 파리에 가다'라는 근사한 제목처럼 표현되어 출시될 것 같다.

두 번째는 바이오 기업 입장에서의 변화다. 플랫폼 중심의 헬스케어 생태계가 만들어지면서 바이오 기업의 아이템, 원천기술, 진입 시기 등의 중요한 비지니스 의사결정처럼 어떤 의료 생태계에 진입하느냐도 중요해진다. 빅테크, 빅파마, 의료기관이 디지털 헬스케어, 원격진료, 디지털 치료가 연결된 서비스를 메타버스를 통해 제공하는 경우 바이오 기업은 어떤 선택을 해야 할까? 텔라닥과 아마존은 인공지능 플랫폼인 알렉사를 이용하여 음성 기반 원격의료서비스를 제공한다고 발표했다. 이러한 전략적 제휴 기반 플랫폼 서비스는 해당 빅테크 생태계의 변화를 보여준다. 중국의 알리바바그룹 산하의 헬스케어 플랫폼인 알리헬스는 원격진료, 전자 처방, 온라인 약국, 진료 예약을 디지털 기술로 연결하여 원격진료 수직계열화를 완성하고 서비스를 본격화하고 있다. 알리헬스의 독자적 생태계에는 인터넷 병원과 온오프라인 약국, 결제 수단인 알리페이, 알리바바의 전자상거래 플랫폼인 T몰 등이 모두 들어가 있다. 따라서 생태계의 특성과 차별성을 감안한 진입 전략이 중요해졌다. 특히 다면 플랫폼, 다중 플랫폼 등 플랫폼의 연결 구조가 변화하는 과정에서 디지털 치료제 기업이 어떤 역할을 차지할 것인가?

이 책은 이러한 2가지 방향성에서 지속적으로 시사점을 제시하고 있다. 1부 '디지털 치료제 시대가 온다'는 근거 기반 의학에서 헬스케어 데이터의 중요성과 질병의 기전에 기반한 지적재산권을 강조하였다. 2부 '디지털 치료제 생태계가 커진다'는 산업 생태계와 플랫폼 내에서 법제도와 사회문화적 변화를 감지한 생태계 진입 전략을 강조하고 있다.

생활습관의 변화와 고령층 인구 비중이 증가함에 따라 만성질환의 유병률이 급속히 증가하고 현대인의 스트레스 증가로 정신질환 관리도 심각해지고 있다. 디지털 치료제 기업 입장에서는 풍부한 시장이 만들어지는 것이다. 디지털 치료제 기업이 빠른 속도로 의학적 증거를 확보하여 의료보험 시스템에 반영된다면 좋을 것이다. 하지만 그 과정은 생각보다 상당한 시간이 필요할 것 같다. 그 상당한 시간을 견디기 위해서는 국내 시장뿐만 아니라 글로벌 시장을 동시에 개척하는 혜안이 필요할 것이다.

**| 참고자료 |**

1.  Well-being: health is a state of complete physical, mental, and social well-being and not merely the absence of disease or infirmity.

2.  Nortier, J. L., Muniz Martinez, M., & Schmeiser, H. D. (2000). Environmental and heritable factors in the causation of cancer. N Engl J Med, 343, 78-85.

3.  생물에서 관찰 가능한 특징적인 모습이나 성질을 의미하며 물리적인 특성 뿐 만 아니라 행동 같은 특성도 포함한다. 표현형은 유전형Genotype과 대비 되는 용어다. 완두콩을 예를 들자면 완두콩이 '동그랗다', '주름지다' 등 실제 겉으로 드러나는 모양이 표현형이다. 이를 우성, 열성 유전인자를 나타내는 R 과 r 기호를 사용해서 RR, Rr, rr로 쓰게 되면 유전형을 표현한 것이 된다.

4.  같은 종 또는 하나의 번식집단 내에서 개체 간에 혹은 종의 무리 간에 나타 나 는 형질의 차이다. 변이는 유전적 요인으로 생긴 유전변이(유전형 변이)와 환경적 요인으로 생긴 환경변이(표현형 변이)로 나눌 수 있다. 방사선 등의 외 부 영향으로 유전적 요인이 변화한 변이인 경우 돌연변이라고 한다.

5.  Schwekendiek, D., & Pak, S. (2009). Recent growth of children in the two Koreas: a meta-analysis. Economics & Human Biology, 7(1), 109-112. "In 1997, South Korean preschool children were found on average to be 6~7cm(2~3 in.) taller than their Northern counterparts; in 2002, the average gap was about 8cm(3 in.)."

6.  Marian, A. J. (1998). Genetic risk factors for myocardial infarction. Current opinion in Cardiology, 13(3), 171-178.

7.  Nortier, J. L., Muniz Martinez, M., & Schmeiser, H. D. (2000). Environmental and heritable factors in the causation of cancer. N Engl J Med, 343, 78-85.

8.  아주대학교 의과대학 생리학교실. 인체해부생리학.

9.  네이버 동물학백과. 기관계.

10. 신라대학교 보건행정학과. 인체의 구조와 성장 발달.

11. Torreya. (2020. 02). Digital Therapeutics and the Future of Pharma.

12. 권혁기, 홍정기, 조준일. (2000). 디지털화에 따른 산업구조 변화와 유망사

업, LG경제연구원.

13. 매일경제. (2021. 04. 07). 네이버 '제페토' 이용자만 2억명…'메타버스' 무섭네~. https://www.mk.co.kr/economy/view.php?sc=50000001 &year=2021 &no=333917

14. 국정현안점검조정회의. (2020. 12. 10). 가상융합경제 발전전략(Beyond Reality, Extend Korea).

15. http://www.goforward.com

16. http://www.xr.health

17. https://www.aarp.org

18. 김향규. (2020. 10). XR, 경험 확장을 통한 사회적 치유. Monthly Software Oriented Society, No. 76.

19. https://alcovevr.com

20. 식품의약품안전처. (2020. 08). 디지털치료기기 허가 · 심사 가이드라인.

21. IMDRF. (2015. 10). Software as a Medical Device (SaMD): Application of Quality Management System/

22. Dang, A., Arora, D., & Rane, P. (2020). Role of digital therapeutics and the changing future of healthcare. Journal of Family Medicine and Primary Care, 9(5), 2207.

23. 이승민. (2019. 01). 디지털과 의료의 만남, 디지털 치료제. 바이오헬스 리포트, 한국보건산업진흥원.

24. Grand View Research. (2017. 07). Digital Therapeutics Market by Application, By end use, And segment forecasts, 2017-2025.

25. Grand View Research. (2017. 07). Digital Therapeutics Market by Application, By end use, And segment forecasts, 2017-2025.

26. FDA. (2019. 01). Developing a Software Precertification Program: A Working Model.

27. FDA. (2017. 07). Digital Health Innovation Action Plan.

28. FDA. (2017. 09). Device Classification Under Section 513(f)(2)(De Novo). reSET.

29. GlobalData. (2019). Digital Therapeutics (DTx) and their Impact on Healthcare.

30. Dtxalliance. Understanding DTx _Product Library. https://dtxalliance. org/understanding-dtx/product-library/

31. NICE. (2021). Evidence standards framework for digital health technologies.

32. England, N., (2020. 11. 17). NHS England, The Improving Access to Psychological Therapies Manual.

33. Gerke, S., Stern, A. D., & Minssen, T. (2020). Germany's digital health reforms in the COVID-19 era: lessons and opportunities for other countries. NPJ digital medicine, 3(1), 1-6.

34. Ministry of Health, Labour and welfare in Japan. (2020). About individual revision items [Internet].

35. FDAnews. (2018. 11). China Streamlines Reviews of Innovative Devices. https://www.fdanews.com/articles/189152-chinastreamlines-reviews-of-innovative-devices

36. Evidera. (2021. 01. 07). White Paper: Digital Therapeutics: Past Trends and Future Prospects.

37. Grand View Research. (2017. 07). Digital Therapeutics Market by Application, By end use, And segment forecasts, 2017-2025.

38. Christensen, H., Batterham, P. J., Gosling, J. A., Ritterband, L. M., Griffiths, K. M., Thorndike, F. P., Glozier, N., O'Dea, B., Hickie, I. B., & Mackinnon, A. J. (2016). Effectiveness of an online insomnia program (SHUTi) for prevention of depressive episodes (the GoodNight Study): a randomised controlled trial. The Lancet Psychiatry, 3(4), 333-341.

39. Krystal, A. D., & Prather, A. A. (2017). Should internet cognitive behavioral therapy for insomnia be the primary treatment option for insomnia?: Toward getting more SHUTi. JAMA psychiatry, 74(1), 15-16.

40. Sepah, S. C., Jiang, L., & Peters, A. L. (2015). Long-term outcomes of a Web-based diabetes prevention program: 2-year results of a single

arm longitudinal study. Journal of medical Internet research, 17(4), e4052.

41.  Moin, T., Damschroder, L. J., AuYoung, M., Maciejewski, M. L., Havens, K., Ertl, K., ⋯ & Richardson, C. R. (2018). Results from a trial of an online diabetes prevention program intervention. American journal of preventive medicine, 55(5), 583-591.

42.  Abbadessa, G., Brigo, F., Clerico, M., de Mercanti, S., Trojsi, F., Tedeschi, G., Bonavita, S., & Lavorgna, L. (2021). Digital therapeutics in neurology. Journal of Neurology, 269(3), 1209-1224.

43.  Kollins, S. H., DeLoss, D. J., Ca adas, E., Lutz, J., Findling, R. L., Keefe, R. S. E., Epstein, J. N., Cutler, A. J., & Faraone, S. V. (2020). A novel digital intervention for actively reducing severity of paediatric ADHD (STARS-ADHD): a randomised controlled trial. The Lancet Digital Health, 2(4), e168-e178.

44.  전봉현. (2017). 혈액을 이용한 질병 진단 바이오마커 발굴 동향, BRIC View, 2017-T24.

45.  Biomarkers Definitions Working Group. (2001). Biomarkers and surrogate endpoints: preferred definitions and conceptual framework. Clinical pharmacology & therapeutics, 69(3), 89-95.

46.  BCC Research. (2019). Biomarker Deals: Terms, Value and Trends (한국바이오 경제연구센터 재구성).

47.  생명공학연구센터. (2016. 03. 08).

48.  ASCO daily news. (2017. 06. 03)

49.  심다운, 이재현. (2016). 성인 천식의 바이오마커와 맞춤의학, AARD, 01, 4-13, p. 5.

50.  research2guidance. (2021). Four main reasons of why digital biomarkers are hot.

51.  Coravos, A., Khozin, S., & Mandl, K. D. (2019). Developing and adopting safe and effective digital biomarkers to improve patient outcomes. NPJ digital medicine, 2(1), 1-5.

52.  Kourtis, L. C., Regele, O. B., Wright, J. M., & Jones, G. B. (2019).

Digital biomarkers for Alzheimer's disease: the mobile/wearable devices opportunity. NPJ digital medicine, 2(1), 1-9.

53. BIS Research. (2019. 12). Global Digital Biomarkers Market (생명공학정 책연구센터 재가공).

54. https://nightware.com

55. Nightware. (2021). Nightware Digital Therapeutic.

56. www.myfeel.co/employers-old

57. www.altoida.com

58. Buegler, M., Harms, R. L., Balasa, M., Meier, I. B., Exarchos, T., Rai, L., Boyle, R., Tort, A., Kozori, M., Lazarou, E., Rampini, M., Cavaliere, C., Vlamos, P., Tsolaki, M., Babiloni, C., Soricelli, A., Frisoni, G., Sanchez-Valle, R., Whelan, R., ⋯ & Tarnanas, I. (2020). Digital biomarker-based individualized prognosis for people at risk of dementia. Alzheimer's & Dementia: Diagnosis, Assessment & Disease Monitoring, 12(1).

59. https://www.sondehealth.com

60. FDA. (2019. 01). Developing a Software Precertification Program: A Working Model.

61. 식품의약품안전처. (2020. 08). 디지털치료기기 허가·심사 가이드라인.

62. International Organization for Standardization. (2019). Medical devices-Application of risk management to medical devices (ISO Standard No. 14971:2019).

63. IMDRF. (2016). Software as a Medical Device(SaMD): Clinical Evaluation.

64. 식품의약품안전처. (2021. 12). 디지털치료기기 안전성 성능 평가 및 임상 시험 계획서 작성 가이드라인.

65. 식품의약품안전처. (2018. 06). 의료기기 소프트웨어 허가·심사 가이드라인.

66. International Organization for Standardization. (2016). Medical devices — Part 2: Guidance on the application of usability engineering to medical devices (ISO Standard No. IEC/TR 62366-2:2016).

67. 식품의약품안전처. (2020. 08). 디지털치료기기 허가·심사 가이드라인.

68. 식품의약품안전처. (2021. 12). 불면증 개선 디지털치료기기 안전성 성능 평가 및 임상시험계획서 작성 가이드라인.

69. 식품의약품안전처. (2020. 08). 의료기기 임상통계 질의응답집.

70. 법령. (2022.07.21). 「의료기기법 시행규칙」 제20조(임상시험계획의 승인 등) 제2항.

71. 의약품심사부 의약품심사조정과. (2015).

72. FDA. (2019. 01). Developing a Software Precertification Program: A Working Model.

73. 식품의약품안전처. (2019. 02). 의료기기의 실사용증거(RWE) 적용에 대한 가이드라인.

74. 연세의료원 연구개발자문센터. (2020). 환자 중심 치료기술 개발을 위한 RWE Guide Book.

75. 양지영, 정규원, 황정은, 박한희, 성희진, 신주영, 권진원, 이주연, 정선영, 김우정. (2019). 실사용증거 (Real-World Evidence, RWE) 의 의료기기 규제 결정 활용. 약물역학위해관리학회지, 11(2), 121-134.

76. Coravos, A., Goldsack, J. C., Karlin, D. R., Nebeker, C., Perakslis, E., Zimmerman, N., & Erb, M. K. (2019). Digital medicine: a primer on measurement. Digital Biomarkers, 3(2), 31-71.

77. ACRO. (2019). Decentralized Clinical Trials. https://www.acrohealth.org/dct

78. Apple. (2015). researchkit, https://www.researchandcare.org

79. Hershman, S. G., Bot, B. M., Shcherbina, A., Doerr, M., Moayedi, Y., Pavlovic, A., Waggott, D., Cho, M. K., Rosenberger, M. E., Haskell, W. L., Myers, J., Champagne, M. A., Mignot, E., Salvi, D., Landray, M., Tarassenko, L., Harrington, R. A., Yeung, A. C., McConnell, M. V., & Ashley, E. A. (2019). Physical activity, sleep and cardiovascular health data for 50,000 individuals from the MyHeart Counts Study. Scientific Data, 6(1).

80. Espie, C. A., Kyle, S. D., Williams, C., Ong, J. C., Douglas, N. J., Hames, P., & Brown, J. S. (2012). A randomized, placebo-controlled trial of online cognitive behavioral therapy for chronic insomnia disorder delivered

via an automated media-rich web application. Sleep, 35(6), 769-781.

81. International Organization for Standardization. (2016). Medical devices – Quality management systems – Requirements for regulatory purposes (ISO Standard No. 13485:2016).

82. Maricich, Y. A., Xiong, X., Gerwien, R., Kuo, A., Velez, F., Imbert, B., Boyer, K., Luderer, H. F., Braun, S., & Williams, K. (2020). Real-world evidence for a prescription digital therapeutic to treat opioid use disorder. Current Medical Research and Opinion, 37(2), 175-183.

83. KBS NEWS. (2019. 02. 11). 국민 95%가 스마트폰 사용…보급률 1위 국가는?

84. KDI 경제정보센터. (2021). 디지털헬스케어에 대한 국민 인식조사

85. 조선일보. (2021. 06. 17). 혼자 앱 깔 줄 아는 노인 18%뿐… 디지털 세상이 서럽다

86. Cho, Y. I., Lee, S. Y., Arozullah, A. M., & Crittenden, K. S. (2008). Effects of health literacy on health status and health service utilization amongst the elderly. Social Science & Medicine, 66, 1809-1816.

87. Fitzpatrick, K. K., Darcy, A., & Vierhile, M. (2017). Delivering cognitive behavior therapy to young adults with symptoms of depression and anxiety using a fully automated conversational agent (Woebot): a randomized controlled trial. JMIR mental health, 4(2), e7785.

88. https://kaiahealth.com

89. Priebe, J. A., Haas, K. K., Moreno Sanchez, L. F., Schoefmann, K., Utpadel-Fischler, D. A., Stockert, P., Thoma, R., Schiessl, C., Kerkemeyer, L., Amelung, V., Jedamzik, S., Reichmann, J., Marschall, U., & Toelle, T. R. (2020). Digital Treatment of Back Pain versus Standard of Care: The Cluster-Randomized Controlled Trial, Rise-uP. Journal of Pain Research, Volume 13, 1823-1838.

90. Mckinsey & Company. (2021. 06). Digital health: Can gamification be a winning strategy for disease management?

91. FDA. (2020. 06. 15). FDA Permits Marketing of First Game-Based Digital Therapeutic to Improve Attention Function in Children with

ADHD.

92. BFB Labs. (2020. 09. 02). UK MHRA approves Lumi Nova, the first gamebased digital therapeutic to treat anxiety disorders in children.

93. https://www.bfb-labs.com/luminova

94. Lockwood, J., Williams, L., Martin, J. L., Rathee, M., & Hill, C. (2022). Effectiveness, User Engagement and Experience, and Safety of a Mobile App (Lumi Nova) Delivering Exposure-Based Cognitive Behavioral Therapy Strategies to Manage Anxiety in Children via Immersive Gaming Technology: Preliminary Evaluation Study. JMIR Mental Health, 9(1), e29008.

95. https://www.soldierstrong.org/bravemind

96. 식품의약품안전처. (2019. 11). 의료기기의 사이버 보안 허가·심사 가이드라인.

97. 동반진단이란 특정 약물이 환자에게 효과가 있을지 미리 알아보는 진단법을 말한다. 환자를 바이오마커를 통해 미리 선별하고, 이에 대한 맞춤형 치료를 제공한 후 예후도 바이오마커를 통해 파악하는 방식이다. 주로 항암제에 많이 적용된다.

98. 드노보De Novo는 라틴어로 새로운, 신규라는 뜻이다. 드노보 방식이란 미국 식품의약국 허가신청 시 기존에 허가된 제품이 없어서 신규로 허가를 진행해야 하는 경우를 말한다.

99. 과민성대장증후군IBS, Irritable Bowel Syndrome, Karolinska Institute(스톡홀름, 스웨덴)와 제휴하여 추진.

100. 편두통Migraine, Cincinnati Children's Hospital Medical Center와 제휴하여 추진.

101. Specialty GI, Ironwood Pharmaceutical Inc.와 제휴하여 추진, Gastrointestinal(GI) 질환 타깃.

102. Trevino, A. C., Quatieri, T. F., & Malyska, N. (2011). Phonologically-based biomarkers for major depressive disorder. EURASIP Journal on Advances in Signal Processing, 2011(1), 1-18.

103. Huang, Z., Epps, J., Joachim, D., & Chen, M. (2018). Depression Detection from Short Utterances via Diverse Smartphones in Natural

Environmental Conditions. In INTERSPEECH. 3393-3397.

104. http://www.sondehealth.com

105. Morency, L. P., Stratou, G., DeVault, D., Hartholt, A., Lhommet, M., Lucas, G., Morbini, F., Georgila, K., Scherer, S., Gratch, J., Marsella, S., Traum, D., & Rizzo, A. (2015). SimSensei Demonstration: A Perceptive Virtual Human Interviewer for Healthcare Applications. Proceedings of the AAAI Conference on Artificial Intelligence, 29(1).

106. Marmar, C. R., Brown, A. D., Qian, M., Laska, E., Siegel, C., Li, M., Abu -Amara, D., Tsiartas, A., Richey, C., Smith, J., Knoth, B., & Vergyri, D. (2019). Speech-based markers for posttraumatic stress disorder in US veterans. Depression and Anxiety, 36(7), 607-616.

107. Tröger, J., Linz, N., König, A., Robert, P., & Alexandersson, J. (2018, May). Telephone-based dementia screening I: automated semantic verbal fluency assessment. In Proceedings of the 12th EAI International Conference on Pervasive Computing Technologies for Healthcare, 59-66

108. Martínez-Sánchez, F., Meilán, J. J. G., Carro, J., & Ivanova, O. (2018). A prototype for the voice analysis diagnosis of Alzheimer's disease. Journal of Alzheimer's Disease, 64(2), 473-481.

109. Liberman, A. (2003). U.S. Patent No. 6,638,217. Washington, DC: U.S. Patent and Trademark Office.

110. Levanon, Y., & Lossos-Shifrin, L. (2008). U.S. Patent No. 7,398,213. Washington, DC: U.S. Patent and Trademark Office.

111. Hagiwara, N., Omiya, Y., Shinohara, S., Nakamura, M., Higuchi, M., Mitsuyoshi, S., Yasunaga, H., & Tokuno, S. (2017). Validity of Mind Monitoring System as a Mental Health Indicator using Voice. Advances in Science, Technology and Engineering Systems Journal, 2(3), 338-344.

112. Taguchi, T., Tachikawa, H., Nemoto, K., Suzuki, M., Nagano, T., Tachibana, R., Nishimura, M., & Arai, T. (2018). Major depressive disorder discrimination using vocal acoustic features. Journal of Affective Disorders, 225, 214-220.

113. https://www.akiliinteractive.com/science-and-technology

114. PureTech. (2019). Health Annual report and accounts 2019.

115. 코로나19 바이러스는 바이러스의 입자표면이 돌기처럼 튀어나와 왕관이나 태양의 코로나 모양과 흡사하다 하여 코로나Corona라는 명칭이 붙었다. 2019년 우한의 코로나 바이러스는 코비드19 또는 코로나19로 부르고 있으나 정식 명칭은 SARS-CoV-2이다.

116. 개발 플랫폼이란 주로 양면 시장을 대상으로 한 구글, 아마존, 네이버 등의 서비스 플랫폼이 아니라 기술의 재사용성을 극대화하고 공통기술을 강화한 신약 개발 플랫폼을 의미한다. 따라서 디지털 헬스케어 시장에서 서비스 플랫폼과 디지털 치료제 기업의 개발 플랫폼은 다른 의미이므로 구분하여 표현한다.

117. 관계부처합동 혁신 성장전략회의. (2020.01.15). 바이오산업 혁신 정책방향 및 핵심과제.

118. KBIOIS. 바이오산업 분류체계. https://www.kbiois.or.kr/portal/intro/categoryInfoPage.do

119. 관계부처 합동. (2019. 05. 22). 바이오헬스 산업 혁신전략.

120. 송재용. (2021. 07. 02). 대한민국 제약/바이오 산업의 과제와 전략, "한국 바이오/헬스케어 산업의 현재와 미래". 한국산업경쟁력 포럼, 제7차.

121. 관계부처 합동. (2019. 05. 22). 바이오헬스 산업 혁신전략.

122. 한국제약바이오협회. (2017). 2017 한국 제약산업 길라잡이.

123. DiMasi, J. A., Grabowski, H. G., & Hansen, R. W. (2016). Innovation in the pharmaceutical industry: new estimates of R&D costs. Journal of health economics, 47, 20-33.

124. 위키백과, https://ko.wikipedia.org/wiki/%EC%9D%98%EB%A3%8C_%EC%82%B0%EC%97%85

125. Torreya. (2020). Digital Therapeutics and the Future of Pharma.

126. 서비스 플랫폼은 mRNA 치료제를 예로 든 제약 개발 플랫폼과는 다른 개념이다. 양면 시장, 다면 시장을 대상으로 서비스되는 플랫폼은 아마존의 전자상거래 플랫폼이 대표적이다.

127. CPND란 콘텐츠 공급자(C), 플랫폼 사업자(P), 네트워크 사업자(N), 디바이스 사업자(D)가 존재하는 스마트폰 산업의 가치사슬을 의미한다.

128. 빅파마Big Pharma란 Big Pharmaceutical Company의 약자로 글로벌 대형 제약사를 의미한다.

129. 바이오스펙데이터. (2020. 11. 02). 신영역 디지털 치료제, 빅파마 딜로 본 4가지 포인트. http://www.biospectator.com/view/news_view.php?varAtcId=11506

130. 삼성경제연구소. (2012).

131. 대신증권 장기전략 리서치부 미래산업팀. (2020. 05. 18). 헬스케어의 미래, 디지털 기업의 부상.

132. Ping An. (2021. 02). Ping An Good Doctor 2020 Annual Results. http://www. pagd.net

133. Teladoc. (2021.11.18) Teladoc 2021 Investor Day.

134. 전자신문. (2021. 07. 20). 급성장하는 헬스케어 시장, 보험사 '각축전'.

135. Blue Matter. (2021). Digital Therapeutics 101 An Introduction and Overview.

136. 한국과학기술기획평가원. (2020). 데이터 3법 개정과 연구개발정보 활용을 위한 제언.

137. 개인정보보호위원회. (2020. 09). 가명정보 처리 가이드라인.

138. 보건복지부. (2020. 09. 25). 보도자료 '보건의료데이터 활용 가이드라인' 마련.

139. 보건복지부. (2020. 09. 25). 보도자료 '보건의료데이터 활용 가이드라인' 마련.

140. 보건복지부. (2021. 11. 22). 보도자료 "보건의료 마이데이터가 가져온 내 일상의 변화를 얘기해주세요".

141. https://aihub.or.kr

142. 투이컨설팅. (2018). 디지털 혁신과제와 방향, KOSTA Keynote.

143. 김학용. (2021. 02). 크로스 플랫폼이 주도하는 플랫폼 경제, 월간 SW중심사회.

144. 삼정 KPMG 경제연구원. (2019). 플랫폼 비즈니스의 성공전략.

145. 신기철. (2012.11). 민영건강보험의 현황과 개선과제, HIRA 정책동향.

146. 보건복지부. (2020.12). 건강보험 비 급여 관리강화 종합대책.

147. 국민건강보험. (2021). 2020년 건강보험통계연보.

148. 신기철. (2012). 민영건강보험의 현황과 개선과제, HIRA 정책동향.

149. 보험연구원. (2010). 주요국의 민영건강보험의 운영체계와 시사점.

150. 신기철. (2015). 민영의료보험 가입자의 의료이용 실증분석의 한계와 과제, 보건사회연구.

151. On Board Diagnostics의 약자로 운행기록 자기진단장치라고 하며, 보험 기간 동안 차에 부착해 자동차의 시동을 걸 때 자동으로 운행기록이 저장되는 장치를 말한다.

152. 금융위원회. (2019. 07). 건강증진형 보험상품 서비스 활성화 방안.

153. 보건복지부/건강보험심사평가원. (2020). 혁신적 의료기술의 요양급여 여부 평가 가이드라인(AI 기반 병리학분야 의료기술).

154. 보건복지부/건강보험심사평가원.(2020.12). 혁신적 의료기술의 요양급여 여부 평가 가이드라인(AI 기반 병리학분야 의료기술).

155. 식품의약품안전처. (2019. 02). 의료기기의 실사용증거(RWE) 적용에 대한 가이드라인.

156. 질환에 대한 효용 가중치를 의미한다. 환자로서 10년을 살 경우 건강상태 가 개인에게 미치는 효율 정보를 보여주는 것이다. 예를 들면 효용 가중치(질 보정 수명) 0.38은 건강하게 3.8년을 살고 6.2년의 삶을 포기하겠다는 의미로 치료 반응이 높아질수록 효용 가중치도 높아진다. 0.85라면 삶의 포기 기간이 약 1.5년을 말한다.

157. 질병관리청. (2020). 만성질환 현황과 이슈.

158. 김정욱. (2019). 삶의 질 향상을 위한 건강관리서비스 활성화.

159. 조비룡. (2021. 02). "만성질환자 건강관리앱 활용 모델 개발 및 실증사업", 한국보건산업진흥원.

160. 보건복지부. (2019. 05). 비의료 건강관리서비스 가이드라인 및 사례집[1차].

161. 보건복지부. (2019. 05). 비의료 건강관리서비스 가이드라인 및 사례집[1차].

162. 홍석철. (2017). 건강관리서비스 도입의 사회경제적 효과 분석, 보험연구원.

163. 관련 상품을 같이 판매하여 구매 금액을 높이는 전략.

164. Teladoc & Livongo. (2020. 09). Transforming Healthcare, Across the Continuum of Care, Teladoc & Livongo IR.

165. KSoLA. (2020). Dyslipidemia Fact Sheet in Korea 2018 & 2020.

166. https://prodataintelligence.com/index.php/article/2/tam-sam-som.

167. David C. Rhew, M.D. (2021). Global Trends and Opportunities in Digital Health, 2021, 헬스케어 이노베이션 포럼 발표 자료.

168. 한국산업안전보건공단. (2019. 12). 직장에서의 뇌.심혈관관계질환 예방을 위한 발병 위험도 평가 및 사후관리지침.

169. 권준수. (2021. 11) 2021 헬스케어 이노베이션 포럼 발표 자료.

170. 조비룡. (2021. 02). "만성질환자 건강관리앱 활용 모델 개발 및 실증사업", 한국보건산업진흥원.

171. FDA. (2016). De Novo classification request for reset.

**디지털 치료제 혁명**
제3의 신약 디지털 치료제의 모든 것!

**초판 1쇄 인쇄** 2022년 8월 25일
**초판 1쇄 발행** 2022년 8월 30일

**지은이** 하성욱 김유영
**펴낸이** 안현주

**기획** 류재운 **편집** 안선영 **마케팅** 안현영
**디자인** 표지 최승협 본문 장덕종

**펴낸곳** 클라우드나인  **출판등록** 2013년 12월 12일(제2013 – 101호)
**주소** 우) 03993 서울시 마포구 월드컵북로 4길 82(동교동) 신흥빌딩 3층
**전화** 02 – 332 – 8939  **팩스** 02 – 6008 – 8938
**이메일** c9book@naver.com

**값** 23,000원
ISBN 979 – 11 – 91334 – 86 – 9  03320